JANE FALLON

Krijg je wel

C DE KERN

Oorspronkelijke titel: *Got You Back*
Oorspronkelijke uitgever: Penguin Books, Londen
Copyright © 2008 by Jane Fallon
The moral right of the author has been asserted
Copyright © 2009 voor deze uitgave:
Uitgeverij De Kern, De Fontein bv, Postbus 1, 3740 AA Baarn
Vertaling: Anna Livestro
Fotografie omslag: SixSeven Photographic / Sean McMenomy
Typografie omslag: Hans Gordijn, Baarn
Opmaak binnenwerk: Het vlakke land, Rotterdam
ISBN 978 90 325 11517
NUR 302

www.dekern.nl
www.uitgeverijdefontein.nl

S TEPHANIE DEED HAAR OGEN DICHT en stak haar handen uit. Het niet te houden enthousiasme van haar zoontje werkte aanstekelijk en ze voelde zich weer helemaal kind. Ongelofelijk dat het al negen jaar geleden was. Vandaag was het negen jaar geleden dat ze rilde van de kou en huilde vanwege de regen en dat daardoor haar kapsel was verpest en dat James de hotelkamer binnen was gestormd waar zij zich aan het aankleden was. Hij had alle adviezen over dat het ongeluk bracht om de bruid te zien voor de huwelijksceremonie in de wind geslagen, omdat hij wist hoe gespannen ze was. Hij wist ook dat zij zich niet druk maakte om dat soort folklore omdat ze veel liever even bij hem wilde zijn.

'Je moet wel een regenjas aan,' zei hij, 'en laarzen. O, en misschien wel een zuidwester op. Staat vast leuk,' zodat Stephanie ondanks haar zenuwen toch moest lachen.

'Ik bedoel, denk maar niet dat ik met je trouw als je er bij loopt als een verzopen kat – ik moet om mijn reputatie denken.'

Stephanies moeder, die haar had geholpen om zich in haar weinig traditionele japon van grijs satijn te persen en die de humor van James nooit echt kon volgen, had bestraffende geluiden gemaakt en geprobeerd hem de kamer uit te bonjouren, maar James plofte in een stoel en weigerde te vertrekken. Tegen de tijd dat ze naar het gemeentehuis moesten was Stephanie weer helemaal relaxed en beheerst, en wist ze zeker dat dit de gelukkigste dag van haar leven zou worden, precies zoals het hoorde.

Tegen het einde van de dag zat haar kapsel als nat touw tegen haar hoofd geplakt en James zei dat ze nog nooit zo mooi was geweest als nu. Dat deed hij met zo veel overtuiging dat ze hem nog geloofde ook.

Sindsdien had hij elk jaar een enorme toestand gemaakt van hun trouwdag en had hij haar op die dag verrast met grappige cadeautjes. Het eerste jaar kreeg ze een paar heftig versierde designer regenlaarzen, vanwege dat vreselijke weer toen. Maar ook, naar later bleek – en dat was iets wat haar nu nog veel dierbaarder was – omdat het een herinnering was aan het modderbad waarin ze hadden rondgebanjerd op het rockfestival in Glastonbury vlak voor ze erachter kwam dat ze zwanger was van Finn. Een nachtje in een Bed & Breakfast, compleet met het aanbod van zijn ouders om op Finn te passen, die toen twee was. Dat was ook het jaar waarin Stephanie bijna doordraaide van het moederschap. En verleden jaar kreeg ze een beschilderde gieter waarvan hij wist dat ze er al een poosje een oogje op had.

Aangespoord door zijn enthousiasme had zij ook verrassingen voor hem georganiseerd, iets wat bij haar in de familie helemaal niet gebruikelijk was. Bij hen thuis was kerst altijd het feest van 'Wat wil jij? Een nieuwe keukenmachine? Mooi, dan koop ik die wel'. Met de jaren had ze boeken voor hem gekocht, en gadgets, en een keer, toen ze in een sentimentele bui was, een foto van hen drieën in een zilveren lijstje. De regel was dat de cadeautjes geheim moesten blijven tot de grote dag, wat Finn, vertrouweling van allebei zijn ouders, heel erg moeilijk vond.

Dit jaar had Stephanie een kurkentrekker voor James gekocht, in de vorm van een vis. Want Finn had haar bezworen dat zijn vader daar naar had staan staren in de etalage, ook al had zij zo haar twijfels. Hij had het pakje gretig opengescheurd, en leek ook zonder meer opgetogen over de inhoud, maar Stephanie wist best dat hij ook zo zou doen als hij niet blij was. Nu was het haar beurt en ze kon bijna niet wachten van de spanning.

'Kom op,' lachte ze. Ze hoorde Finn giechelen van opwinding.

'Ogen dicht,' zei James, en ze voelde een licht, vierkant doosje in haar uitgestrekte handen vallen. Ze had eigenlijk gedacht dat hij de nieuwe Jamie Oliver voor haar zou kopen – ze had Finn zelfs zwaar op lopen stoken. Dit voelde niet als de nieuwe Jamie Oliver. 'Oké, doe maar open.'

Ze deed wat haar werd opgedragen. In haar hand lag een klein maar opvallend rood doosje. Dit kon helemaal niet. Ze mochten niet zoveel uitgeven: de cadeautjes waren maar voor de lol. Het ging echt vooral om het idee. Oké, dacht ze, ik doe het open en dan is het gewoon een plastic ketting van de markt. Dat is natuurlijk de grap.

Finn sprong op en neer. 'Doe nou open!'

Ze hield haar gezicht in de plooi, zodat het leek alsof ze er in zou trappen – James had wel eens eerder zoiets geflikt: toen had hij een gigantische doos beeldig ingepakt, en toen ze het papier er af had, was er nog een doos, en toen nog een, en nog een, net zolang tot ze met een leeg lucifersdoosje zat. Zijn echte cadeautje viste hij toen achter de bank weg. Finn had nog nooit zoiets grappigs meegemaakt.

Ze deed het doosje open. Er lag iets in dat best door kon voor een zilveren armband met roze steentjes. Stephanie keek James vragend aan. Hij trok zijn wenkbrauwen op alsof hij wilde zeggen: 'Ja, wat had je dan verwacht?' Ze pakte de armband van het bedje van wit satijn. Dit was absoluut geen plastic. 'James?'

'Vind je hem niet mooi?' vroeg Finn.

'Ja natuurlijk, ik vind hem schitterend, maar dit is toch veel te gek. Sinds wanneer mag dit? Een fortuin uitgeven aan elkaar, bedoel ik. Dit is een heel dure armband.'

'Ik wilde gewoon iets moois aan je geven, iets fatsoenlijks voor de verandering. Om je te laten zien dat ik je waardeer. Ik bedoel, dat ik van je hou.'

'Gatver!' zei Finn, en hij trok een gezicht alsof hij moest overgeven.

'Ik vind hem heel mooi. Ik weet niet wat ik moet zeggen.' Ze keek hem aan, met haar hoofd een beetje schuin.

'Nou, "Bedankt, James, voor je onwaarschijnlijke vrijgevigheid" zou leuk zijn, om mee te beginnen,' zei hij, in een poging ernstig te kijken.

Ze glimlachte. 'Bedankt, James, voor je onwaarschijnlijke… wat was het ook alweer?'

'Vrij-ge-vig-heid.'

'Precies, ja, dat.'

'En dat je zo'n geweldige, knappe en intelligente man bent. Sommigen zouden zelfs "geniaal" zeggen.'

Stephanie lachte. 'Er is wel iets meer voor nodig dan een armbandje van Cartier voor ik dat soort teksten ga uitslaan.'

'Als je dit maar goed onthoudt voor volgend jaar,' zei James, ook lachend. 'Als je dan weer gaat shoppen.'

Stephanie deed de armband om haar pols. Hij was perfect, precies wat ze voor zichzelf zou hebben uitgekozen, behalve dan dat zij hem zelf veel te duur zou vinden, en dan maar iets had gekozen dat heel wat minder bijzonder was. Als hij wilde, kon James haar nog steeds versteld doen staan. Ze sloeg haar armen om zijn nek en gaf hem een knuffel. 'Dankjewel.'

I

Vijf dagen later

H ET ZAT HEM NIET EENS zozeer in de woorden dat ze
zo ongerust was: het was de kus die er achteraan kwam.
Dat, en het feit dat de boodschap was ondertekend met
een letter, niet eens een naam. Alsof de schrijver er niet aan twijfelde
dat hij zou weten van wie de boodschap kwam. Alsof hij elke dag dit
soort sms'jes kreeg. Misschien was dat ook wel zo, dacht Stephanie
verdrietig.

Stephanie was negen jaar met James getrouwd, en voor het grootste
deel van de tijd waren ze topgelukkig, dacht zij tenminste, hoewel
nu ineens niets meer zeker leek. Ze hadden een kind, de zevenjarige
Finn, die slim was en grappig, en bovenop dat alles hadden ze een
gezonde zwart-witte kat genaamd Sebastian, ook al zo slim en grappig,
en een goudvis genaamd Goldie, en die, nou ja, die was gewoon een
vis. Ze moesten nog tweeënveertigeneenhalfduizend pond afbetalen
aan hun hypotheek, er stond elfduizend driehonderd pond op hun
gezamenlijke spaarrekening, ze hadden tweeduizend tweehonderdacht-
endertig pond en tweeënzeventig pence schuld op hun creditcards, en
ze zouden samen iets van vijfendertigduizend pond erven als al hun
ouders kwamen te overlijden – hoewel dat niet zo snel zou gebeuren,
want in beide families werden ze nogal oud.

In de jaren dat ze samen waren was James zijn blindedarm kwijtgeraakt, terwijl Stephanie een stel nierstenen kreeg, waar ze godzijdank
ook weer van af was gekomen. James was een kilo of twaalf aangekomen, vooral rond zijn middel, terwijl Stephanies manmoedige
pogingen in de sportschool hadden geleid tot slechts een paar extra
kilootjes vergeleken met wat ze woog toen ze elkaar pas leerden kennen. Wel was ze uiteraard rijker bedeeld qua striae, maar aangezien
ze die bij Finn cadeau had gekregen, vond ze dat niet zo'n drama.

Allebei waren ze nog altijd behoorlijk aantrekkelijk, als je naging dat ze samen al zevenenzeventig waren.

IK MIS JE VERSCHRIKKELIJK. K XXX

Ze dacht terug aan de vorige avond. James was zoals altijd rond halfzeven thuisgekomen. Hij leek helemaal zichzelf, moe maar blij om weer thuis te zijn. Hij had gedaan wat hij altijd deed na het werk: andere kleren aan, halfuurtje met Finn in de tuin gespeeld, krantje gelezen, eten, tv-gekeken en toen naar bed. Het was geen opwindende avond, en de conversatie was niet prikkelend en intellectueel, maar het was wel… gewoon. Een avond zoals duizenden andere avonden samen.

James had haar en Finn onder het eten een verhaal verteld, wist ze nog. Een grappig verhaal over hoe hij een splinter uit de poot van een hazewindhond had gehaald, terwijl tegelijkertijd de python van datzelfde gezin zich een weg omhoog baande langs de binnenkant van zijn broekspijp. Hij had de hele scène nagespeeld, en zette een blafstem op om de verwonderde gedachten van de hond weer te geven. Finn lag dubbel. Hij had de neiging om zichzelf op te werpen als centrale figuur van het verhaal – de onderliggende boodschap was meestal 'wat ben ik toch een held' – hoe grappig en hilarisch hij ook vertelde. Maar zo was James nu eenmaal. Hij was een enigszins verwaande kwast geworden met de jaren, een tikje blij met zichzelf, maar dat had ze geweten aan zijn onzekerheid, en ze vond het juist altijd wel schattig. Hij was zo doorzichtig, dacht ze dan vertederd. Kennelijk zat ze er helemaal naast.

Meestal ging het zo: James zei iets zelfverheerlijkends, Stephanie ziekte hem daarmee, en dan lachte hij en gaf toe dat hij zijn rol een beetje dik had aangezet. Het was een soort rollenspel: ze wisten allebei precies wat er van hen werd verwacht, en wat hun grenzen waren. Ze hadden er lol in, althans, dat dacht zij altijd. Ze konden overal ruzie over maken, over de kleinste dingetjes en over de grootste dingen – politiek, godsdienst, wie mooier kon zingen, die ene uit Take That of die vent uit Kajagoogoo. Dat deden ze nu eenmaal altijd. Gisteravond was geen uitzondering. James beweerde dat ER een veel realistischer portret was van het leven op een Eerste Hulp in een Amerikaans ziekenhuis dan *Grey's Anatomy*.

'Misschien,' had Stephanie gezegd. 'Ik zeg alleen dat jij dat helemaal niet kunt weten.'

James was op zijn halfserieuze, halfironische manier hoog van de toren gaan blazen. 'Ik ben anders wel medicus.'

Stephanie had honend gesnoven. 'James, je bent dierenarts. Jij weet helemaal niks van ziekenhuizen, behalve dan die achttien uur dat je in de wachtkamer in een zakje hebt zitten kotsen toen ik aan het bevallen was. Jij gaat nog niet eens naar de huisarts als je eens wat hebt.'

'Wist jij,' had James gezegd, haar laatste opmerking volledig negerend, 'dat er landen zijn waarin het volkomen legaal is als je als dierenarts ook mensen behandelt, maar andersom niet?'

'Ja, wat is je punt?'

'Ik wil maar zeggen, dat wat ik doe en dat wat een arts doet heel dicht bij elkaar ligt.'

'En waarom ben jij dan ineens ook al een expert op het gebied van de Eerste Hulp in ziekenhuizen in grote Amerikaanse steden?'

'Nou, ik weet er meer van dan jij. Jij weet best dat ik mijn hoofd voor jou zou buigen als we het een keer niet eens zouden zijn over... weet ik veel... *What Not to Wear* of zo'n ander klerenprogramma.' Hij lachte besmuikt, alsof hij wilde zeggen: 'Uitgeluld.'

Stephanie had een kussen gepakt en was daarmee op zijn hoofd gaan timmeren. 'Arrogante zak,' zei ze lachend, en zijn gewichtige act was meteen afgelopen.

'Ja, maar ik had je toch mooi even klem, hè?' zei hij terwijl hij met haar mee lachte. 'Ben je nou niet boos omdat je weet dat ik gelijk heb?'

Stephanie staarde naar die vier woordjes – of beter gezegd: vier woordjes en een letter – en de drie kussen. Het was niet haar bedoeling geweest om te kijken. Ze was niet zo'n vrouw die de sms'jes van haar man controleerde als hij in bad zat. Maar vandaag, toen ze zag dat hij zijn telefoon thuis had laten liggen en ze was gaan scrollen op zoek naar het nummer van de praktijk om Jackie, zijn assistente, daarover te bellen, zat ze ineens doelloos zijn inbox door te nemen. Op zoek naar, nou ja, naar niks, eerlijk gezegd, gewoon even kijken. Ze voelde al het bloed uit haar hoofd stromen terwijl ze op zoek was naar wie die 'K' nou toch kon zijn. Er stond alleen maar 'K', verder niks. Niet Karen of Kirsty of Kylie; daar had ze tenminste nog wat aan gehad. Geen Kimberley, Katrina of Kirsten. Alleen maar 'ik mis je verschrikkelijk. K xxx', alsof er maar één iemand in de hele wereld was die een naam had met een K, en dat James precies wist wie dat was. Ze ging op zoek naar de lijst met telefoonnummers om te zien of degene die zich meldde als 'K' misschien een nummer had dat ze herkende. Net op dat moment hoorde ze de voordeur dichtslaan. Van de zenuwen liet Stephanie de telefoon vallen, en ze sprong ervan weg alsof ze gestoken was. Ze stak haar handen in het veel te hete afwassop en probeerde argeloos te kijken toen James de keuken binnen kwam.

'Heb jij mijn mobieltje ergens gezien?' vroeg hij zonder zelfs maar 'hallo' te zeggen.

'Nee,' antwoordde Stephanie, en meteen vroeg ze zich af waarom ze niet gewoon zei: 'Ja, daar ligt ie.' Omdat hij dan misschien zou hebben gezien dat zij in zijn lijst met telefoonnummers aan het bladeren was geweest; daarom.

Hij keek de keuken door, stormde weer naar buiten, en toen hoorde ze hem de trap op rennen. Ze griste de telefoon weg vanonder de stoel waar ze hem had neergegooid, drukte net zolang op de knopjes tot hij weer op het beginscherm stond en liep toen de hal in.

'James, ik heb hem. Hij ligt hier,' riep ze.

'O, gelukkig.' Hij gaf haar een zoen op haar wang terwijl hij hem van haar aanpakte. 'Ik was al helemaal bij Primrose Hill,' zei hij en hij rolde met zijn ogen en banjerde de deur weer uit.

'Dag hoor,' zei ze verdrietig tegen zijn rug. Ze deed de deur achter hem dicht, en zakte moedeloos op de trap neer.

Oké, dacht ze, dit moet ik even heel rationeel bekijken. Ik moet niet meteen mijn conclusies trekken. Maar het was de taal, de overmaat aan vertrouwdheid en drie kussen in plaats van het routinematige ene x'je dat iedereen altijd intikte. Zelfs iemand van kantoor die je iets officieels te melden had zette tegenwoordig een x'je achter zijn boodschap. En waarom zou hij een nummer in zijn telefoon hebben waar alleen een 'K' bij stond als kenmerk? Omdat hij niet wilde dat zij zou weten wie het was, dacht ze.

Ze kwam in de verleiding om op de computer van James te gaan kijken en zijn e-mail door te lopen om te zien of dat een aanwijzing of een hint opleverde wie die K kon zijn, maar ze vond dat ze niet 'zo iemand' moest worden. Het begon met het lezen van zijn mailtjes, en voor je het wist stond je bij een ketel kokend water zijn brieven open te stomen, of aan zijn hemden te snuffelen als hij thuiskwam, als een hond met liefdesverdriet. Ze moest James het voordeel van de twijfel gunnen. Want ook al was haar huwelijk niet perfect, en ook al zagen ze elkaar tegenwoordig niet zo vaak, als ze elkaar zagen dan was het altijd in gezinsverband zodat ze nooit meer *echt* samen waren: ze had nooit gedacht dat hij ooit vreemd zou gaan. In geen duizend jaar.

Ze kon zich gewoon niet voorstellen dat hij het in zich had, vreemd-gaan, zelfs niet als hij zich kapot zou vervelen met haar en als hij hun huwelijk helemaal zat was – en er was niet eens reden om aan te nemen dat daarvan sprake was. Of dat hij hun kind zoiets aan zou doen. En als ze heel eerlijk was kon ze zich ook niet zo goed voorstellen dat een andere vrouw zich aan zijn voeten zou werpen, met zijn arrogante geouwehoer en de manier waarop hij altijd in zijn oren pulkte als hij tv zat te kijken. Maar misschien zag ze het allemaal wel helemaal verkeerd. Ze moest zorgen dat ze snel het huis uit kwam, want anders zou ze geen weerstand kunnen bieden aan de verleiding die zijn pc bood. Ze moest naar kantoor, en ze moest met Natasha praten. Natasha zou wel weten wat ze moest doen.

'Niks doen,' zei Natasha toen Stephanie het hele verhaal had verteld. 'Er is vast niets aan de hand, en dan neemt hij het je alleen maar kwalijk dat jij zijn sms'jes hebt zitten lezen. Waarom deed je dat dan ook?'

'Ik heb ook helemaal niet… ach, weet ik veel.'

'Misschien is het wel van een kerel. Kevin, of Kelvin of Keith?'

'Met drie kussen zeker.'

'Ja, dat heb je met die metroseksuelen van tegenwoordig,' hield Natasha vol. 'Die zijn heel vrij met hun gevoelens. Of een homosek-suele bewonderaar? Kieron? Kiefer?'

'Ik denk niet dat het een vent is, hoor.'

'Een tante dan?'

'Nee.'

'Iemand van zijn werk?'

'Drie kussen.'

'Ja, het ziet er niet best uit, dat moet ik toegeven. Maar neem nou niet halsoverkop actie, goed? Slaap er eerst een nachtje over.'

'Oké,' zei Stephanie met tegenzin. Ze volgde Natasha's adviezen altijd trouw op.

'Shit,' zei ze vijf minuten later. 'Nu snap ik het. Die armband die hij me gaf voor onze trouwdag – hij voelt zich schuldig! Daarom heeft hij zoveel geld uitgegeven. Het was helemaal geen blijk van liefde. Het was een excuus.'

2

STEPHANIE KON JAMES DE HELE dag niet uit haar hoofd zetten. Sinds ze drie jaar geleden naar Londen waren verhuisd leek het wel alsof ze elkaar nooit meer zagen. De deal was dat hij, als ze in de stad zouden wonen, zijn week mocht verdelen tussen zijn oude plattelandspraktijk vlakbij Lincoln en zijn nieuwe baan, waar hij de nagels van Bengaalse katten moest knippen en dieetadvies gaf aan honden met overgewicht in het exclusieve St John's Wood. Hij wilde zijn werk als veearts niet opgeven, zei hij. Daar was hij voor opgeleid. Om met echte beesten te werken, niet die verwende huisdieren van rijke stinkerds. Melkvee en lammeren die voor de slacht bedoeld waren, en niet Fluffy en Snuitje en Loes-de-Poes. Dus vertrok hij elke zondagochtend naar het platteland en elke woensdagavond kwam hij weer terug naar Londen, moe en geïrriteerd door al dat gereis. Hij had daar een heel ander leven, dacht ze hopeloos. Hoe kwam ze er eigenlijk bij dat het zo onwaarschijnlijk was dat daar ook een andere vrouw bij hoorde? Alles klopte: hij had de middelen, de gelegenheid en het motief. Het was de perfecte misdaad.

In het begin dacht ze er wel eens over om met hem mee te gaan, maar zodra Finn naar zijn schooltje ging leek het haar krankzinnig om die steeds maar heen en weer te slepen. Trouwens, het was ook best een opluchting dat ze zich een paar dagen per week niet druk hoefde te maken om hem. Toch was het onvermijdelijk dat hun hechte band zou verslappen als ze zoveel tijd bij elkaar vandaan waren. Dat hun werelden steeds minder zouden overlappen. Hij was toch al nooit echt geïnteresseerd in haar werk, en hij zag helemaal niet in dat het van levensbelang was dat de nieuwe actrice uit *Holby City* niet in dezelfde jurk naar een prijsuitreiking ging als een van de meiden van Girls Aloud.

Toen ze James pas leerde kennen was ze net weer bij haar ouders in Bath gaan wonen, om geld uit te sparen. Ze had per ongeluk de kat van de buren overreden met haar Citroën, en helemaal overstuur was ze met het beest naar de plaatselijke dierenarts gegaan, waar James op dat moment stage liep. De kat haalde het jammer genoeg niet, ook al had James zijn stinkende best gedaan, maar midden tussen al dat bloed, al die ingewanden en al die tranen had hij Stephanie mee uit gevraagd, en zij wilde wel. En zo werd de pech van Tiddle haar mazzel.

James leek net zo onder de indruk van haar ambities en vaardigheden als zij van de zijne. Het was liefde op het eerste gezicht. Of in elk geval lust en een soort klik, en dat was in feite alles waar je nuchter bekeken op mocht hopen. Maar op een gegeven moment – namelijk toen ze net wist dat ze zwanger was van Finn – had James haar ervan weten te overtuigen dat ze haar vergezochte ideaal om de nieuwe Vivienne Westwood te worden maar op moest geven, en dat ze iets moest gaan doen wat haar veel minder in beslag zou nemen, zodat ze meer tijd kon doorbrengen met de baby.

Eerst was hij ontzettend behulpzaam geweest – het was tenslotte zijn idee – en stimuleerde hij haar enorm om aan de slag te gaan als freelancecoupeuse. Hij vond het ook heel fijn dat zij lekker parttime – in de logeerkamer – aan de slag ging, zodat ze altijd thuis was. Maar toen ze drie jaar geleden besloot dat ze toch weer aan de slag wilde en liever een carrière had dan af en toe een klus, had ze hem omgepraat en hadden ze een huis gekocht in Londen, zodat zij in de buurt kon zijn van jonge vrouwen met te veel geld en te weinig gevoel voor stijl. Die jonge vrouwen wilden maar al te graag iemand inhuren om kleding voor hen uit te zoeken. Ze was er al vrij snel achter dat hij zich eigenlijk een beetje geneerde voor haar werk.

'Stephanie helpt mensen in de kleren die zichzelf niet kunnen aankleden,' zei hij altijd tegen hun vrienden. O, o, wat vond hij dat geestig van zichzelf. 'Nee, joh, ze is geen huisvrouw, was het maar waar. Dat zou tenminste nog fatsoenlijk zijn.'

Nu ze daar weer aan dacht, smeet Stephanie een hele stapel jurken die door La Petite Salope waren gestuurd op de bank, net toen Natasha het kleine kamertje ernaast uit kwam lopen met een rode hemdjurk in haar hand. 'Shannon Fearon, wat voor maat heeft die,

42?' vroeg ze over een voormalige soapactrice die weer in de publieke belangstelling stond doordat ze een zangwedstrijd voor celebrity's had gewonnen, en die Stephanie moest aankleden voor een *photo shoot* die middag,

'Bedoel je in het echt of officieel?'

'In het echt.'

'In het echt heeft ze maat 42, ja.'

'Oké, nou, dan kan dit misschien.' Natasha begon het labeltje met de maat uit de jurk te tornen, rommelde vervolgens wat in een kleine trommel waar ze een labeltje uit viste met daarop '38', dat ze in de jurk naaide. Het was goed om klanten het gevoel te geven dat ze slank waren; daar werden ze zelfverzekerd van. En als de journalist dan vroeg naar hun kledingmaat, konden ze antwoorden dat ze flink onder de gemiddelde Britse vrouwenmaat zaten, zonder zelf te weten dat ze maar wat uit hun nek kletsten.

'Prima,' zei Stephanie zonder op te kijken.

Natasha ging zitten en legde de stapel verkreukelde jurken aan de kant. 'Zet het nou toch uit je hoofd,' zei ze, 'want je maakt een enorme olifant van wat misschien niet eens een mug is. Ga nou niet zitten piekeren over dingen voordat het echt nodig is. Dat is altijd mijn motto.'

'Een van je vele,' antwoordde Stephanie.

Natasha had voor Stephanie patronen geknipt toen die nog coupeuse was, en ze wilde maar al te graag haar assistente worden toen Stephanie vijf jaar later als styliste aan de slag ging. Zelf wilde ze geen verantwoordelijkheid, zei ze altijd. Wat Natasha betrof was je baan iets voor overdag. Daarna ging je naar huis en dan vergat je je werk verder. Natasha had een heerlijk huis met een man die haar adoreerde en met drie keurig opgevoede, brandschone kindertjes. Zij hoefde zich nooit af te vragen of haar man gekke sms'jes kreeg of over wat Martin de andere helft van de week allemaal uitspookte. Haar gezicht vertoonde dan ook bijna geen rimpeltje, en ze leek minstens vijf jaar jonger dan de eenenveertig jaar die ze volgens haar geboorteakte was. In de loop van de tijd was ze veel meer een vriendin geworden dan een collega.

'Spot jij maar. Je weet best dat ik altijd gelijk heb.'

'Tuurlijk heb je dat,' zei Stephanie hartelijk. 'Maar ik word er gewoon zo kwaad om dat er een of andere muts is die hem probeert te verleiden, die mijn man van me af wil pakken zonder na te denken over mij en mijn leven. En dat van mijn zoon.'

'Dat weet je helemaal niet.'

'Nee,' zei Stephanie. 'Dat weet ik helemaal niet.'

Maar de gedachte liet haar niet los. Wat kon het anders betekenen? Ik mis je verschrikkelijk. Kus. Kus. Kus. Ze kon zich helemaal niet concentreren op de *photo shoot*, en ze viel uit tegen Shannon toen die klaagde dat ze er dik uitzag in een bepaalde jurk. 'Dat zit namelijk zo: je bent gewoon dik,' had Stephanie willen uitschreeuwen, hoewel dat niet eerlijk zou zijn. Shannon was absoluut niet dik, maar ze was wel heel klein en ze was rampzalig uit proportie, zodat ze er hoe dan ook kort en dik uitzag. Uiteindelijk had Natasha voorgesteld dat Stephanie maar lekker vroeg naar huis moest gaan voordat er echt ellende van kwam.

Gelukkig was Finn al thuis. Hij was aan het voetballen in hun piepkleine achtertuin, samen met Cassie, hun oppas. Stephanie kon dus iets te snacken voor hem gaan maken.

Omdat Finn nog maar zeven was kon ze hem nog altijd inpalmen zodat hij lekker bij haar kwam zitten, ook al was ze tegenwoordig meestal boos op hem vanwege zijn nieuwe lievelingsspelletje: daarbij rolde hij kerstomaatjes over de keukentafel met de bedoeling dat ze in de etensbakjes van de kat terechtkwamen (één punt als ze in het water belandden en twee als ze in de Whiskas ploften). Nu was ze zo blij met de afleiding, dat ze hem gewoon zijn gang liet gaan. Vlak na zessen hoorde ze de deur opengaan, en weer dicht gesmeten worden.

'Hallo,' hoorde ze James roepen.

'Hoi,' riep ze benepen.

Hij liep meteen door naar boven, zonder eerst naar de keuken te komen om haar te begroeten. Niet dat dat haar verbaasde: hij liep meestal meteen door naar de slaapkamer om zijn werkkleding uit te trekken en dan ging hij zitten met de krant tot ze gingen eten. Hij vroeg haar bijna nooit naar wat zij die dag op haar werk had beleefd en als hij het wel deed, gaf ze meestal niet eerlijk antwoord. Hij zou toch maar met zijn ogen rollen en een of andere rotopmerking maken die hij zelf heel grappig vond. Als ze eerlijk was, zou ze moeten toegeven dat zij hem ook eigenlijk nooit vroeg naar de praktijk. Ze was dol op dieren, maar ze was niet erg geïnteresseerd in verhalen over ingegroeide nagels of problemen met heupgewrichten. Maar Stephanie geloofde dat alle huwelijken door zo'n fase gingen als de kinderen nog klein waren. Er waren gewoon zoveel meer dingen om je zorgen over te maken, en je had wel wat anders aan je hoofd dan vragen als: 'Hoe was je dag?' Maar zij had altijd aangenomen dat ze, zodra Finn wat ouder was, gelukkig samen oud zouden worden, met alle tijd om het over zinloze dingen te hebben. Kennelijk was ze niet goed bij haar hoofd om zulke dingen te veronderstellen, dacht ze nu, en ze hamerde zo hard op een stuk kipfilet dat het bijna doorzichtig werd. Ze stopte toen ze Finn met een wit smoeltje naast haar elleboog zag verschijnen.

'Gaat het wel goed met je?' vroeg hij met zijn allerbeste grotemensenstem. Zij stelde *hem* die vraag wel een paar keer per dag.

Ze ging zitten en kuste hem boven op zijn bol. 'Het gaat prima met me, schatje.'

'Volgens mij gaat het helemaal niet goed,' zei hij koppig.

Zijn gezicht was vertrokken van bezorgdheid, en Stephanie voelde zich schuldig omdat hij zo'n last had van haar stemming. Ze pakte een tomaatje en rolde het over tafel, waarna het ding boven op Sebastians kopje viel, die zich doodschrok en toekeek hoe de tomaat midden in zijn kippenprakje viel.

Finn deed zijn best, maar hij kon een glimlach niet onderdrukken: 'Goed gedaan, mam,' zei hij.

3

ALS JE JAMES MORTIMER ZOU vragen hoe zijn leven eruitzag, en als hij zin had om je de waarheid te vertellen – want
eerlijk gezegd had hij niemand het afgelopen jaar in vertrouwen genomen, aangezien hij ook wel wist dat die ene persoon het
vervolgens aan de rest van de wereld zou vertellen – dan zou hij zeggen
dat het vooral behoorlijk gecompliceerd was. Dat hij hield van zijn
vrouw Stephanie, heus wel, maar dat hun relatie heel erg gemakkelijk
en saai was geworden door de jaren heen; dat hij stapelgek was op zijn
zoontje en dat hij hem nooit pijn zou willen doen; dat hij gevoelens
koesterde voor Katie die wel iets weg hadden van liefde, en dat hij
zich altijd springlevend en vol energie voelde als hij bij haar was. Dat
gevoel had hij thuis, bij zijn gezin, nooit meer.

Hij zou niet toegeven dat het verkeerd was wat hij deed, want hij
deed ontzettend zijn best om zichzelf ervan te overtuigen dat het helemaal geen kwaad kon. Hij geloofde dat hij gelukkig was, hij geloofde
dat Stephanie gelukkig was, en Katie was zeer zeker gelukkig. Oké,
het was een beetje een soort van bom die elk moment kon barsten.
Een dezer dagen zou hij toch echt een knoop door moeten hakken
en voor het ene of het andere leven moeten kiezen. Een dezer dagen
zou Stephanie van hem eisen dat hij zijn leven in Lincolnshire opgaf
en fulltime in Londen zou komen wonen, of Katie zou het spuugzat
worden om te wachten tot hij zich echt helemaal op het platteland
kon vestigen. Maar tot dat moment had hij het prima voor elkaar zo.
Zolang hij maar niet na hoefde te denken over waar hij mee bezig
was.

Als James eerlijk was, zou hij waarschijnlijk hebben gezegd dat
de gemakkelijkste, meest zorgeloze momenten van zijn dubbelleven
plaatsvonden tijdens de lange reis tussen Londen en Lincoln en Lin-

coln en Londen. Hij nam de tijd als hij in de auto zat, en luisterde naar muziek en zong dan lekker mee. Hij stopte onderweg altijd een paar keer. Niet alleen om te tanken, maar ook trok hij af en toe Bedfordshire of Hertfordshire in, om in een stille pub of een duur restaurant iets te gaan eten; dan was hij gewoon een anonieme man die even tussen zijn beide levens uit piepte.

Hij was nooit expres uitgeweest op dit dubbelleven. Toen hij Katie voor het eerst ontmoette was hij in een ontzettend sombere bui geweest, omdat Stephanie heel erg vals tegen hem had uitgehaald. Hij had echt met zichzelf te doen – die arme James, die zo verschrikkelijk hard werkte, en die het hele land doorkruiste omdat dat zo nodig moest van zijn vrouw. Hij was het reizen zat, en hij was het zat om altijd maar zo eenzaam te zijn, die avonden dat hij niet thuis was, maar in het appartementje boven de praktijk moest zitten met zijn magnetronmaaltijden en zijn blikjes bier. Hij miste de dagelijkse dingetjes van thuis. Zijn routines waren zo met die van zijn vrouw en zoon verweven dat hij zich daar deel van een team voelde. Hier was hij doodongelukkig. En Katie was lief en mooi en kwetsbaar en ze huilde en het leek hem zo vanzelfsprekend dat hij een arm om haar heen sloeg. Ja, en van het een kwam natuurlijk het ander. Het was niet de eerste keer dat hij een aantrekkelijke vrouw tegenkwam sinds hij getrouwd was, maar het was wel de eerste keer dat hij er iets mee deed. Hij vond het gewoon een klassiek geval van 'even een verzetje', van het aloude 'Wat niet weet, dat niet deert', en het cliché 'Voor mannen is het gewoon anders, seks is niet meer dan seks – dat wil helemaal niet zeggen dat ze minder van hun vrouw houden'.

Hij had Katie mee uit eten gevraagd en zij had ja gezegd en ineens zat hij midden in het verhaal dat hij van tevoren had bedacht. Dat zijn huwelijk voorbij was, en dat hij iedere week naar Londen ging om zijn zoontje te kunnen zien. Omdat Lower Shippingham zo'n klein plaatsje was deed het nieuws al snel de ronde, en nu moest hij zijn leugen ook in de lucht houden bij zijn collega's en vrienden. Godzijdank had Stephanie met niemand contact gehouden. Zoals ze tot vervelens toe zei, had ze een bloedhekel aan Lower Shippingham en al zijn inwoners, dus de kans dat ze ooit nog eens langs zou komen was nihil.

Katie had mosselen en oesters en garnalen gegeten, met haar vingers, en hij moest om haar lachen en zei dat ze hem deed denken aan Daryl Hannah in die film, *Splash*. Dat had ze als compliment opgevat. Hij was erg gecharmeerd van hoe lief ze was, en zo hoopvol – sommigen zouden eerder zeggen: naïef – over de wereld. Hij vond Stephanies droge sarcasme altijd ontzettend geestig. Ze deelden een nogal wrang gevoel voor humor, maar dat optimisme van Katie was zo ontzettend… lekker makkelijk. Het was echt ontspannend om een avondje bij iemand te zijn die niet de hele tijd maar de strijd opzocht voor het komische effect.

Wat Katie nog meer deed om ervoor te zorgen dat James meer van haar wilde, was 'nee' zeggen. Hij had haar naar haar kleine huisje gebracht, en nog snel condooms getrokken in het restaurant voor ze daar weggingen. Voor haar deur had ze hem bedankt voor de heerlijke avond en ze had zich net genoeg door hem laten kussen om aan te geven dat ze in hem geïnteresseerd was. Maar daarna had ze hem van zich af geduwd en hem gedag gezegd. Dat intrigeerde James. Het was simpel: hij moest nog een keer met haar afspreken.

Uiteindelijk had Katie hem zes afspraakjes laten wachten voor ze hem uitnodigde in haar bed voor gezellige, pretentieloze seks. Hij voelde totaal geen druk om moeilijke dingen te doen, want zij was veel te druk in de weer om ervoor te zorgen dat hij het naar zijn zin had. En tegen die tijd was hij verslaafd aan haar kookkunsten, haar massages en het gemoedelijke, rustige leven in Katies huisje, waar het zoveel leuker was dan in dat appartement boven de praktijk.

Dus ineens was Katie zijn vriendin en niet meer gewoon een scharreltje. Hij vond het eigenlijk wel prettig. Het maakte zijn leven daar, op het platteland, een flink stuk aangenamer. De eerste paar keer dat hij weer terugging naar Londen voor het weekend, brak het koude zweet hem telkens uit – een mengeling van schuldgevoel en de angst voor ontdekking. Hij voelde zich zwaar klote, alsof hij alleen maar inzag wat voor enorme wandaad hij beging als hij bij zijn gezin was. Hij beloofde zichzelf dat hij het uit zou maken met Katie – dat hij zou doen alsof er nooit iets was gebeurd – en het zou goedmaken met Stephanie en Finn. Maar dan ging hij weer naar Lincolnshire en dan was Katie daar weer, die alleen maar voor hem wilde zorgen. Dan overtuigde hij zichzelf ervan dat hij zo toch geen mens kwaad deed en dat hij op deze manier alleen maar zorgde dat zijn leven van huis iets beter te dragen was.

Die avond was hij op de gebruikelijke tijd teruggekomen van zijn praktijk in St John's Wood, zwetend en geïrriteerd na een autorit van een halfuur die in elke andere stad nog geen tien minuten zou hebben geduurd. Hij voelde zich niet thuis in Londen. Hij was opgegroeid op het platteland, en ook al had hij vijf jaar in Bristol gewoond voor zijn studie, hij had altijd geweten dat hij weer gewoon lekker in de rimboe wilde wonen om daar als dierenarts aan de slag te gaan. Hij begreep best waarom Stephanie weer aan het werk wilde, en dat ze een carrière wilde, maar hij kon niet ontkennen dat hij het verschrikkelijk vond dat hij daarom de halve week in de stad moest wonen.

Hij keek naar de lijst van patiënten voor de volgende dag, die Jackie hem als altijd aan het eind van de dag had gemaild. De patiënten stonden met hun eigen voornaam en met de achternaam van hun baasje opgesomd, want dat soort schattige neigingen hadden die stadspraktijken: Fluffy O'Leary, een siamees die langskwam om haar gebit te laten reinigen, Manolito Pemberton, een chihuahua met pootproblemen – ongetwijfeld veroorzaakt doordat zijn oude baasje hem altijd maar ronddroeg, dacht James – en dan Snoopy Titchmarsh, Boots Hughes-Robertson en Socks Allardyce. De lijst ging maar door, en met geen van die beesten was echt iets serieus aan de hand. Hij zuchtte. Drie dagen vol met verwende babyvervangers. Als hij zich zo verongelijkt voelde, vond hij dat Stephanie dankbaar mocht zijn dat hij überhaupt zijn halve leven werk deed dat hij zo haatte.

Stephanie wist niet wat ze eigenlijk had verwacht toen ze James die avond weer zou zien – dat hij binnen zou komen met de mededeling: 'Ik heb een vrouw ontmoet, en ze heet Kathy', of dat hij ineens zou beginnen over een collegaatje, Kitty, over wie hij het nooit eerder had gehad. Het enige waar ze niet op was voorbereid, was dat hij precies dezelfde James zou zijn als altijd.

'Had je een leuke dag?' vroeg ze met alle waardigheid die ze bijeen kon sprokkelen toen ze eenmaal aan tafel zaten.

'Ja hoor, geweldig,' zei hij glimlachend, zodat ze geen hap meer door haar keel kreeg.

'Zat er nog iets spannends tussen?' Meestal waren de dagen die hij beschreef als 'geweldig' dagen waarop hij een ingewikkelde operatie had kunnen uitvoeren op een ongebruikelijk huisdier. Een salamander of, zoals ooit een keer gebeurde, een klein aapje. Tenminste, dat had ze altijd gedacht. Daar zat ze dan dus mooi naast. Ik mis je verschrikkelijk. K. Kus. Kus. Kus.

'Nee,' antwoordde hij, en hij stak een enorm stuk kip in zijn mond. Ze wachtte af of hij met details doorkwam. Maar dat deed hij niet.

'Jonas heeft een puppy gekregen,' zei Finn blij, waarmee hij zijn vader uit de probleemzone hield.

Stephanie had geen idee wie Jonas was, maar ze wist wel waar dit heen ging. 'Nee, Finn, wij nemen geen hondje.'

'Dat is superoneerlijk. Jonas is een jaar jonger dan ik en hij mag wel een hondje, dus waarom mag ik het dan niet?'

'Wie is dat eigenlijk, die Jonas?' vroeg Stephanie, ook al was ze niet echt geïnteresseerd in het antwoord.

'O, man, jij bent echt dom,' zuchtte Finn, en toen richtte hij zijn aandacht weer op zijn eten.

James zat tussen de happen door in zichzelf te neuriën, iets wat hij vaak deed en wat Stephanie altijd ontzettend irritant vond, maar vandaag leek het een heel nieuwe betekenis te hebben gekregen. Het was net alsof hij zei: 'Kijk eens hoe gelukkig ik ben? Kijk eens wat een geweldige week ik achter de rug heb, want ik heb toch zo lekker liggen rollebollen met Katherine.'

Stephanie keek naar hem vanaf de andere kant van de tafel. Ik moet normaal doen, dacht ze. Een sms'je wil nog niet zeggen dat hij een affaire heeft. Hij toonde zijn o-wat-ben-ik-toch-zorgeloos-glimlach en zij draaide zich van hem weg.

'Eet je doperwten eens op,' zei ze tegen Finn in een poging weer als zichzelf te klinken.

'Die heb ik al op, domkop,' zei Finn, en hij pakte zijn bord en draaide het om, om zijn punt te maken. 'Zie je wel?'

Toen ze Finn eenmaal had kunnen overhalen om te gaan slapen, rond halfnegen, beweerde Stephanie dat ze hoofdpijn had en kondigde aan dat ze in bed dook. James stak een hand uit en raakte die van haar even aan toen ze langsliep, maar hij hield zijn blik strak op de televisie gericht.

'Slaap lekker, schat,' zei hij. 'Ik hoop dat het snel beter gaat.' Zijn telefoon, die op de salontafel lag, piepte om aan te geven dat er een berichtje voor hem was.

'Daar zal je Karmen hebben,' wilde Stephanie zeggen, maar in plaats daarvan schuifelde ze de kamer uit. Of misschien is het wel Kara of Kayla of Katie, dacht ze. Toevallig had ze de goede naam geraden, hoewel zij dat op dat moment natuurlijk nog niet wist.

4

KATIE CARTWRIGHT WAS VERLIEFD, ZE wist het zeker. Ze wist niet waar het vandaan kwam, deze plotselinge overweldigende gevoelens voor James, maar ze waren er en nu kon ze nergens anders meer aan denken. Ze was wel eens eerder verliefd geweest – tenminste, dat dacht ze toen. Ze was per slot van rekening al achtendertig. Het zou raar zijn als dit de eerste keer was. Ze had eigenlijk haar hele volwassen leven altijd wel een man op sleeptouw gehad. Zodra de ene was verdwenen, kwam de volgende vrij snel op de proppen. Ze kende James nu bijna op de kop af een jaar, dacht ze. Bijna een jaar geleden dat haar hond Stanley aan zijn poot geopereerd moest worden en dat ze zo moest huilen omdat ze bang was dat er iets mis zou gaan en dat die aardige (om niet te zeggen knappe) dierenarts zijn arm om haar schouders had geslagen. En de rest was geschiedenis, zoals dat heet.

Ze hadden het rustig aan gedaan. James was net bij zijn vrouw weg, en hij had haar verteld dat hij van deze nieuwe relatie echt iets wilde maken, en dat hij alles goed wilde doen dit keer. Dus dat betekende dat ze het rustig aan moesten doen. Ze moesten er heel zeker van zijn dat ze dat deden wat voor hen allebei het beste was, voor ze grote stappen zouden zetten. Katie vond dat een beetje moeilijk. Om niet te zeggen zenuwslopend, maar ze wist dat James hun relatie heel serieus nam, en dat hij haar echt zag als iemand met wie hij zijn leven wilde delen. Dus accepteerde ze het als hij weer naar Londen moest op woensdagochtend, en dat hij pas zondagavond weer terugkwam. Ze had nooit gevraagd waarom zij nooit mee mocht: ze wist best dat hij bij vrienden logeerde tot hij daar iets voor zichzelf had gevonden, en dat die vrienden zo klein woonden dat er eigenlijk niet eens plaats was voor James.

Na een paar maanden had hij zijn tandenborstel en een paar spulletjes in haar piepkleine badkamertje neergezet. Stukje bij beetje had hij zijn kleren overgebracht naar haar klerenkast, en zijn boeken en papieren lagen op de salontafel. Ze vond het heerlijk om omringd te worden door zijn spullen, en dat hij zijn territorium aan het markeren was op deze manier. Ze leefde echt voor de zondagen, de maandagen en dinsdagen, als de eigenaar van die spullen zich bij hen voegde. Ze begreep waarom hij niet altijd bij haar kon zijn – hij had immers ook zijn praktijk in de stad nog – maar de laatste tijd had hij een paar keer laten vallen dat hij zijn werk in Londen misschien helemaal zou opgeven. En zij dacht dat dat een belofte inhield dat zij met zijn tweeën nog lang en gelukkig zouden leven op het platteland.

Katie had een serie carrières achter de rug, maar ze had nooit een baan gevonden die echt bij haar paste. Onlangs, na een paar jaar van cursussen volgen in de avonduren, had ze een praktijkje opgericht voor acupunctuur en aromatherapeutische massage, en kwamen er een paar keer in de week klanten bij haar thuis. Dat die afspraken meestal uitliepen op een soort therapeutische gesprekken vond ze prima. Ze vond het heerlijk om mensen te helpen. Ze wist dat ze goed kon luisteren en ze had een positieve levenshouding die haar klanten inspirerend vonden. Het kostte wat tijd om een vaste klantenkring op te bouwen, maar dat wist ze van tevoren aangezien mensen buiten de stad niet zo makkelijk te porren waren voor dat alternatieve gedoe.

Als Katie echt een achtergrond zou hebben in psychotherapie, had ze ironisch genoeg ingezien dat haar gedrag, namelijk het passieve accepteren dat ze in een relatie zat met iemand die bindingsangst had en die er genoegen mee nam om die relatie op parttimebasis voort te zetten, voortkwam uit haar gebrek aan eigenwaarde. Daardoor was ze niet in staat om James tot de orde te roepen of zelfs maar om voor te stellen dat zij al haar klanten wel in het begin van de week zou afhandelen, zodat zij de rest van de week met hem mee kon naar Londen.

Diep vanbinnen wist zij heel goed dat het verhaal dat ze niet kon komen omdat hij bij vrienden logeerde maar een smoesje was. Ze had zichzelf er dan ook maar van overtuigd dat zij het slachtoffer was geworden van een onweerstaanbare kracht. Dat ze hopeloos verstrikt was geraakt in de val van de liefde. Zoals Julia met haar Romeo, of

Cathy en haar Heathcliff, was ook zij niet bij machte om alles wat haar overkwam tegen te houden. En ze wilde het ook allemaal best over zich heen laten komen. James was heel zorgvuldig. Hij wilde gewoon wachten tot het juiste moment voor hij een groot gebaar zou maken.

5

D E VOLGENDE MORGEN WERD STEPHANIE om kwart voor zeven wakker van de wekker. Ze wist even niet meer waarom ze hem zo belachelijk vroeg had laten afopen en wilde zich alweer bijna omdraaien om door te slapen toen haar hart ineens een duikeling maakte en ze zich herinnerde wat er was gebeurd.

'Zet af – zet af!' James wapperde met zijn arm in haar richting zonder zijn ogen open te doen. Hij haatte het om vroeg op te staan.

Ze kroop uit bed. Het was al bijna licht en het beloofde een mooie lentedag te worden. Niet dat het haar iets kon schelen. Ze liep naar de badkamer, plukte wenkbrauwen, schoor benen en scrubde haar gezicht, en toen wreef ze zich op met de stekelige badborstel die al maanden wereloos aan de badkamerdeur hing, en die, bedacht ze zich ineens, ze alleen een keertje had gebruikt om de viezigheid uit de wastafel te boenen. Toen maakte ze haar gezicht zorgvuldig op – niet gewoon een lik mascara zoals normaal, maar de hele handel, van foundation tot glimmende highlights vlak onder haar wenkbrauwen. Het leek haar belangrijk voor haar zelfvertrouwen dat ze er vandaag op haar best uitzag. Tegen de tijd dat ze Finn hoorde rommelen was ze aangekleed en opgemaakt. Ze gaf Sebastian wat grauwe kabeljauw uit een kuipje, Goldie wat onappetitelijke bruine vlokken. Terwijl ze daarmee bezig was probeerde ze er niet aan te denken dat ze een uur vroeger van huis wilde gaan dan normaal omdat ze haar man niet wilde zien.

'Wow, wat zie jij er goed uit,' riep Cassie toen Stephanie haar om tien voor acht binnenliet. 'Iets belangrijks vandaag?'

'Zoiets, ja,' zei ze met een geforceerde glimlach.

'Wat is er dan?' wilde Finn weten.

Stephanie rommelde even door zijn haar. 'Niks.'

'Maar Cassie vroeg net of je iets belangrijks had vandaag, en toen zei je ja. Wat is er dan voor belangrijks?'

'Gewoon, iets.'

'Maar wat dan?' Finn rustte nooit voor hij antwoord had op zijn talloze vragen.

'Heb je je lunchtrommel?' vroeg Stephanie om hem af te leiden.

'Nee, niet steeds van onderwerp veranderen. Waarom is vandaag een belangrijke dag?'

Stephanie wist niet wat ze moest zeggen. Ze wilde alleen maar weg voordat James' wekker hem om acht uur wakker maakte.

Gelukkig schoot Cassie haar te hulp. 'Elke dag is een belangrijke dag,' zei ze, en ze duwde Finn zachtjes weg bij de voordeur, zodat Stephanie eruit kon.

'Zo is het,' zei Stephanie. Ze pakte haar tas en liep haar vaste checklist langs: telefoon, sleutels, geld. Ja, ze had alles.

'Dat vind ik stom,' hoorde Stephanie Finn zeggen toen ze de trap af liep. Ze realiseerde zich dat ze hem geen zoen had gegeven en holde weer naar boven.

Ze draaide zich om en wilde weglopen. Ze zwaaide naar Cassie, die Finn richting keuken dirigeerde. Net toen ze de deur uit liep verscheen James onder aan de trap. Stephanie deed net alsof ze hem niet zag, maar in haar paniek liet ze haar tas vallen, zodat er van alles over de grond rolde.

'Goeiemorgen,' zei James terwijl hij in zijn ogen wreef. Hij schuifelde slaperig naar de keuken, maar draaide zich toen plotseling weer om.

Hij had gezien hoe goed ze eruitzag. Ze had het nog. Met haar allerzwoelste stem – waar had hij eigenlijk een andere vrouw voor nodig? – zei ze: 'Ook goeiemorgen.'

Hij bekeek haar langzaam, van top tot teen. 'Waarom heb je je zo opgedirkt?' vroeg hij met een lachje. 'Je ziet eruit alsof je achter het raam aan de slag moet.'

Ze wist dat hij verwachtte dat ze zou lachen, en dat ze een even bijtend grapje terug zou maken, maar ze kon het niet opbrengen. Of had ze er gewoon geen zin meer in? Ze wist het niet precies. 'Goed,' zei ze. 'Nou, tot straks.'

'Dag schat,' riep hij haar na.

'Oké, je hebt twee opties.'

'Als ik gelijk heb.'

Stephanie en Natasha brachten de ochtend door op de afdeling Dameskleding van Selfridges om ideeën op te doen voor de drie klanten die ze zouden aankleden voor de BAFTA-uitreiking. (Would-be filmactrice die eruit wilde zien alsof ze een heel eigen stijl had, een soapster op leeftijd die zich zorgen maakte dat de pers erachter zou komen dat ze lesbisch was en die er daarom op haar allervrouwelijkst uit wilde zien, en een ster uit een realityprogramma die nog wel geen uitnodiging had, maar die absoluut met een foto in de krant wilde komen door zo veel mogelijk bloot te laten zien, ook al moest ze letterlijk in haar blote kont de straat op.)

'Als jij gelijk hebt, en dat moet je uiteraard eerst maar eens uit zien te vinden. Maar als je gelijk hebt, dan heb je twee opties. Of je gooit het hem voor zijn voeten, of niet. Meer smaken zijn er niet.'

'En als ik het niet doe, wat dan?'

'Geen idee. Dan stop je je kop diep in het zand en hoopt dat het allemaal snel voorbij is.'

Stephanie zuchtte. 'Wat vind jij dat ik moet doen?'

'Persoonlijk zou ik eerst zijn ballen er afsnijden en dan pas vragen stellen.'

'Het moet wel iemand in Lincoln zijn.'

'Iemand van zijn werk? Enig idee hoe die heten?'

'Volgens mij heet de receptioniste Sally. Die ken ik nog van voor de verhuizing, maar die spreek ik nooit meer. Ik bel gewoon zijn mobiel als ik hem ergens voor moet hebben. En er is nog een assistente, Judy heet ze. Die zit er al eeuwen.'

'En verder?'

'De andere veeartsen zijn allebei kerels, geloof ik. Simon en Malcolm… Zoiets in elk geval,' zei ze, in het besef dat ze geen idee had met wie James tegenwoordig precies werkte. 'Simon heeft een vrouw, Maria. Ze denken dat Malcolm een nicht is.'

'En waar slaapt hij als hij daar is? Heeft hij toevallig een kamer in huis bij een dame die Krystal of Kira heet?'

'Nee, hij woont daar niet op kamers. Boven de praktijk is een appartementje. Dat staat verder leeg, kost hem dus niets.' Plotseling bleef ze staan, zodat een jonge moeder met een kinderwagen en een stapel tassen moest uitwijken om niet tegen haar aan te botsen. 'Sorry,' zei ze tegen de vrouw, die hardop haar afkeuring uitsprak en met veel misbaar om haar heen liep.

'Dit is belachelijk.' Stephanie draaide zich om naar Natasha. 'We hebben het over één sms'je. Sinds wanneer ben ik zo'n vrouw die met-een denkt dat haar man vreemdgaat als hij één keer een raar berichtje krijgt? Het is waarschijnlijk een geintje.'

Natasha zuchtte diep. 'Wil je nou beweren dat jij echt denkt dat hij zoiets nooit zou doen?'

Stephanie was even bang dat ze zou gaan huilen. 'Jij denkt kennelijk dat hij het wel zou doen.'

'Ik denk alleen dat het niet ondenkbaar is.'

'Maar als het waar is, dan kan ik echt niet doen alsof er niks aan de hand is. Denk maar niet dat hij er dan mee wegkomt.'

'Dus moet je er eerst achter zien te komen wat er aan de hand is,' zei Natasha. 'En dan bedenken we daarna wel wat we eraan gaan doen.'

Dus wachtte Stephanie die avond tot James sliep. Tot zijn vertrouwde reutelende gesnurk de slaapkamer vulde. Op haar tenen sloop ze naar zijn kant van het bed en pakte heel voorzichtig zijn mobieltje van het nachtkastje. Ze bleef staan om te controleren of hij echt vertrokken was, liep zachtjes de slaapkamer uit en ging de trap af naar de keuken. Daar overwoog ze of ze de waterkoker aan zou zetten, om het afschu-welijke moment uit te stellen. Het moment waarop ze zich zou moeten verlagen tot spionage, en het moment waarop de vertrouwensband tussen haar en James onherstelbaar beschadigd zou raken. Maar ze wist dat ze snel moest handelen, voor hij om zou rollen en wakker zou worden omdat zij niet meer in bed lag.

Ze zette de telefoon aan, en onmiddellijk begon het lichtje te knip-peren omdat er een nieuw bericht binnen was. Stephanies vingers bleven hangen boven de toets waarmee het bericht geopend kon wor-den. Wilde ze dit wel echt? Wilde ze de doos van Pandora wel echt openmaken? Maar ze wist zeker dat dit berichtje – dat alleen maar gestuurd kon zijn nadat James zijn mobieltje uit had gedaan voor ze naar bed gingen – niet door iemand was gestuurd die nog snel iets zakelijks kwijt moest aan haar man. Ze hield haar adem in. Ach, fuck. Ik doe het gewoon.

Ze keek van wie dit bericht kwam. K.

Stephanie ging bijna over haar nek. Ze wist niet precies of dat kwam vanwege de schok dat haar vermoedens hiermee bevestigd werden of vanwege de misselijkmakende schattigheid van het berichtje. James haatte het weeë, slijmerige taaltje dat sommige mensen superromantisch vonden, net als zij. Dat was een van de dingen die ze gemeen hadden. Ze maakten grappen over hun vrienden die elkaar koosnaampjes gaven en als baby's tegen elkaar praatten. Een paar jaar geleden waren ze elkaar 'Snoeperd' en 'Knuffie' gaan noemen, als ironisch geintje, maar na een paar weken merkte Stephanie dat ze nooit meer van die namen afkwamen als ze niet op zouden passen. Dan werden ze per ongeluk van die mensen om wie de grap ooit was begonnen. Dus waren ze er weer mee opgehouden. Ze scrolde door de telefoonlijst tot ze bij de K was. Het was een mobiel nummer, dat Stephanie nooit eerder had gezien. Ze had geen idee wie deze vrouw was – maar wie het ook was, ze had er blijkbaar geen probleem mee om de echtgenoot van iemand anders af te pakken.

Stephanie zette het mobieltje uit voor ze toegaf aan de neiging de opgeslagen berichten te bekijken om te zien wat ze allemaal aan elkaar gestuurd hadden. Meer bewijs dan dit had ze niet nodig. Als ze nu nog meer dingen zou bekijken, was dat net alsof ze met een stok ging peuren in een wond die zo al pijnlijk genoeg was. Ze wachtte tot de tranen kwamen. Ze had dit soort dingen wel eens zien gebeuren bij vrouwen op tv, die gilden en jankten en uiteindelijk hun man met hun vuisten te lijf gingen. Maar ze voelde zich wonderlijk kalm. Uiteraard had ze wel eens eerder overwogen om bij James weg te gaan, zoals iedereen die een relatie heeft. Dan probeerde ze zich voor te stellen hoe het zou zijn om zichzelf helemaal opnieuw uit te vinden, om opnieuw te beginnen en niet weer dezelfde fouten te maken. Maar ze wist toen altijd dat ze dat nooit echt zou willen. Ze zou hem nooit zo kunnen kwetsen.

Natasha had niet eens geprotesteerd toen de telefoon om halftwee 's nachts ging.

'Dat is Stephanie, denk ik,' had ze tegen Martin gezegd, en ze had de telefoon mee naar beneden genomen om hem verder niet te storen. Ze wist dat Stephanie maar één reden kon hebben om op dit tijdstip te bellen: ze had bewijs.

'En?' vroeg ze, zonder eerst te groeten.

'Nou, ik heb me niet maar wat ingebeeld.'

'O, Steph, wat erg voor je.'

'Ik ben gewoon… ik…' zei Stephanie, en toen brak haar stem en zweeg ze verder, omdat ze niet wist wat ze moest zeggen.

'Het is goed,' zei Natasha, die dondersgoed wist dat het helemaal niet goed was. 'Het komt wel goed. Je kunt het maar beter weten. Dan kun je tenminste een plan maken. Bedenken wat je verder moet doen.'

'Ik snap gewoon niet dat hij ons dit aandoet.'

'Omdat het een klootzak is. Wat wil je verder nog voor verklaring? Je moet heel goed onthouden dat het niks met jou te maken heeft, en alles met hem, oké?'

'Maar wat moet ik nu doen?'

'Wil je het echt weten?' vroeg Natasha, die warm begon te draaien. 'Je moet hem laten lijden.'

'Wat heeft dat voor zin?'

'Dat heeft zin, omdat jij je dan beter voelt terwijl hij zich klote voelt. Kom op, je kunt toch wel iets bedenken wat hem zal raken?' Natasha vond dat je mensen hun verdiende loon moest geven – winkelpersoneel dat je wisselgeld gaf voor een briefje van vijf als je tien pond had gegeven, mensen die je in je kont knepen in de metro, voordringers, mannen die vreemdgingen.

'Zoals wat? De mouwen uit al zijn pakken knippen of zo? Hij heeft er maar drie, dus dat zal zijn leven niet echt vergallen.'

'Is ook veel te onorigineel. Heeft iemand al eens gedaan, net als zijn verzameling dure wijn bij de flessen melk op de stoep zetten bij al je buren. Of een hele dure sekslijn bellen met zijn mobiel en die dan de hele nacht aan laten. Nee, je moet het groter aanpakken. En harder.'

'Dit is belachelijk.' Stephanie ging verdrietig zitten. 'Ik ga echt geen spelletjes spelen.'

'Het maakt niet uit wat je doet, als je er maar bij gaat zitten kijken.'

'Ik moet eerst uit zien te vinden wie het is,' zei Stephanie. 'Dat moet ik eerst maar eens doen.'

Op zondagochtend hielp ze James met het inpakken van zijn tas. Dat deed ze altijd als hij weer drie nachten van huis ging. Ze pakte zijn gestreken T-shirts, schone sokken, en controleerde of hij zijn iPod en scheerapparaat bij zich had. Tijdens het ontbijt had ze hem eens goed bestudeerd, maar hij deed precies zoals anders. Hij was tegenwoordig bijna altijd met zijn hoofd ergens anders, dus ze wist niet precies naar welke verandering ze op zoek was.

Het was een prachtige dag, zonnig en met een zacht briesje. Ze hadden afgesproken om voor hij wegging te gaan wandelen door het park en langs de dierentuin. Dan kon Finn de wolven en de wallaby's zien, en van een afstandje de nekken van de giraffen. Ze keek naar James, die voor haar uit liep in geanimeerd gesprek met Finn, en ze kon zich niet voorstellen waarom hij deed wat hij deed en het risico liep om zijn leven met zijn zoon kwijt te raken.

Ook al wist Stephanie dat niet, het antwoord op die vraag was natuurlijk dat James nooit een seconde had gedacht dat het uit zou komen. Het gat tussen zijn leven met Stephanie en zijn leven met Katie was zo gigantisch dat het nooit bij hem opgekomen was dat die ooit zouden botsen. Hij was absoluut niet van plan om bij zijn vrouw weg te gaan, net zoals hij absoluut niet van plan was om zijn vriendin aan de kant te zetten. Het was niet zijn schuld dat Stephanie genoeg had van het plattelandsleven en dat ze soms tot laat aan het werk was, en hij vond Katies trouwehonderigheid en gebrek aan commentaar wel ontspannend. Soms dacht hij wel dat zijn leven een tikje te gecompliceerd was geworden. Hij vond het vrij veel gedoe om al die verhalen te moeten verzinnen over wat hij in Lincoln deed en wat hij in Londen uitspookte, maar alles bij elkaar zou hij het toch niet anders willen. Het kwam hem heel goed uit.

Als hij het allemaal nog eens over mocht doen – wetend wat hij nu wist – zou hij precies hetzelfde hebben gedaan. Hij was er nooit bewust op uit geweest om Stephanie en Finn pijn te doen. Helaas zat het leven niet zo in elkaar: je kon niet in de toekomst kijken om de consequenties van je daden te overzien. Dingen gebeurden gewoon en je koos maar wat, in de blinde hoop dat het allemaal wel goed zou komen. En hij vond dat het allemaal heel goed was gekomen, tot zover.

Net iets voor enen gaf James Stephanie een afscheidszoen, stapte in zijn auto en begon aan de lange rit naar Lincolnshire.

6

O P ZONDAGAVOND ZAT KATIE ALTIJD met het eten op tafel te wachten tot James kwam. Zelfgemaakte lasagne of een kippastei met champignons. Ze vond het belangrijk dat het meteen lekker huiselijk was, zodat James haar huis zag als een toevluchtsoord, een plek waarnaar hij kon verlangen om aan het jachtige stadsleven te ontsnappen. Zodra ze het eten onder controle had, nam ze een bad en maakte zich op. Ze stak kaarsen aan en schudde de kussens op. Als het wat warmer weer was, zoals deze avond, dekte ze de tafel in de tuin, stak de gasverwarming aan en zette een fles witte wijn in de koeler. Ze haatte het dat een van zijn twee vrije dagen altijd opging aan het reizen. Hij werkte veel te hard. Het leven zou niet om werk moeten draaien, vond Katie.

In Londen logeerde hij bij zijn vrienden Peter en Abi, en hij kwam altijd terug met grappige verhalen over hun laatste ruzie of over de culinaire blunders van Abi. Ze kon totaal niet koken, zei James, maar ze deed toch net alsof ze een soort oermoeder was, die iedereen om zich heen wilde voeden. Hij sliep op een veldbed in de studeerkamer van Peter. Daar was hij nog een keer doorheen gezakt, had hij verteld, zodat iedereen in huis wakker was geworden. In het verleden had Katie geprobeerd om hem over te halen al op zaterdag deze kant op te komen, maar zaterdag was de enige dag waarop hij zijn zoontje, Finn, kon zien. Die was zeven, of acht, meende ze. Ze had wel eens foto's van hem gezien. Het was een schattig knulletje, dat aan het tanden wisselen was. Donker haar en bruine ogen. Dat had hij dan vast van zijn moeder, want James was blond. Ze vond het geweldig dat James zo veel mogelijk tijd met zijn zoontje door wilde brengen.

Stephanie, de ex van James, woonde nu in Londen – die verhuizing was de laatste nagel aan de doodkist van hun huwelijk geweest, zei hij altijd. Hij haatte het om niet in de frisse buitenlucht te kunnen zijn en bij de boerenmensen bij wie hij zich zo op zijn gemak voelde. Ze hadden een bittere scheiding achter de rug, waardoor James geen geld meer had, en dus in dat vieze appartementje boven de dierenkliniek moest wonen. Stephanie had het schitterende huis in Londen gekregen, voor zover Katie wist. James had het bijna nooit over haar. Als hij Finn op ging halen op zaterdag was zij nooit thuis. Dan was de oppas er alleen, Cassie. Dus ze spraken elkaar tegenwoordig bijna nooit meer. Als er iets te melden viel over hun zoon ging dat via Cassie, of met briefjes. Katie hoopte dat James snel vond dat de tijd rijp was om Finn mee te nemen. Ze hield van kinderen en ze wilde hem dolgraag ontmoeten, want ze wist gewoon zeker dat hij meteen verliefd op haar zou worden. Dat werden alle kinderen altijd. En zo kon James zien dat ze een heel gelukkig gezinnetje zouden zijn. Ooit zouden zij en James misschien samen een kindje maken. Ze was pas achtendertig. Er was nog best tijd. Een beetje.

Om vijf voor zes hoorde ze de auto aan komen rijden. De deur van haar huisje was direct aan de weg, en die deur kwam weer direct uit in de zitkamer. Er was nauwelijks een stoep, dus je kon in feite direct vanuit de auto het huis in stappen. Katie gooide de deur open met een dramatisch gebaar en sloeg haar armen om James heen. Onmiddellijk begon ze hem te overstelpen met zoenen. 'Goede reis gehad?' vroeg ze uiteindelijk, zichzelf van hem losmakend.

James kuste haar op haar bol. 'Prima,' zei hij en hij gooide zijn tas op de bank. Stanley sprong op om hem te begroeten.

'En Finn? Hoe was het gisteren met hem?'

'Leuk,' zei hij. 'We zijn naar de dierentuin geweest.' Hij snoof luidruchtig, omdat hij van onderwerp wilde veranderen, en misschien ook omdat hij het niet zo prettig vond dat hij zo moest overdrijven. 'Ruikt goed. Wat eten we?'

'Raad maar,' zei Katie speels, want dat was zo haar gewoonte. Ze liet hem altijd raden naar de meest krankzinnige dingen, dingen die hij absoluut niet kon weten. 'Raad eens wie ik vandaag tegenkwam,' zei ze dan, of 'Raad eens wat mijn moeder zei.' 'Raad eens wat ik in de krant heb gelezen.'

'Gevulde mini-inktvisjes met aardpeer,' zei James.

'Nee, gekkie, *coq au vin*. Weet je nog? Dat aten we toen we de tweede keer uit eten gingen. Toen bestelden we allebei precies hetzelfde, *coq au vin,* aardappelpuree en cheesecake als toetje.'

'Nou, ik sterf van de honger,' zei James. Hij tilde haar op en draaide een rondje met haar. Stanley blafte doldriest.

'O, helemaal vergeten. Sally heeft een boodschap voor je achtergelaten,' zei Katie toen ze met een glaasje pinot noir in haar kleine tuintje zaten. 'Of je morgenochtend meteen naar de boerderij van Carson wilt gaan. Dan is Simon daar ook.'

'Zei ze nog waarom?'

'Eh… inenting, immunisering, incubatie, zoiets. Iets met koeien geloof ik. Ze zei dat je je geen zorgen hoefde maken.' Ze zag dat James haar aan zat te kijken. 'O, god, ik had het op moeten schrijven, hè?'

'Het geeft niet.' Hij glimlachte en pakte haar hand vast. 'Het past helemaal niet bij jou om dat soort dingen te doen.'

James sprak haast nooit met Sally, de receptioniste van de dierenkliniek. Alleen als het echt moest. Ze was altijd zo overdreven familiair, wat hij irritant en ongemakkelijk vond. Het was alsof ze hem steeds op een leugen probeerde te betrappen. 'Leuk weekend gehad, met Finn?' vroeg ze nu zodra hij haar had begroet.

James gaf geen antwoord op haar vraag. 'Wat moest ik nou precies doen, morgenochtend? Katie wist het niet meer,' zei hij.

Hij hoorde de zucht in Sally's stem. 'Je moet om negen uur bij Carson zijn. Voor de jaarlijkse inentingen van de hele kudde. Simon is er ook. Dat heb ik Katie allemaal al uitgelegd.'

'En nu weet ik het ook,' zei James sarcastisch. 'Ontzettend bedankt, Sally.'

'Mijn god, wat een spook,' zei hij toen hij de telefoon neerlegde. Hij kon zich nog vaag herinneren dat hij Sally wel eens had geprobeerd te zoenen, tijdens een kerstborrel een paar jaar geleden, voor hij Katie had leren kennen. Hij had een onduidelijk beeld van Sally die hem van zich af duwde en hem zei dat hij een ouwe viezerik was. Niet iets waar hij graag aan terugdacht.

'Het is mijn schuld,' zei Katie. 'Als ik gewoon had opgeschreven wat ze zei dan had je haar helemaal niet eens hoeven bellen.'

James tilde Katie op schoot. 'Jij bent veel te lief,' zei hij. 'Jij ziet alleen het goede in iedereen.' Hij stopte zijn neus in haar nek en liet tegelijkertijd zijn hand om haar rechterborst glijden. Voorspel vermomd als compliment: altijd slim.

'Wie altijd het goede zoekt in de medemens vindt daarin automatisch zijn beloning,' zei ze, en James wenste vurig dat ze dit soort momenten niet altijd bedierf met haar onzinnige new-agewijsheden.

7

DE ZONDAGAVONDEN VAN STEPHANIE ZAGEN er heel anders uit. Nadat ze in allerijl de spullen bij elkaar had gezocht die Finn nodig had voor school de volgende dag, een radeloos makend ritueel dat er elke week min of meer hetzelfde uitzag –

'Waar zijn je gympen?'

'Weet ik niet.'

'Waar heb je ze voor het laatst gezien?'

'Weet ik niet.'

'Heb je ze nog aangehad, dit weekend?'

'Weet ik niet meer.'

'Waar is je gymtas?'

'Arun Simpson heeft een hamster gekregen. Hij heet Spike.'

– en het gevecht dat daarop volgde om hem rond halfnegen in bed te krijgen, zat ze meestal op de bank naar de tv te staren tot het tijd was om zelf ook te gaan slapen.

Maar deze avond kon ze zich helemaal niet op *Ugly Betty* concentreren. Haar gedachten draaiden dol. Ze had aan haar meest destructieve aandrang toegegeven en had de e-mails van James gelezen, maar ze had niks gevonden. Zo dom was hij natuurlijk ook weer niet. Nu ze toch begonnen was, had ze ook zijn bureau doorzocht en zijn nachtkastje. Ze had geen idee wat ze nog meer kon doen. Ze zou Sally van de kliniek kunnen bellen, dacht ze, maar wat moest ze dan zeggen? 'Volgens mij heeft James een verhouding met een vrouw wier naam met een K begint? Wat denk jij?' Dat zou toch verschrikkelijk vernederend zijn? Ze kon naar Lincoln rijden en daar op onderzoek gaan. Dan zou ze zich in de bosjes verstoppen in de hoop dat James haar niet zou zien. Of ze nam het telefoonboek van Lincoln en belde alle vrouwen die een K als voorletter hadden. Ze wist niet waarom het zo belangrijk was om te weten wie die K was, maar ze wist zeker dat ze het nooit achter zich zou kunnen laten als ze de naam niet kende. Dan zou ze het gevoel hebben dat ze ontzettend voor paal stond, want dan was ze haar man kwijtgeraakt aan een onzichtbare vrouw.

Natasha was niet blij. Ze gebaarde dat Stephanie het kleine kantoortje ernaast in moest gaan. Ze zou het nooit kunnen doen als er iemand op haar vingers keek. Ze keek rond om te zien of ze ergens kon zitten, maar zoals gewoonlijk lag alles bedolven onder de jurken, tasjes en schoenen die hen met regelmaat werden toegestuurd zodat hun klanten iets te kiezen hadden. Ze pakte een enorme stapel modetijdschriften van Stephanies stoel en liet ze op het bureau ploffen. Toen haalde ze diep adem, controleerde het nummer dat op een stukje papier stond, en toetste het nummer in.

'Hallo, met Katie,' zong een opgenomen stem aan de andere kant van de lijn. 'Ik kan nu niet opnemen, dus laat alsjeblieft een boodschap achter, na de toon.' Natasha hing op en haalde opgelucht adem dat het niet nodig was om het gesprek te voeren dat zij en Stephanie samen hadden bedacht. ('Hallo, ik bel u namens Paddy Paws Medical Supplies en ik ben op zoek naar een meneer James Mortimer. Ik heb dit nummer via de kliniek.' Even stilte zodat K kon zeggen: 'O nee, sorry, u spreekt nu met Katie [want zo bleek ze dus te heten], en dan zou ze hopelijk ook haar achternaam noemen, en misschien beloven dat ze de boodschap doorgaf aan James, of misschien gaf ze zijn nummer wel, en dan zou Natasha het gesprek zo beleefd mogelijk beëindigen.) Enfin, ze had in elk geval een voornaam. Dat was al iets.

'En?' vroeg Stephanie toen ze weer binnenkwam nadat Natasha haar had geroepen.

'Ze heet Katie,' zei Natasha en ze haalde haar schouders op. 'Maar ik heb haar niet gesproken. Hij ging meteen op haar voicemail.'

'Hoe klonk ze?' Stephanie stortte neer op de bank in de hoek van de kamer. 'Jong? Oud?'

'Moeilijk te zeggen. Eerder jong, geloof ik,' zei Natasha gespannen.

'Hoe jong? Tweeëndertig? Vijftien?'

'Ik weet niet, alleen niet… oud.'

Stephanie rolde met haar ogen. 'Nee, natuurlijk niet. Accent?'

'Och, dat kan ik zo niet zeggen. Gewoon, normaal.'

'Normaal zoals in het zuiden of normaal zoals in het noorden? Of normaal zoals in Schotland?'

Natasha zuchtte. 'Gewoon, normaal. Weet je wat, bel haar anders zelf. Haar telefoon staat toch uit. Dan kun je haar meldtekst afluisteren en dan weet je het.'

'Wat nou als ze opneemt?'

'Ze neemt niet op.'

'Maar wat nou als ze wel opneemt?'

'Dan hang je op. Hier.' Ze pakte de telefoon en draaide het nummer nog een keer. Toen gaf ze de hoorn aan Stephanie, die hem van zich af hield alsof ze een bom in haar hand had.

'Luister dan,' siste Natasha. Stephanie hield de telefoon bij haar oor, net toen Katies stem weer klonk. Stephanie deed haar ogen dicht en luisterde aandachtig, alsof ze zich via die stem een beeld van de vrouw kon vormen. Toen de meldtekst was afgelopen hing ze snel op en ging zitten. Ze was duidelijk down.

'Nou…?' vroeg Natasha voorzichtig.

'Ze klonk gewoon als een vrouw,' zei Stephanie terwijl ze met de rug van haar hand in haar ogen wreef.

'Wat wil je nu doen?'

Stephanie keek op haar horloge. 'We zijn al laat voor Meredith. We moeten gaan.'

Meredith Barnard, een ouwe soaptang (een dode echtgenoot, twee mislukte liefdesrelaties, waarvan eentje met een man die haar broer bleek te zijn, en een gevangenisstraf vanwege het toebrengen van zwaar lichamelijk letsel, in haar fictieve leven), was niet in de stemming om BAFTA-jurkjes te passen. Ze was kwaad omdat Stephanie te laat was, en omdat ze haar hoofd er niet bij had, en ze was niet van plan dat onder stoelen of banken te steken. In de jurken die ze hadden meegebracht zag ze eruit als een travestiet, zei ze.

Stephanie en Natasha slijmden zich een ongeluk, maar ze gaf geen millimeter toe en weigerde zelfs ronduit om de rode jurk met de bustier en de rok met het sleepje aan te trekken.

Eerlijk gezegd, dacht Stephanie, die met haar te doen had ondanks haar grove gedrag, leek ze inderdaad net een travestiet in die jurken – in elke jurk trouwens – maar ja, zij wilde zo nodig een wat vrouwelijker uitstraling. Als zij het zelf voor het zeggen hadden, dan zouden Stephanie en Natasha haar in een smoking hebben gestoken, met een afkledende zwarte broek. Helemaal à la Marlene Dietrich. Misschien hadden ze haar zelfs een valse snor opgeplakt en een hoge hoed opgezet: klaar.

'Ik denk dat jullie mijn opdracht niet helemaal hebben begrepen,' zei Meredith. 'Als ik er graag uit wil zien als Shirley Bassey dan had ik dat wel gezegd.'

Stephanie hield zich in en zei niet dat het een wonder zou zijn als Meredith er zelfs maar half zo goed uit zou zien als Shirley Bassey. 'Ik wilde alleen je rondingen accentueren. Je hebt prachtige rondingen,' zei ze in plaats daarvan. Je hebt veel te veel rondingen, precies op de verkeerde plek, dacht ze, en ze schoot bijna in de lach.

'Er is een heel dunne scheidslijn tussen vrouwelijk en ordinair. En volgens mij gaan jullie daar met deze jurk overheen.'

Stephanie wist dat het geen zin had om verder met haar in discussie te gaan. 'Het spijt me echt heel erg dat je er zo over denkt, Meredith. We blijven voor je zoeken. En geloof me, we gaan iets geweldigs voor je vinden.

'Dat mag ik hopen, ja,' zei Meredith. 'Ik betaal je er anders genoeg voor.'

Tegen kwart over zes waren ze eindelijk tot een staakt-het-vuren gekomen. Stephanie weigerde Natasha's aanbod om nog een borrel te gaan drinken op weg naar huis – dat deed ze nooit als James niet thuis was, omdat ze Finn graag zelf in bed wilde stoppen. Ze hield een taxi staande, die haar zou afzetten in Belsize Park en dan zou doorrijden naar Natasha's gezellige huis in Muswell Hill.

'Ik ga eens met haar praten,' zei ze dreigend terwijl ze Chalk Farm Road afreden.

'Met Meredith?' vroeg Natasha, die nog steeds met haar hoofd bij het drama van net was.

'Met Katie. Ik heb besloten dat ik haar ga bellen en dat ik haar ga vertellen wat ik weet, dan zie ik wel wat ze zegt.'

Natasha pufte. 'Misschien is het beter om gewoon tegen James te zeggen dat je het weet.'

'Nee. Die liegt toch alleen maar. Hij zal zeggen dat het niet waar is en dan gaat hij haar zo instrueren dat zij ook niks zegt. Dan kom ik er dus nooit achter wat er precies allemaal aan de hand is.'

'Oké,' zei Natasha, maar zo te horen meende ze dat niet.

'Ik bel haar als ik weet dat hij aan het werk is,' zei Stephanie beslist. Even knuffelde ze haar vriendin voor ze uit de taxi stapte.

8

KATIE VOND HET ALTIJD VRESELIJK als het weer woensdagochtend was. Om te beginnen moest ze dan afscheid nemen van James, tot de volgende zondag. Hij had 's woensdags altijd dezelfde routine: hij ging vroeg naar zijn werk, zag dan tot één uur patiënten, lunchte snel en ging dan op weg voor de lange rit naar Londen. Hij werkte op donderdag en vrijdag in de praktijk in Londen, zaterdag had hij vrij, om op zondag de reis in omgekeerde richting te herhalen. Die ochtend was zij vroeg opgestaan – normaal gesproken bleef ze liever tot negen uur in bed met de thee die James haar altijd op bed bracht voor hij naar zijn werk ging – en hielp hem met het inpakken van zijn tas voor de komende dagen. Ze vond het fijn, zo huiselijk, dat simpele genoegen hem een stapel schone, goed gestreken kleren mee te geven en een stevig ontbijt voor hem te maken voor als er een spoedgeval bleek te zijn en hij niet kon lunchen. Vanochtend had ze eieren met spek en champignons voor hem gebakken, met een enorme berg toast en een cafetière vol versgemalen koffie. Ze vlinderde om hem heen terwijl hij zat te eten, schonk zijn kopje nog eens vol en bood hem aan boter op zijn toast te smeren.

James zou het nooit toegeven, maar hij vond al die aandacht en al die zorgzaamheid nogal verstikkend. Op woensdagochtend begon hij zich onwillekeurig te verheugen op de rest van de week. Op de normalere gesprekken die hij met Stephanie had, als twee volwassen mensen die hun dagelijkse beslommeringen bespraken in plaats van die verspringende rollen die Katie aannam: dan weer een klein kind, dan weer net zijn moeder. Hij vond het leuk, hoor, hoe hulpeloos Katie kon zijn, en hoe kinderlijk ze in de wereld stond, en hoe naïef optimistisch ze was, maar soms werkte ze hem op de zenuwen. Soms had hij helemaal geen zin in die babypraat en dat puberale toneelspelletje van haar. Soms wilde hij alleen maar gewoon ontbijten.

Daarbij verlangde hij tegen de woensdag ook weer erg naar zijn zoon. Die sprak hij elke dag, zoals hij ook Stephanie elke dag sprak, hoewel dat vaak zenuwslopend was, omdat hij dan een rustig hoekje op moest zoeken waar Katie niet kon horen wat hij tegen haar zei als ze belde, en omdat hij dan altijd net moest doen of het Simon of Malcolm was. Dan rolde hij met zijn ogen en zei mimend 'werk' en liep naar de badkamer of de slaapkamer. Katie leek er nooit aan te twijfelen of hij de waarheid sprak. Dat lag niet in haar aard.

Die ochtend, zoals altijd op woensdag, stond Katie hem bij de deur uit te zwaaien terwijl ze een traan onderdrukte en dapper probeerde te zijn, zodat hij niet ook overstuur zou raken. Hij was tenslotte degene die zo'n gespleten leven moest lijden. Zij mocht dan vaak een beetje eenzaam zijn op de dagen dat hij er niet was, maar zij had Stanley en haar vriendinnen en haar gezellige huisje. Zij hoefde niet op een veldbed te slapen en zij hoefde Abi's mislukte maaltijden niet te eten. Meteen als hij weg was stuurde ze hem altijd een van de vele lieve sms'jes die ze hem stuurde als hij weg was. Later die dag zou James, zonder dat zij daar weet van had, als een dolle al die berichtjes proberen te wissen als hij stopte bij een tankstation, zodat er niks meer in zijn telefoon stond als hij thuiskwam.

Zodra hij weg was drong die andere reden waarom Katie de woensdagen zo vreesde tot haar door. Op woensdagochtend had ze sinds drie maanden een vaste klant die bij haar kwam voor acupunctuur. Owen, heette hij. Katie was meestal dol op haar klanten. Ze geloofde dat iedereen van nature goed was en dat mensen zich alleen maar slecht gingen gedragen als ze daartoe werden gedwongen door de omstandigheden. En het was ook niet dat ze Owen niet mocht. Ze had echt verschrikkelijk medelijden met hem. Zijn leven was een zootje: zijn vrouw was bij hem weggegaan en was bij de buurman ingetrokken. Owen had haar verteld dat hij 's avonds in bed hoorde dat Mirjam en zijn voormalige vriend Ted woeste seks hadden in de aanpalende slaapkamer. Daarom was hij maar op een luchtbed gaan slapen, in de zitkamer, en gebruikte hij zijn slaapkamer alleen nog maar als opslagruimte. Hij was zijn baan bij de plaatselijke slager kwijtgeraakt omdat iemand had gezien dat hij spuug (althans, dat beweerde hij, maar wie zou het zeggen? Het kon makkelijk een ander soort lichaamsvocht zijn, dat hadden ze niet verder uit durven zoeken) op een stuk varkenshaas had gesmeerd dat voor Mirjam en Ted was bestemd. Lower Shippingham was een dorp waar het niet bepaald barstte van de carrièremogelijkheden, dus zat hij nu in de ww, en dag in dag uit bracht hij door op een stoel voor zijn rijtjeshuis. Soms schreeuwde hij dan naar Mirjam dat ze een slet was, als hij wist dat ze hem kon horen in het huis van de buurman.

Toen Katie met hem aan de slag was gegaan, was ze ervan overtuigd dat ze Owen kon helpen. Hij had duidelijk gebrek aan zelfvertrouwen, en ze wilde er alles aan doen om te zorgen dat hij weer een beetje in zichzelf ging geloven. En trouwens, hij betaalde haar vijfentwintig pond per sessie, wat ze best kon gebruiken. Hoewel, hij had haar nu al een paar weken helemaal niet meer betaald. Omdat ze medelijden met hem had, mocht hij op de pof komen. Hij zou haar betalen als hij weer wat geld had. De rekening was inmiddels opgelopen tot honderd pond.

Maar naarmate de weken verstreken, was Owen haar steeds meer dwars gaan zitten. Dan zag ze hoe hij haar in het volste vertrouwen aanstaarde, en hoe hij aan haar lippen hing. Op een dag had hij de moed verzameld om haar mee uit eten te vragen, maar dat aanbod had ze vriendelijk afgeslagen. Ze had gezegd dat dat niet ethisch zou zijn, omdat zij zijn – hoe moest ze zichzelf eigenlijk noemen? – aanvullende therapeute was. En dan nog, ze had een vriend. Hij had het heel sportief opgevat, en gezegd dat dat een van de leukste dingen was aan haar, dat ze zo loyaal was aan James. Maar in de weken daarna had hij het er steeds maar over dat hij niet met vrouwen om kon aan, over hoe gekwetst en boos hij was dat het leven hem zo'n loer had gedraaid, en over zijn diepgewortelde gevoelens van waardeloosheid. En dat alles terwijl zij naalden in zijn schedel stak. Katie was niet echt bang voor Owen – ze had niet het gevoel dat hij haar snel zou bespringen of met onoorbare voorstellen zou komen – maar ze wist niet meer wat ze met hem aan moest. Ze was helemaal niet opgeleid om met dit soort diepe, emotionele problemen om te gaan. Owen had serieuze hulp nodig, dat zag ze nu wel. Ze had geprobeerd om dat bij hem aan te kaarten en voorgesteld dat hij bij zijn huisarts langs moest gaan, en dat hij zich moest laten doorverwijzen naar iemand die daarvoor had doorgeleerd. Een ervaringsarts. Maar toen was hij boos geworden. Hij wilde niet naar haar luisteren.

En de sessie van vanochtend was al niet veel beter. Ze hadden het over de gebruikelijke dingen: Owens eenzaamheid en zijn gebrek aan eigenwaarde. Katie had voorgesteld om wat ylang-ylang olie te verdampen om hem een beetje op te vrolijken. 'Ik weet niet waarom ik het iedere keer maar weer voorstel,' zei ze, 'maar waarom ga je niet verhuizen? Het is niet gezond om zo dicht naast iemand te wonen van wie je zo ongelukkig wordt.'

'Waarom zou ik me door hen laten wegjagen?' zei hij, zoals hij ook al een paar keer eerder had geantwoord.

'Zo moet je het helemaal niet zien. Je moet bedenken wat voor jou het beste is.'

'Als ik ga verhuizen hebben zij gewonnen,' zei Owen verontwaardigd.

'Het is geen spelletje, Owen. Er kan helemaal niemand winnen. En ook niet verliezen.'

'Jij begrijpt het niet.'

'Nee, inderdaad,' zei ze vriendelijk. 'Ik begrijp er echt niks van. Daarom is het misschien beter als ik je nu even laat liggen, dan kun je wat ontspannen en dan kunnen de naalden hun werk doen.'

'Nee, niet weggaan. Ik voel me echt beter als we het erover hebben.'

'Je weet toch dat ik geen echte therapeut ben?' vroeg ze lachend. 'Misschien geef ik je helemaal het verkeerde advies.'

'Dat geeft niks,' zei hij en hij beantwoordde haar glimlach. 'Ik doe toch niks met je advies.'

Dus bleef ze, hoewel ze er niet bij was met haar hoofd. Dat kwam door het telefoontje dat ze vlak voor hij kwam had gekregen.

James was een uur weg en Katie was het huis aan het opruimen, zodat het eruitzag als een professionele, rustgevende ruimte waar ze haar klanten kon ontvangen. Ze stak de oliebrandertjes aan om de kamer te verlossen van de hondengeur van Stanley, en op dat moment ging de telefoon. Ze keek op het display. Dit nummer kende ze niet – het kon iedereen wel zijn – maar Katie zag een rinkelende telefoon altijd als een kans. Je weet nooit wat het leven je in de schoot werpt, zei haar moeder altijd. Je moet alle kansen grijpen en overal het beste van maken. Het kwam niet bij haar op om niet op te nemen.

'Hallo?' zei ze met haar opgewektste stem. Ze had ergens gelezen dat vanwege het gebrek aan beeld, mensen aan de telefoon altijd verveelder klonken en afweziger dan ze in werkelijkheid waren. Het was belangrijk om zelfvertrouwen uit te stralen. Glimlach tijdens het gesprek, stond er in het artikel, want dat voelt degene aan de andere kant van de lijn.

Het bleef even stil, en toen hoorde ze een stem zeggen: 'Spreek ik met Katie?'

'Ja-ha?' antwoordde ze vrolijk.

'Je spreekt met Stephanie Mortimer.'

Katie dacht snel na. Stephanie, zo heette de ex van James. Ze hadden elkaar nog nooit gesproken maar, dacht ze gespannen, Stephanie klonk niet alsof ze overliep van de warme gevoelens.

'Hallo Stephanie. Wat leuk om je eindelijk eens te spreken.'

Het bleef lang stil. Katie werd er zenuwachtig van. 'Er is toch niets aan de hand, hoop ik? James heeft toch geen ongeluk gehad, of zo?'

'Weet je wie ik ben?' had Stephanie gevraagd. 'Ik ben de vrouw van James.'

'Natuurlijk weet ik wie je bent...' had Katie gezegd, en toen werd er aangebeld. Owen, stipt op tijd voor zijn afspraak, zoals altijd. 'Stephanie, ik vind het heel vervelend maar ik moet ophangen. Mag ik je later terugbellen? Op dit nummer?'

'Oké.' Stephanie klonk uit het veld geslagen. 'Ik ben de hele ochtend bereikbaar.'

Dus nu kon Katie zich niet concentreren. Dit was iets heel belangrijks. Een mijlpaal. Oké, Stephanie klonk niet bepaald gezellig, maar als ze eenmaal aan de praat zouden raken, dan wist ze zeker dat ze prima met elkaar door een deur zouden kunnen. Want Katie kon met iedereen door een deur. En dan was het nog maar een kwestie van tijd of Stephanie zou voorstellen dat James Finn eens een paar dagen mee zou moeten nemen. En dan zouden ze eindelijk een Echt Gezinnetje worden.

9

STEPHANIE HAD OPGEHANGEN EN VROEG zich af of ze het zich allemaal had ingebeeld wat er net was gebeurd. Ze had twee of drie valse starts voor ze eindelijk Katies hele nummer had durven intoetsen. Ze had Natasha naar Sloane Street gestuurd om etalages te gaan kijken, gewapend met de maten van Meredith, een polaroidcamera en een notitieblokje. Ze wist dat zelfs al zou ze in de kamer ernaast zitten, Natasha toch de verleiding niet kon weerstaan om mee te luisteren, en Stephanie was bang dat ze het niet kon met publiek erbij.

In haar hoofd had ze eindeloos zitten malen over wat ze tegen Stephanie zou zeggen. Ze zou zichzelf waardig bekendmaken – ze was vastbesloten om niet hysterisch te worden, want ze gunde het Katie niet dat ze zou denken: geen wonder dat hij liever niet meer bij haar is. 'Je spreekt met Stephanie, de vrouw van James', zo zou ze beginnen. Maar het was moeilijk om zich voor te stellen wat er daarna zou gebeuren. Katie zou ofwel ontkennen dat ze James kende, of misschien zou ze vol wroeging om vergiffenis smeken. Stephanie hoopte op het laatste – niet omdat ze van plan was om haar die vergeving ook echt te schenken, maar omdat het zo moeilijk zou zijn als ze glashard zou ontkennen: dan zou Katie namelijk voor komen te staan. Waar ze absoluut niet op had gerekend was op die ontspannen, vriendelijke toon die Katie had aangeslagen. 'Hallo Stephanie'. En het volledige zelfvertrouwen van haar: 'Wat leuk om je eindelijk eens te spreken.'

Ze had geen idee wat ze nu moest doen. De volgende stap was aan Katie en dat gaf Stephanie een heel ongemakkelijk gevoel. Als ze niet met eigen oren had gehoord dat er echt werd aangebeld bij Katie, dan zou ze hebben gedacht dat ze het had verzonnen om op te kunnen hangen, zodat zij op een psychologische voorsprong kwam te staan.

Laat ik nou niet nog meer paranoïde worden dan ik al ben, wees ze zichzelf terecht. Ze kon nu alleen maar afwachten. Als Katie haar niet terugbelde, zou ze het nog een keer zelf proberen, en dan nog eens, en nog eens, en nog eens, net zolang tot ze haar te pakken had. Zo makkelijk kwam ze niet van haar af.

James zou al snel weer terug naar Londen komen, dacht ze. Ze keek er niet naar uit. Ze wilde eerst precies weten hoe de vork in de steel zat voor hij thuiskwam. Kennis is macht, immers. Ze probeerde Natasha te bellen, maar haar telefoon schoot meteen in de voicemail, waarschijnlijk zat ze in de metro. Dus belde ze Cassie en luisterde dankbaar naar haar eindeloze geklep over een gesprek dat ze had gehad met een andere oppas op weg naar Finns school.

Ze keek op haar horloge. Kwart over tien. Ze durfde niet bij haar bureau weg, zelfs niet om naar de wc te gaan, uit angst dat Katie terug zou bellen en ze haar telefoontje zou missen. Waarom had ze niet gewoon vanaf haar mobiel gebeld? Ze besloot dat ze iets moest doen voor de afleiding, en dat het opruimen van haar kantoor daar zeer geschikt voor was. Ongeveer drie kwartier later, terwijl ze tot haar knieën in de allerhipste riemen en enveloptasjes stond, ging de telefoon. Ze viel bijna op haar gezicht, zo hard rende ze ernaartoe om op te nemen.

'Met Stephanie Mortimer,' zei ze in een poging niet al te hijgerig te klinken. Want dat kon gemakkelijk uitgelegd worden als nervositeit, en dus als zwakte.

'Stephanie, hi, Katie hier.'

Daar had je het weer, dat toontje waaruit totaal geen berouw sprak. Wat was dit voor een mens? Schaamde ze zich dan helemaal niet voor wat ze had gedaan – en waar ze nog steeds mee bezig was? 'Dag,' zei Stephanie vlak. 'Fijn dat je terugbelt.'

'Tuurlijk. Nou, eh… waar wilde je me over spreken?'

Misschien was er wel echt iets mis met haar, dacht Stephanie. Misschien was ze wel schizofreen, of misschien leed ze aan geheugenverlies of iets dergelijks. 'Katie, misschien heb je me niet goed gehoord. Ik ben de vrouw van James. En ik weet van jullie tweeën.'

Ze hoorde Katie slikken. Maar dat was niet om de reden die zij veronderstelde. Katie had namelijk net een slok uit haar flesje Evian genomen.

'Ja, tuurlijk weet je dat. James heeft me verteld dat hij jou over ons heeft verteld.'

Nu begreep Stephanie er echt helemaal niets meer van. Bovendien begon ze behoorlijk geïrriteerd te raken. Dit liep helemaal niet zoals ze het zich had voorgesteld. 'James heeft mij helemaal niets verteld. Ik heb toevallig een van jouw sms'jes gezien. Per ongeluk. Ik was er echt niet naar op zoek.' Ze wilde niet dat dit mens zou denken dat ze een jaloers, irrationeel kreng was.

Nu was het Katies beurt om verward te klinken. 'Nou, misschien vergis ik me. Ik meende dat hij zei dat hij het je zelf had verteld, omdat hij niet wilde dat je het via via ter ore zou komen. Voor het geval je iemand tegen zou komen die je nog van hier kende. Want dat zou hij vervelend vinden.' Had ik maar eerst even met James gebeld voor ik haar terugbelde, wenste Katie. Die Stephanie was duidelijk niet helemaal goed snik. Ze had hem trouwens wel geprobeerd te bellen, toen Owen de deur uit was, maar hij zat waarschijnlijk ergens met zijn hand in een of andere koe, want hij nam niet op. 'Hoe dan ook, ik ben blij dat je het nu weet. Dat is toch ook veel beschaafder, vind je ook niet? Dat iedereen gewoon alles weet.'

'Is dat alles wat je te zeggen hebt: "Ik ben blij dat je het nu weet"?' viel Stephanie uit. 'Dacht je niet dat "sorry" hier op zijn plaats zou zijn. Of dat je je schaamt of zo? Want je laat je per slot van rekening wel door mijn man neuken.'

Katie kromp ineen, niet alleen vanwege de taal, maar vooral vanwege de beschuldiging die in Stephanies woorden lag besloten. Zelf gebruikte ze bijna nooit schuttingtaal. Dat vond ze niet nodig. Hooguit als het echt niet anders kon, zou ze zoiets zeggen. 'Jouw ex-man,' zei ze voorzichtig. Die Stephanie was echt helemaal de weg kwijt.

Stephanie voelde een schok. 'Wat zei je nou?'

'Ik zei dat hij je ex-man is. De man met wie ik... de man die nu mijn vriend is. Als jij daar een probleem mee hebt, dan is dat iets tussen jou en hem.'

'Heeft hij jou dan verteld dat wij uit elkaar zijn?'

'Ja natuurlijk,' zei Katie zenuwachtig. 'Dat is toch ook zo?'

'Nee,' zei Stephanie. 'Tenminste, niet dat ik weet.'

Katie had het gevoel alsof ze in een konijnenhol wegzakte. De wind suisde in haar oren en de grond leek onder haar voeten weg te zakken.

'En hoe zit het dan met Peter en Abi?' vroeg ze zachtjes.

'Met wie?'

'Peter en Abi. De mensen bij wie hij altijd logeert als hij in Londen is. Hoe zit het dan met het veldbed, en Abi's beroerde kookkunsten en Peters flauwe grappen?'

'Ik heb geen idee waar je het over hebt,' zei Stephanie. Als James in Londen is woont hij gewoon hier, bij mij. In ons huis. Met onze zoon.'

Katie had wel eens gehoord van de ontkenningsfase. Dat was een verdedigingsmechanisme dat mensen beschermde tegen iets wat er met hen was gebeurd tot ze hopelijk ooit sterk genoeg werden om de waarheid onder ogen te zien. Maar toch leek haar anderhalf jaar een behoorlijk lange tijd om de waarheid onder ogen te zien dat je man bij je weg was. In de vele zelfhulpboeken die ze had gelezen, stond dat je mensen niet moest stimuleren in hun waanideeën. Dus haalde ze diep adem en zei: 'Het spijt me, Stephanie, ik weet best dat het moeilijk is voor jou om te accepteren dat James nu bij mij is. Maar daar kan jij nu niets meer aan veranderen. Je zult echt verder moeten met je leven.'

Stephanie voelde een shot adrenaline regelrecht naar haar hersenen schieten. Dit was een nachtmerrie. Ze had gedacht dat Katie misschien zou ontkennen dat ze iets met James had, maar wat ze zich nooit had voorgesteld – wat ze zich nooit had kunnen voorstellen – was dat Katie zou ontkennen dat Stephanie een relatie met hem had. Toch wist ze, zodra Katie haar op die nogal kleinerende manier toesprak, dat Katie geloofde dat ze de waarheid vertelde. Stephanie twijfelde er niet aan dat James zijn minnares had verteld dat zijn huwelijk voorbij was.

'Katie,' zei ze, terwijl ze probeerde kalm te blijven, 'Ik weet niet wat James jou allemaal heeft verteld... Nou, dat weet ik eigenlijk wel. Hij heeft jou kennelijk wijsgemaakt dat wij niet meer bij elkaar zijn – maar de waarheid is dat hij liegt. Hij gaat vreemd en jou is hij duidelijk ook aan het belazeren...'

Ze zweeg omdat Katie haar in de rede viel, met een iets minder vaste stem: 'Ik moet ophangen, Stephanie. Ik heb weer een klant. Nou, het was leuk om eens met je te praten, en het spijt me echt vreselijk dat je het allemaal zo moeilijk kunt verwerken.'

Katie zei haar gedag en hing op voordat Stephanie de kans kreeg te reageren. Ze legde haar hoofd in haar handen. Wat nu?

10

T OEN ZE HAD OPGEHANGEN, BEGON Katie helemaal te
shaken. Ze had er vaak over gefantaseerd dat ze Stephanie
zou spreken, en dat haar eigen kleine gezinnetje eindelijk zijn
beslag zou krijgen, maar in die fantasieën liep het altijd totaal anders
dan nu. Stephanie klonk, nou ja, gestoord. Ze had waanideeën en ze
was kwaad en beschuldigend. Dat arme mens, dacht Katie. Ik had
geen idee dat ze er zo aan toe was. James deed altijd voorkomen alsof
Stephanie helemaal achter hun scheiding stond, en alsof zij haar carrière belangrijker had gevonden dan haar huwelijk.

Ik moet James spreken, dacht ze, en ze pakte de telefoon weer op
en belde zijn mobiele nummer. Hij sprong meteen op zijn voicemail,
zoals zo vaak als hij aan het werk was. Ze raakte een beetje in paniek
over wat voor boodschap ze nou moest inspreken, want ze wilde hem
niet bang maken. Dus ging ze voor een warm en kalm 'Hallo, lekker
ding', gevolgd door 'Bel me even als je tijd hebt', en daar liet ze het
verder bij. Hopelijk zou hij haar terugbellen voor hij naar Londen
ging, want als hij daar was lukte het niet echt om hem te spreken.
James zei altijd dat hij in het appartement van Peter en Abi in Swiss
Cottage geen ontvangst had en dat hij zijn leven moest wagen door
op het dak van het gebouw te klimmen als hij wilde bellen. Het had
dus helemaal geen zin dat ze hem 's avonds belde, en hij was er nooit
aan toegekomen om haar het vaste nummer van Peter en Abi te geven.
Er schoot een vurige pijl door haar heen. Ze wist niet eens hoe ze van
achteren heetten, besefte ze nu. Het was nooit bij haar opgekomen
om daar naar te vragen – waarom zou ze? – dus ze kon hun nummer
niet eens bij de nummerinformatie opvragen.

Ze herinnerde zich eraan dat ze moest blijven ademhalen. Wat
Stephanie zei, dat kon toch zeker niet waar zijn? Het was absoluut

ondenkbaar dat James een dubbelleven leidde. Hadden ze het niet samen gehad over het belang van eerlijkheid en respect voor je partner, en was hij daarover niet even stellig geweest als zij?

Ze schrok toen haar mobiel overging. James. Ze aarzelde voor ze opnam, omdat ze niet precies wist wat ze moest zeggen.

'Had je gebeld?' schreeuwde hij toen ze eindelijk hallo zei. Het klonk alsof hij ergens in het open veld stond.

'O, ja,' zei ze, alsof ze het alweer vergeten was. 'Ik wilde alleen zeggen dat je voorzichtig moet rijden.'

'Dat doe ik toch altijd,' zei hij zachtjes. 'Ik bel je wel als ik daar ben.'

'James,' vroeg Katie voor hij op kon hangen, 'ik vroeg me af of jij het vaste nummer van Peter en Abi al hebt. Weet je nog, daar vroeg ik om en toen zei je dat je het zou opschrijven? Ik vind het gewoon zo gek dat ik je 's avonds nooit kan bereiken en dat jij in het donker het dak op moet om mij te kunnen bellen.'

'Ik ben zo slecht in die dingen,' zei hij overtuigend. 'Dat ben ik helemaal vergeten. Ik zal proberen er vanavond aan te denken. Maar weet je, ik wil ze liever niet lastigvallen met een telefoontje elke vijf minuten. Ze doen al genoeg voor me.'

'Nou, maar voor noodgevallen dan. Vind je niet dat ik een nummer moet hebben voor noodgevallen, aangezien je mobiel het daar niet doet?'

'Tuurlijk. Ik moet nu hangen. Ik bel je later.' En hij hing op voor ze nog iets kon zeggen.

Katie, die nooit iemand wantrouwde, die zich nooit afvroeg of wat ze aan de oppervlakte te zien kreeg wel een getrouwe afspiegeling was van wat er daaronder aan de hand was, voelde haar knieën slap worden en ging moeizaam aan tafel zitten. Er klopte iets niet.

Later, toen James belde om te zeggen dat hij veilig was aangekomen en dat hij nu naar bed ging, had ze hem er voorzichtig aan herinnerd dat ze dat nummer graag wilde, en toen was hij meteen over iets anders begonnen. Ze vroeg zich af hoelang hij dat kon volhouden. Als ze hem er elke keer als ze hem sprak naar zou vragen, met wat voor smoesjes zou hij dan steeds maar weer komen? Ze wilde best geloven dat ze zich aanstelde, dat er niks aan de hand was, dat ze zich nergens zorgen over hoefde maken, maar dat begon nu erg onwaarschijnlijk te lijken.

'Wat is eigenlijk de achternaam van Peter en Abi?' vroeg ze zomaar, zogenaamd langs haar neus weg, toen hij haar de tweede keer belde.

Hij gaf meteen antwoord, zonder een seconde te aarzelen: 'Smith. Waarom vraag je toch de hele tijd naar Peter en Abi?'

'Smith. Peter en Abi Smith. Of heeft zij haar meisjesnaam aangehouden?'

'Ik ga nu slapen, welterusten.'

'Welterusten, lieveling,' zei Katie verdrietig. 'Slaap lekker.'

'Hebt u een adres?' vroeg de vriendelijke meneer van de nummerinformatie. 'Er zijn namelijk zoveel Smiths.'

'Ergens in Swiss Cottage. Ik weet het niet precies.'

'Postcode?'

'Sorry. Iets met NW, neem ik aan.'

Hij zuchtte. 'Ik heb zesenzeventig keer P. Smith in Noordwest-Londen. En dan nog achttien Peters, ook. Wat wilt u dat ik doe?'

Katie wist dat ze verslagen was. 'Niets, dank u wel.'

Smith was een geniale zet, dacht James. Hij snapte niet waarom Katie plotseling zo geïnteresseerd was in Peter en Abi, maar hij wist wel dat zij hem nooit ergens van zou verdenken. Dat had ze niet in zich. Zij was niet zo'n vrouw die je vroeg waar je had uitgehangen als je een keertje vijf minuten te laat was, of die precies wilde weten wat je allemaal uitspookte als je niet bij haar was. Eigenlijk was Stephanie ook niet zo, bedacht hij zich ineens, en hij voelde een vreemde steek van schuld. Hij kon er niet omheen: zo heldhaftig was het niet om twee vrouwen te belazeren die zich zo gemakkelijk om de tuin lieten leiden, en die genoeg van hem hielden om hem zonder meer te vertrouwen.

Hij zette de gedachte van zich af. Hij wist zeker dat Katie het niet vroeg om hem ergens op te kunnen betrappen. Hij zou een plausibele reden bedenken waarom hij hun nummer niet aan haar kon geven. Omdat ze bescherming kregen als getuige tegen een stel criminelen? Omdat ze zich moesten verstoppen voor de deurwaarder? Omdat ze net een ander nummer hadden vanwege eindeloze telefoontjes van gewelddadige exen en omdat de politie hen had geadviseerd om hun telefoonnummer nooit meer aan iemand te geven? Nee, het moest iets normalers zijn dan dat, maar hij zou heus wel iets verzinnen en gelukkig – of misschien niet zo gelukkig – zou Katie alles slikken wat hij haar op de mouw speldde.

Maar Katie was enorm aan het worstelen met de vraag wat ze nu moest geloven. James hield iets voor haar verborgen, dat was duidelijk. Ze wist alleen niet zeker of ze wel wilde accepteren wat hij precies verborgen hield. Misschien had ze op zijn minst moeten luisteren naar wat Stephanie te vertellen had. Misschien had ze haar het voordeel van de twijfel moeten gunnen. Ze vroeg zich af of ze haar terug moest bellen, ook al kon ze niet zo goed bedenken wat ze dan moest zeggen. 'Oké, ik heb je weliswaar uitgemaakt voor halvegare, maar ik wil nu toch best meegaan in je waanideeën, en dan zie ik daarna wel of ik je al dan niet geloof', zou Stephanie hoogstwaarschijnlijk niet voor haar innemen. Het was al halfelf: ze kon haar moeilijk nu bellen, want misschien sliep ze al. Stephanie had een zoontje – ze moest waarschijnlijk heel vroeg uit bed om hem naar school te brengen, dus dan lag ze er vast ook vroeg in. Het zou tot morgen moeten wachten. Dus had zij de hele nacht om te bedenken wat ze precies voelde. James zou haar bellen zodra hij weer op de praktijk was, want dat deed hij altijd. Ze moest iets anders verzinnen om hem uit zijn tent te lokken; een andere vraag waar hij het antwoord niet op kon geven. Toen wist ze het ineens.

'Ik heb een idee,' zei ze toen ze de volgende ochtend de telefoon opnam. Ze was al sinds zes uur op, want ze was veel te ongelukkig om te kunnen slapen. 'Ik kom morgenavond naar Londen. Dan boek ik een hotel zodat we Peter en Abi niet lastigvallen. Dan hebben we een soort uitje.'

Ze hoorde James schrikken. 'Echt? Maar dat is belachelijk. Ik bedoel, ik kan nauwelijks bij je zijn. En ik ben de hele zaterdag bij Finn, weet je wel?'

Katie wist meteen dat Stephanie de waarheid had verteld. Ze probeerde het nog een keer: 'Maar we hebben de avonden toch? En zondagochtend…'

'Het is een hartstikke leuk idee,' viel James haar in de rede, 'maar als ik de hele zaterdag in de dierentuin heb rondgerend of het aquarium of zo, dan wil ik alleen nog maar slapen. Dan heb je niks aan mij. Sorry, schatje. Misschien een ander keertje. En weet je, als Stephanie het goedvindt dat ik je een keertje aan Finn voorstel, dan kun je elk weekend langskomen.'

'Oké,' zei ze zachtjes. 'Wat jij wilt.'

Katie hing op. Ze was misselijk. En ze wist wat haar te doen stond.

II

TOEN HAAR TELEFOON OVERGING WAS Stephanie midden in een tirade over James en over het feit dat hij zo volmaakt gelukkig leek toen hij gisteravond thuiskwam, zich er totaal niet van bewust dat Stephanie precies wist waar hij mee bezig was.

'En wat die Katie betreft,' zei ze voor misschien wel de twaalfde keer die afgelopen dagen. Ze zag nauwelijks dat Natasha met haar ogen rolde, en wilde net nog maar eens het bizarre gesprek dat ze met de minnares van haar man had gehad herhalen, toen ze op het display keek om te zien wie er belde en zag dat het die minnares was.

'Zij is het,' zei ze, zinloos fluisterend.

'Nou, neem dan op,' zei Natasha ongeduldig.

Stephanie deed wat haar werd opgedragen. 'Hallo,' zei ze zo neutraal mogelijk.

'Stephanie,' hoorde ze Katies inmiddels bekende stem zeggen, 'met Katie.'

'Hm?' Stephanie durfde geen echte woorden te gebruiken tot ze wist wat Katie van haar wilde.

'Ik... ik ben bang dat we helemaal verkeerd zijn begonnen, en dat dat misschien mijn schuld was.'

'Ach ja, dat heb je wel eens als je met de man van iemand anders in bed duikt,' zei Stephanie voor ze er erg in had.

Ze hoorde dat Katie diep inhaleerde om zichzelf tot kalmte te manen voor ze verderging.

'Ik begrijp dat het een hele schok voor je moet zijn geweest,' zei Katie, 'maar je moet weten dat het voor mij net zo'n schok is. Toen James me vertelde dat jullie gescheiden waren, had ik geen enkele reden om hem niet te geloven. En nu... nu weet ik niet meer wat ik moet geloven.'

'Dus je dacht: kom, ik bel eens op zodat je mij er weer van kan beschuldigen dat ik een fantast ben?' Hou je in, Stephanie, dacht ze.

Katie gaf geen sjoege. 'Nee,' zei ze. 'Ik wil zeggen dat het me spijt dat ik niet naar je wilde luisteren. En dat ik inmiddels weet dat hij tegen mij ook heeft gelogen. Denk ik. Om je de waarheid te zeggen, Stephanie, ik weet niet meer wat ik moet denken.' Katies stem brak, en Stephanie realiseerde zich dat ze haar best deed om niet te huilen.

'Oké,' zei ze iets vriendelijker, ondertussen zwaaiend naar Natasha, die de deur uitging. 'Laten we dan maar doen alsof ons vorige gesprek niet heeft plaatsgevonden. Ik bel jou om je te vertellen dat de man met wie jij een relatie hebt mijn echtgenoot is, en jij gelooft mij gewoon. Ik geloof jou als jij zegt dat je dacht dat hij vrij was. Wat nu?'

Bijna een uur later hingen Stephanie en Katie nog steeds aan de telefoon. Katie, zo had Stephanie ontdekt, had nu een jaar een relatie met haar man. Zij en James hadden dat niet verborgen gehouden: zij zag daar immers de noodzaak niet van in, want ze had geen idee dat ze iets deden wat verborgen moest blijven.

Ondertussen was Katie erachter gekomen dat haar vriendje nog steeds heel erg bij zijn vrouw woonde, en ondanks dat de jaren na de verhuizing weliswaar soms nogal druk waren, waren ze absoluut nog steeds getrouwd. Ze had vernomen dat Finn de trauma's van ouders die elkaar de tent uit vochten bespaard waren gebleven, en dat hij zijn vader niet een paar uurtjes zag, op zaterdag, maar dat hij de halve week bij hem was en dat hij zich de andere halve week op die andere helft zat te verheugen. Ze had vernomen dat James zich helemaal niet opofferde door hard te werken in Londen zonder eigen huis en haard, precies wat Stephanie had gedacht als hij in Lincolnshire zat.

Ze moesten allebei toegeven dat hij een leugen leefde. Stephanie, die een paar dagen meer had gehad om aan dat idee te wennen, probeerde haar woede te herprogrammeren, zodat hij stevig op James was gericht in plaats van op Katie. Ze kon net doen alsof ze haar haatte, maar dat was eigenlijk moeilijk vol te houden nu ze wist dat Katie net zo bij de neus was genomen als zij.

'Dus, wat moeten we nu?' vroeg ze uiteindelijk.

'Ik ga hem bellen en zeggen dat hij niet meer terug hoeft te komen,' zei Katie huilerig. Katie, die nog nooit door iemand was gekwetst, had het er maar moeilijk mee. 'Ik zou het nooit doen met andermans man. Echt nooit, Stephanie. Dat moet je geloven. Ik kan hem wel vermoorden, echt waar. Ik ga nu al zijn spullen pakken en die breng ik naar de praktijk en dan wil ik hem nooit meer zien.'

'Ik weet het niet,' zei Stephanie. 'We moeten niets overhaast doen. We moeten hem helemaal niet vertellen wat we weten tot we precies hebben bedacht hoe we het moeten aanpakken. Mijn vriendin Natasha zegt dat je nooit te snel je kaarten op tafel moet gooien. Dat kan altijd nog, maar als je ze meteen laat zien, kun je niet meer terug.'

Stephanie wist niet waarom ze de confrontatie met James uit wilde stellen. Voor een deel was het omdat ze bang was dat als ze hem zou vertellen dat ze het wist, van Katie, hij opgelucht zou kijken, zijn handen in de lucht zou gooien en zou roepen: 'Halleluja! Nu hoef ik tenminste niet meer met zo'n leugen te leven. Nu kan ik lekker bij jou weg en bij dat mens gaan wonen.' Die vernedering zou ze niet trekken. 'Ik weet dat het raar is om het van je te vragen,' vervolgde ze, 'maar laten we er op zijn minst nog een nachtje over slapen. Die vierentwintig uur maken geen verschil.'

'Oké,' zei Katie met tegenzin. 'Als hij me dan vanavond belt, doe ik wel net alsof er niks aan de hand is.'

'Of je zet je telefoon gewoon uit,' zei Stephanie. 'Laat hem mooi in de rats zitten over waar jij uithangt.'

Katie veegde met haar hand over haar voorhoofd en leunde op de keukentafel voor steun. Natuurlijk zou ze afwachten om te horen wat Stephanie wilde doen. Stephanie had tenslotte veel meer recht op James dan zij – dat moest zelfs Katie toegeven. Zij mocht dan haar vriendje kwijtraken, maar Stephanie dreigde haar man te verliezen, de vader van haar kind. Toch kon ze zich moeilijk voorstellen dat Stephanie zich op dat moment nog verschrikkelijker kon voelen dan zij. Was het dan echt waar? James – die aardige, grappige, lieve James? Katie dacht altijd dat mensen die slecht werden behandeld door hun partner dat op de een of andere manier aan zichzelf te danken hadden. Niet dat ze het verdienden, zeker niet, maar ze had er altijd op vertrouwd dat als je je netjes gedroeg en de ander volledig steunde, en als je hun de vrijheid gunde, dat ze jou dan zouden belonen door open en eerlijk tegen je te zijn. Ze had er nooit om gevraagd dat James tegen haar zou liegen. Hij was degene die haar had versierd. Hij had haar gewoon met rust kunnen laten, zodat ze door had kunnen gaan met haar leven, want daar was niets mis mee.

Ze verroerde zich de hele ochtend nauwelijks. James nog steeds getrouwd? Ze kon het haast niet bevatten. Het leek allemaal zo onwerkelijk. En al die dingen die hij had verteld over Stephanie. Dat ze hem zijn zoon niet liet zien, en dat ze hem financieel had laten bloeden na de scheiding, en dat ze elkaar tegenwoordig nauwelijks meer gedag zeiden. Allemaal leugens. Hij was één grote leugen, alles wat ze ooit had geloofd over hem, alles waarop haar liefde voor hem was gebaseerd. Het was allemaal niet waar. En die arme Stephanie. Stephanie die ook gewoon had gedacht dat ze gelukkig getrouwd was, tot een paar dagen geleden…

Uiteindelijk gaf ze toe aan de tranen die al dreigden vanaf het moment dat ze de telefoon had gepakt. Enorme snikken, die haar hele lichaam in beslag namen en waardoor Stanley naast haar kwam staan met een droevige blik. Hij wist ook niet wat hij ermee aan moest.

Aan het einde van de ochtend hadden de tranen plaatsgemaakt voor woedende gedachten – dat was nieuw voor Katie: zij bekeek de dingen graag positief, zij wilde in elke situatie het goede zien. Ze had James al twee keer bijna gebeld. Ze wilde dat hij wist dat zij erachter was gekomen. Ze wilde dat hij wist dat hij er niet zomaar mee weg zou komen. Maar ze had Stephanie beloofd dat ze even pas op de plaats zou maken. En als dat was wat Stephanie wilde, dan was dat wel het minste wat Katie kon doen. Ze stond op en wreef in haar ogen. Toen stak ze een paar kaarsjes aan – lekkere geurkaarsjes, daar zou ze van opknappen. Ze was sterk, ze kon het wel aan.

'Klootzak,' zei ze hardop, zomaar.

12

Z E HADDEN AFGESPROKEN DAT ZE de volgende ochtend weer zouden bellen. Ondertussen belde Stephanie met Natasha om haar op de hoogte te stellen van wat er was gebeurd en om te vragen wat zij nu zou doen.

'Ik zou er heel goed over nadenken. Ik zou niet meteen mijn kaarten op tafel gooien,' zei Natasha toen Stephanie klaar was met haar verhaal.

'Dat weet ik, dat weet ik. Heb je niet eens wat anders te melden?'

'Gek genoeg heb ik het nooit eerder bij de hand gehad dat de man van mijn beste vriendin bigamist blijkt te zijn, tenminste, zo goed als, dus vergeef me dat ik niet meteen weet wat ik daarmee aan moet.'

'Maar ik heb toch echt je advies nodig,' smeekte Stephanie. 'Ik weet niet wat ik moet doen.'

'Doe dan niks.'

'Dat zeg je altijd.'

'Dit keer meen ik het. Doe gewoon niks en dan bedenken we wel wat. Denk je dat Katie akkoord gaat met wat jij ook maar verzint?'

'Ja, dat denk ik. Ze klonk best aardig.'

'Oké,' zei Natasha. 'Nu begint het een beetje vreemd te worden.'

'Nee, echt. Ze vindt het voor mij even erg als voor zichzelf.'

'Ik zie je om twee uur in het cafégedeelte van Harvey Nichols,' zei Natasha en ze hing op.

Stephanie liet een bad voor zichzelf vollopen, ging erin liggen en staarde naar het plafond terwijl ze nadacht over haar gesprek met Katie. Ze meende het toen ze zei dat Katie aardig klonk. Je kon de oprechte shock in haar stem horen toen ze probeerde te verwerken wat Stephanie allemaal zei, maar toen ze dat eenmaal had gedaan was ze vooral erg bezorgd om Stephanie. Uit wat ze zei kon je opmaken dat ze van James hield en dat ze had gedacht dat ze een toekomst hadden, maar Stephanie twijfelde er niet aan dat die relatie nu voorbij was – wat Katie betrof tenminste. Ze had gezegd dat ze niet zo'n vrouw was die de man van een andere vrouw zou afpakken, en dat geloofde Stephanie best.

Ondertussen parkeerde James zijn auto bij een pub genaamd de Jolly Boatman, in een dorpje net buiten Stevenage. Naast de auto rekte hij zich overdreven uit. Het was een schitterende dag en hij had wel zin om met een biertje in de tuin van de pub te gaan zitten, waar het vol stond met lentebloemen. Hij zou een halfuurtje heerlijk blijven zitten, en dan weer doorgaan. Hij wilde niet te laat in Londen zijn, want Finn had op woensdagmiddag altijd voetbal, en dan kwam hij meestal om halfzes thuis. James vond het fijn als hij er dan al was om hem te begroeten, maar hij wilde ook weer niet onnodig vroeg zijn. Hij wist soms niet wat hij in zijn eigen huis moest doen als zijn zoon niet thuis was.

De bardame zat absoluut naar hem te twinkelen terwijl ze zijn biertje tapte. Normaal gesproken was James daar op ingegaan met wat onschuldig geflirt. Dan zou hij wat hebben gekletst over zijn werk en over het weer. Maar vandaag kon hij dat niet opbrengen. Het zou veel te inspannend zijn, en hij wilde liever op zichzelf zijn, lekker rustig, 'genieten van het moment', zoals Katie het uitdrukte. Hij nam zijn biertje mee naar achter in de grote tuin, die uitkeek over de rivier met schattige kleine eendjes, en ging tevreden aan een tafeltje zitten, ver weg bij alle andere mensen vandaan.

Het was onverwacht warm voor maart, dus hij deed zijn jasje uit, rolde zijn mouwen op en genoot van het zonnetje. Met zichzelf ingenomen als een leeuw in de wetenschap dat hij de onbetwistbare koning van de jungle was. Wat een leven, dacht hij terwijl hij een insect van zijn gezicht sloeg. Hij had echt helemaal niks te klagen. De meeste mannen zouden jaloers op hem zijn, dacht hij. Welke rechtgeaarde vent had nooit gedroomd dat hij er twee vrouwen op na hield? Hij kon zich natuurlijk niet voorstellen dat die kerels ook echt twee volwaardige relaties wilden. Twee keer de verantwoordelijkheid en twee keer zoveel gezeur over of ze een nieuwe strijkplank moesten kopen, ja dan nee.

Soms vroeg hij zich af of hij misschien toch niet zo te benijden was, maar of zijn leven niet eerder de dubbelkoppige nachtmerrie van veel mannen was. Het was ook niet bepaald het zorgeloze seksfestijn dat je je erbij zou denken. Het was twee keer 'Heb je de vuilnis al buiten gezet?' en 'Zullen we de Martins niet eens te eten vragen? Wij zijn al zo vaak bij hen geweest, en ik wil niet ongastvrij lijken'. Twee keer 'Wij hebben nooit meer eens een echt gesprek', en 'Wat vind jij mooier: de blauwe met de beige riem, of die met streepjes?'

James wreef met de rug van zijn hand over zijn voorhoofd. Hij zweette een beetje. Hij dronk zijn glas leeg en bracht het terug naar de bar.

'Dag hoor, snoes,' riep de bardame hem achterna. Het was echt een mooie meid, dacht hij, en ze zat absoluut met hem te flirten.

Hij zette zijn mooiste, meest betoverende glimlach op. 'Tot gauw,' riep hij. Deze pub moet ik onthouden, dacht hij.

Hij had natuurlijk geen idee dat zijn leven binnenkort drastisch zou veranderen.

13

I ETS WAT NATASHA EEN PAAR dagen geleden tegen Stephanie
had gezegd, was blijven hangen. Ze kon het maar niet uit haar
hoofd krijgen: 'Je moet hem laten lijden. Dat heeft zin, omdat
jij je dan beter voelt, terwijl hij zich klote voelt.' Op de een of andere
zieke manier sprak haar dat wel aan. Waarom zou James ongestraft
wegkomen met zijn wandaad? Goed, het zou hem een beetje pijn
doen als hij allebei de vrouwen van wie hij hield, althans, dat beweerde
hij, zou verliezen. Maar ze betwijfelde of hij er lang om zou treuren.
Hij had overduidelijk geen enkel respect, geen echt gevoel voor hen
beiden. Hij zou gewoon ergens een andere vrouw regelen – misschien
wel twee – die in zijn mooie verhalen zou trappen. De vraag was: hoe
zou die straf er uit moeten zien?

Natasha's suggesties betroffen allemaal een of andere vorm van fysiek geweld, dus voor het eerst besloot Stephanie om het advies van
haar vriendin naast zich neer te leggen en het dit keer maar zelf uit
te knobbelen. Ze viste haar telefoon uit haar tas. 'We moeten maar
eens afspreken, denk ik,' zei ze toen Katie opnam.

Het bleef stil toen Katie aan de andere kant van de lijn dit even op
zich in liet werken. 'Echt?' vroeg ze. Ze klonk nerveus.

'Ik denk gewoon dat er een paar dingen zijn waar we het over moeten hebben, dat kan het beste in een persoonlijk gesprek. Bovendien
ben ik nieuwsgierig.'

Stephanie hoorde Katies ademhaling, en voelde dat ze een afweging
maakte. Ze wachtte af.

'Goed dan,' zei Katie uiteindelijk. 'Laten we het maar doen. Ik ben
zelf ook nieuwsgierig.'

Ze hadden afgesproken in de bar van een hotel vlakbij Peterborough, halverwege Lincoln en Londen. Stephanies plan was om zodra James die ochtend naar zijn werk was vertrokken, weg te gaan, maar tegen de tijd dat ze klaar was met piekeren over wat ze aan moest (een spijkerbroek met een strak T-shirt en hakken die veel te hoog waren om mee te rijden – ook al wist ze dat Katie geen blaam trof, wilde ze toch laten zien dat ze een goed figuur had en dat ze helemaal niet het stereotype huisvrouwtje was) en of ze haar haren nu los moest dragen of opgestoken (het werd een lage paardenstaart), vertrok ze bijna een uur later dan gepland. Ze belde Katie om het haar te vertellen, maar Katie had kennelijk met dezelfde dilemma's gezeten, want die was zelf ook te laat.

'Zeg,' zei Stephanie, 'hoe zie jij er eigenlijk uit? Dat ik je straks herken, bedoel ik.' Ze was een beetje misselijk. Nu pas begon het tot haar door te dringen waar ze eigenlijk mee bezig was. Wat nu als de vrouw met wie haar man een affaire had een oogverblindende schoonheid was? Ze wist niet of ze dat wel aankon.

'Nou, ik heb een turquoise rok aan, een beetje lang, en een wit hemdje met een lichtblauw vestje erop. En ik ben ongeveer een meter zestig,' zei Katie, maar dat was niet wat Stephanie wilde weten. Was ze dun? Dik? Gewoontjes? Waanzinnig mooi? Vijfentwintig? Vijftig?

Katie had ook zitten dralen voor haar kledingkast. Ze wilde er goed uitzien, maar niet bedreigend. Ze wist niet waarom ze zo graag wilde dat Stephanie haar aardig vond, en dat ze haar zou vergeven, ook al had ze strikt genomen niets misdaan. Ze besloot om te gaan voor lief, maar niet te bloot. Flatterend maar niet te jong. Ze had zich een beeld gevormd van hoe Stephanie eruit zou kunnen zien op basis van de foto's van Finn. Een knappe brunette met bruine ogen, en misschien ook die scheve glimlach van Finn, en zijn wipneus. Ze dacht dat ze wel… aantrekkelijk zou zijn. Waarom was James anders met haar getrouwd – nog steeds?

Zo nu en dan kwam er een beeld bij haar op van de vrouw zoals ze die had verzonnen en hoe die met James samen naakt onder de laken verstrengeld lag. Ze deed ontzettend haar best om dat beeld van zich af te zetten, omdat ze anders alleen daar nog maar aan dacht. Ze probeerde positief te denken maar wat haar vroeger altijd had geholpen – beelden van zichzelf op een zonovergoten Thais strand, een herinnering aan een heel fijne kerst toen ze nog klein was – was nu niet sterk genoeg om de negatieve beelden te verdringen die in haar hoofd hadden postgevat. Ze deed haar kastje open en pakte het flesje Rescue Remedy, tegen de stress.

Terwijl de taxi het parkeerterrein van het hotel op reed, haalde ze haar vingers door haar haren en bekeek ze zichzelf in een klein spiegeltje. Ze was op van de zenuwen. Ze was nooit goed geweest in confrontaties – ze probeerde altijd om het mensen naar de zin te maken, altijd deed ze alles om te zorgen dat de ander gelukkig was, en ze had het bange vermoeden dat Stephanie kwam voor een potje ruzie.

Ze haalde diep adem, en liep de lobby van het hotel in, op zoek naar de bar. Er zaten een paar mensen in de bar. Ze scande de ruimte om te zien of er ook een vrouw zat in haar eentje. Niemand. Dan was zij dus als eerste aangekomen. Ze ging aan een tafeltje bij het raam zitten en bestelde een glas water. Ze was niet zo'n drinker, maar ze zou een moord doen voor een wodka-tonic. Terwijl ze slokjes van haar water nam, staarde Katie uit het raam. Het zweet brak haar uit.

Hooguit een paar minuten later hoorde ze een kuchje, ze keek op. Daar stond een lange, slanke vrouw met lang, donkerrood haar in een paardenstaart naast haar tafeltje. Ze stond ongemakkelijk op. In levenden lijve was Stephanie nogal imponerend. Ze had het stadium 'leuk' overgeslagen en was regelrecht voor 'mooi' gegaan, en ze leek totaal niet op het geruststellende beeld dat Katie van haar had. Haar huid was stralend blank; ze leek regelrecht van een schilderij van de prerafaëlieten afgestapt. Katies eigen glimmend bruine teint stak er goedkoop bij af. Ze glimlachte gespannen.

Stephanie moest bijna hardop lachen toen ze Katie zag. Niet omdat ze opgelucht was dat Katie niet mooi was, maar omdat ze dat onmiskenbaar wel was. Ze was ergens achter in de dertig, dacht Stephanie, dankbaar dat ze in elk geval ongeveer even oud waren, maar daar hielden de overeenkomsten dan ook helemaal op. Dat was juist wat Stephanie bij de eerste blik opviel: dat ze elkaars tegenpool waren. Wat een cliché dat James het nodig vond om op zoek te gaan naar alles wat hij thuis niet had. Zij was lang, Katie was klein. Zij had dieprood, kaarsrecht haar, Katie had een hoofd vol blonde krullen.

Zij was slank en atletisch, Katie had zachte, ronde vormen. Zij had bruine ogen, die van Katie waren blauw.

'Mijn god, we kunnen in elk geval niet concluderen dat hij voor een bepaald type gaat,' zei ze, en Katie moest lachen, al was het een tikje geforceerd. 'Ik ben Stephanie,' zei Stephanie, en ze stak haar hand uit.

Katie schudde hem slapjes, alsof ze nooit iemand een hand gaf. 'Katie,' zei ze. 'Uiteraard.'

Ze gingen zitten en er viel een stilte die een eeuwigheid leek te duren. Toen vond Stephanie dat ze toch echt iets moest zeggen, anders dacht zij nog dat zij de leiding op zich moest nemen. Stephanie hield graag de touwtjes in handen. James had haar wel eens voor controlfreak uitgemaakt, en het irriteerde hem dat zij dat als compliment opvatte. 'Waarom zou ik niet de baas willen zijn van mijn eigen leven?' had ze tegen hem geschreeuwd. 'Welke idioot laat een ander de baas zijn over zijn leven?'

'Dus,' zei ze uiteindelijk. 'Ik wilde je eigenlijk vooral eens met eigen ogen zien. Ik moet het nog steeds allemaal verwerken.'

'Ik ook,' zei Katie, nippend van haar water.

Er viel weer een ongemakkelijke stilte.

'Heb je een goede reis gehad?' vroeg Katie.

'Prima, dank je. Ik ben met de trein gekomen. Jij?' Stephanie kon niet geloven dat ze zo'n banaal gesprek aan het voeren waren, maar ze wist niet hoe ze er een andere wending aan moest geven. Ze kon zich moeilijk concentreren, want ze werd afgeleid door Katies rozen-knopmond en ze moest de beelden van zich afzetten waarin James gehypnotiseerd door die mond steeds dichter en dichter naar haar toe kwam...

'Ik ook, ja,' zei Katie.

Stilte. Stephanie rommelde wat in haar handtas, op zoek naar iets. Net alsof. Nu ze hier eenmaal was had ze geen idee wat ze moest doen. Ze had geen idee waarom ze dit eigenlijk had voorgesteld, waarom het haar zo'n goed idee had geleken.

'Stephanie, je gelooft toch echt dat ik het niet wist, hè?' flapte Katie er ineens uit. Ze trok het duidelijk niet meer, die stilte.

Stephanie knikte. 'Ik denk het wel. Ja, ja... dat geloof ik. Wat ik alleen niet begrijp, is dat hij ermee weg is gekomen.'

'Ik heb echt nooit iets vermoed. Jij wel?'

'Nee, nooit. Betekent dat dan dat wij allebei dom zijn?'

'Nee. Het betekent alleen dat James goed kan toneelspelen.'

Dat wilde er bij Stephanie niet in. Ze had hem wel eens gezien als Derde boer op Links in een uitvoering van *Joseph*, en dat vond ze niet erg overtuigend. Boer nummer Een en Twee zagen er afgemat uit, onder het gewicht van de zakken die ze torsten, maar James liep rond alsof ze ergens gingen picknicken. 'Waarom moest jij maar niet naar Londen komen, vond hij?'

'Omdat hij bij Peter en Abi logeerde. Hij zei dat het al vervelend genoeg was dat hij daar was. Het klonk allemaal heel plausibel.'

Stephanie perste er een lachje uit. 'Waar wonen die Peter en Abi eigenlijk?'

'In Swiss Cottage. Peter is leraar en Abi zit in de IT. Ze wonen in een appartementje, en James slaapt op een veldbed in Peters studeerkamer. En Abi kan niet koken.'

'Ik vind het vreselijk dat ik het moet zeggen, maar ik denk niet dat die Peter en Abi echt bestaan. Ik heb tenminste nog nooit van ze gehoord,' zei Stephanie.

Katie glimlachte, al was het niet van harte. 'En jij? Waarom kwam jij nooit mee naar Lincolnshire?'

'Nou, eerlijk gezegd heeft hij dat nooit tegengehouden. Toen we pas naar Londen waren verhuisd smeekte hij me zelfs om mee te gaan. Maar ik had geen zin. En na een poosje verval je in een bepaald patroon. Ik had namelijk ook geen trek om Finn steeds maar heen en weer te slepen, bovendien zat ik met mijn werk. En op een gegeven moment vroeg hij het maar niet meer – omdat hij jou had, waarschijnlijk…' voegde ze er treurig aan toe. 'En het viel me niet eens op.'

'Doe nou maar niet alsof het allemaal jouw schuld is. Hij heeft dit allemaal op zijn geweten. Hij is degene die zich heeft misdragen. Niet wij. Wij allebei niet.'

'Ach, fuck, wat moeten we nou doen?' vroeg Stephanie.

'Laten we eerst maar eens een borrel nemen,' zei Katie en ze zwaaide naar de serveerster. 'Dan hebben we het daar straks wel over.'

Drie wodka-tonics (Katie) en drie witte wijn (Stephanie) later, hadden ze elkaar alle details over hun relatie met James uit de doeken gedaan.

Ze besloten dat ze volkomen rechtdoorzee moesten zijn, en dat ze alles mochten zeggen zonder bang te zijn dat het de ander zou kwetsen. Dus vernam Stephanie dat de seks prima was, maar dat James het nooit wilde hebben over kinderen, omdat hij vond dat hij al een jong leven had verziekt en dat hij niet het risico wilde lopen dat nog een keer te doen. Katie ontdekte dat Stephanie bijna nooit meer seks met hem had, maar dat James de laatste tijd juist had aangedrongen op nog een kind. Dat leek hem een goed idee. Hoe meer informatie ze uitwisselden (en in zekere zin ook hoe meer ze dronken) des te woedender ze allebei werden om de manier waarop James hen had behandeld. Tegen vijf over drie waren ze allebei klaar om hem op te knopen.

'Nou,' zei Stephanie op het laatst. 'Dan vind ik dat we hem moeten afstraffen.'

'Dat heb je goed,' stemde Katie in. Ze was niet gewend om lelijke dingen over iemand te denken; het was haar allemaal een beetje naar het hoofd gestegen.

'Ik weet alleen niet hoe.'

Katie dacht diep na. Het was een beetje mistig in haar hoofd, maar toch vond ze dat er reuze heldere gedachten uit rolden. Wie zijn billen brandt, moet op de blaren zitten. Dat was gewoon karma, met een klein beetje hulp van buitenaf.

'Waar geeft hij het meest om?' vroeg Stephanie. 'Niet om jou en mij, dat lijkt me duidelijk.'

'Om wat de mensen van hem denken,' zei Katie zonder aarzelen, en meteen vroeg ze zich af hoe ze daar bij kwam. Was het zo? Kon ze maar beter nadenken. Ze moest echt niet meer drinken overdag.

Stephanie lachte. 'Daar heb je waarschijnlijk gelijk in.'

'Ja, hij wil bijvoorbeeld dat ik kaviaar bestel voor zijn verjaardagsfeestje, om indruk te maken op onze vrienden. Ik bedoel: kaviaar. Dat geloof je toch niet?'

'Zijn verjaardagsfeestje? Hoe weet jij dat?' vroeg Stephanie verward.

'Nou, dat ga ik organiseren,' zei Katie. 'Op een zondagavond. Iedereen komt.'

Stephanie keek haar verbluft aan. 'Dus hij viert zijn veertigste verjaardag thuis op zaterdagavond, want daarmee ben ik opgezadeld, én dan nog een keertje op zondag, dat jij mag regelen. Hij is verdomme echt ongelofelijk.'

Katie, die al maanden bezig was met de voorbereidingen voor James' verjaardagsfeestje en die zich er echt ontzettend op had verheugd en er alles aan deed om er een topfeest van te maken, voelde zich niet lekker. 'Ik heb zelfs gevraagd of ik zijn familie uit mocht nodigen, maar hij zei van niet. Hij zei dat hij op zaterdag een dinertje had met een paar goede vrienden en hun kinderen. En dat Finn er ook bij zou zijn, en dat hij de enige van de familie was die zich om hem bekommerde.'

Stephanie lachte. 'Ja, Finn, en dan nog een man of veertig. Hij zei dat ik geen mensen uit Lincoln hoefde vragen, omdat die het toch te ver reizen vonden, en omdat ze niet van dat soort feestjes hielden.'

'Dus wie komt er dan allemaal?' vroeg Katie.

'Nou, zijn vrienden – dat klopt. En mensen van zijn werk, buren, ouders van vriendjes van Finn.'

'Ik vraag me af of Peter en Abi op komen dagen.'

'Ik ben benieuwd, ja.' Stephanie glimlachte. 'Ik zou ze dolgraag eens ontmoeten.'

'Anders ik wel. Misschien moet ik voorstellen dat hij ze uitnodigt om naar Lincoln te komen. Kijken wat hij dan zegt.'

Stephanie haalde diep adem. 'Misschien is dat het. Misschien moeten we het op het hoogtepunt van zijn feestje vertellen – waar al zijn vrienden en collega's bij zijn. Die publieke vernedering kon best wel eens werken.'

Katie knikte. Haar hart ging als een dolle tekeer. Ze wist niet precies of het van de opwinding was of van de alcohol. 'Oké,' zei ze.

'Weet je zeker dat je dat wil?' vroeg Stephanie. 'Ik begrijp het best als je dat liever niet doet.'

'Ben je gek?' vroeg Katie met een enigszins dubbele tong. 'Ik heb er juist zin in,' zei ze, niet helemaal overtuigend.

'We moeten het heel goed uitwerken. Dat we precies weten hoe we het aanpakken.'

'En wat doen we in de tussentijd?'

'In de tussentijd moet hij geen lont ruiken, dus moeten we zo normaal mogelijk blijven doen. Hem het gevoel geven dat hij geliefd is. Dan is de schok des te groter. Hoe harder hij ons nodig heeft, des te harder de klap.'

Toen ze opstonden om afscheid te nemen merkte Stephanie dat ze een beetje wankel op haar benen stond. Katie stak haar armen uit om haar te knuffelen. Met gemengde gevoelens gaf ze daar aan toe, want ze wist eigenlijk niet wat ze anders moest doen. Daarna was er even een ongemakkelijk moment, toen het tot ze doordrong dat ze allebei naar het station moesten en dat ze dus best een taxi konden delen. Op het perron knuffelden ze nog een keer. Natasha had gelijk, dacht Stephanie. Dit was echt een beetje vreemd aan het worden.

14

TEGEN DE TIJD DAT JAMES om kwart voor zeven zijn auto parkeerde op de oprit van Belsize Avenue nummer 79, zat Stephanie binnen aan de koffie om de lucht van al die wijn te verdoezelen die ze had gedronken. Ze voelde zich een tikje aangeschoten, want ze was er helemaal niet aan gewend om overdag te drinken, en de treinreis naar huis had zich in een waas voltrokken. Toen de trein eenmaal vertrok hadden Katie en zij de eerste stappen van hun Operatie Wraak Op Vuile Bedrieger helemaal rond. Katie zou lief en bescheiden en zorgzaam zijn, en niks van hem eisen. Stephanie zou ondertussen weer in de huid duiken van de vrouw op wie James ooit zo hartstochtelijk verliefd was – als ze zich tenminste nog kon herinneren wie die vrouw was. Ze had echt geen idee of het mogelijk was om hem nog een keer voor zich te winnen, want de kloof tussen hen was ontzettend groot geworden, dat zag ze nu wel. Maar het plan moest maximale impact hebben, en dat vereiste dat hij beide vrouwen even graag wilde.

'Ik masseer hem altijd,' had Katie gezegd, 'als hij zondags thuiskomt. Dat helpt hem te ontspannen na de lange rit. Hij zegt dat het hem van zijn stress afhelpt.'

'O, god,' had Stephanie gezegd. 'Nou goed.'

James was thuisgekomen en beweerde dat hij doodmoe was van alle stress op het werk (ja, van dat dubbelleven van je, zul je bedoelen, dacht Stephanie). Hij was meteen naar boven gegaan om het bad aan te zetten, en hij had alleen nog kort hallo gezegd tegen Finn en aangehoord hoe het die dag op school was geweest ('Gewoon'), wat Sebastian voor zijn ontbijt had gegeten (tonijn en gerookte forel), en dat de hamster van Arun Simpson het helaas alweer had begeven.

'Toen lag hij op de grond te schokken, en zijn oogjes gingen de hele tijd open en dicht,' had Finn verteld, die helemaal opging in de gruwel. 'En Arun zei dat hij zo'n soort geluid maakte,' voegde hij eraan toe, en hij maakte een gorgelend geluid waarbij hij zijn tong uit zijn mond liet hangen voor het dramatische effect.

'Wat erg,' zei James, die zijn lachen in had moeten houden. 'Die arme Arun.'

Hij kuste Stephanie (die inmiddels een overslagjurk had aangetrokken met een patroon van blauwe en groene krullen, en hakken aan had gedaan. James had ooit gezegd dat hij dat een mooie jurk vond). Het was een plichtmatige zoen, in het voorbijgaan.

'Moe?' vroeg ze aan zijn rug, in de hoop dat hij niet kon horen dat ze gedronken had.

'Doodop,' riep hij uit.

'Zal ik je een lekker glaasje wijn komen brengen?' schreeuwde ze bijna omdat hij de trap al op was.

'Als ik uit bad kom, graag,' gilde hij terug. 'Neem jij maar vast, als je niet kan wachten.' Alsof ze een alcoholiste was. Stephanie zuchtte en had zich teruggetrokken in de keuken, waar ze een Thaise curry met kip aan het maken was.

Ze kookte altijd, maar anders zou ze de saus gewoon uit een potje hebben gehaald. Biokip erbij, klaar. Maar vandaag maakte ze het helemaal officieel, zoals het hoorde, en roerde de pindakaas en de kokosmelk met de pepers en de knoflook om in een wok. Ze had eigenlijk geen idee wat ze moest doen om te zorgen dat James haar weer zag staan, maar er leuk uitzien en lekker voor hem koken kon geen kwaad. Toen hij uit bad kwam hoorde ze hem eerst bezig op de PlayStation, samen met Finn. Dat hij van zijn zoon hield was duidelijk, dacht ze triest, en toen dwong ze zichzelf voor ogen te houden wat hier precies aan de hand was. Hij was dan misschien een goede vader, maar zij verdiende beter.

Toen ze het eten op tafel had gezet (inclusief vissticks voor Finn, die dan misschien wel van chiquen huize was, maar *zo* chic nou ook weer niet), zette Stephanie zich schrap en liep toen naar de stoel waarin James zat en begon zijn schouders te masseren.

'Wat doe je nou?' Hij schoot in de lach.

'Ik dacht dat je misschien wat gespannen was, van het werk. En ik dacht dat dit misschien zou helpen.' Jezus, wat voelde ze zich dom.

Hij wurmde zich speels los. 'Jemig, Finn, er is iets geks aan de hand. Heeft mama de auto soms total loss gereden?'

'Ik dacht dat je het op prijs zou stellen,' zei Stephanie een tikje wanhopig.

Finn moest ook lachen. 'Heb je dat echt gedaan, mam? Heb je de auto in de prak gereden?' vroeg hij verrukt.

'Nee,' zei Stephanie, die het maar opgaf en aan tafel ging zitten. 'Nee, ik heb de auto niet in de prak gereden.'

'Domme mama,' zei James kleinerend, en ze had hem wel willen slaan.

'Het punt is,' zei Stephanie tegen Natasha toen ze die later op de avond aan de telefoon had, in de slaapkamer, met de deur dicht. 'Wij zitten gewoon niet zo in elkaar. Niet meer, in elk geval.'

'Precies,' zei Natasha. 'Daar heeft hij Katie voor, voor de seks en de lol, en jou heeft hij alleen maar nodig om zijn kind op te voeden.'

'Nou, geweldig,' antwoordde Stephanie, hopelozer dan ooit.

'Zo bedoelde ik het niet. Ik bedoel dat zij waarschijnlijk nog in die fase zitten, weet je wel, als het allemaal nog om het fysieke draait. Jullie relatie is veel echter.'

'Een stuk minder opwindend, bedoel je.'

'Nee, een stuk betekenisvoller.'

'Nou, klaarblijkelijk is betekenisvol niet genoeg. De seks en de lol winnen.'

Natasha suste: 'Steph, je moet goed onthouden dat wat James nu aan het doen is geen kritiek is op jou. Het gaat allemaal alleen maar over hem. Het is omdat hij een midlifecrisis heeft en niet omdat jij faalt als vrouw.'

'Zo voelt het anders niet.'

Natasha was niet van plan op te geven. 'Dat doet hij. Daarom doe je toch ook wat je nu aan het doen bent?'

Stephanie zuchtte. 'Je hebt gelijk. Tuurlijk heb je gelijk. Je hebt altijd gelijk. Maar het valt gewoon allemaal niet mee.'

'Dat snap ik, maar het wordt vanzelf gemakkelijker, echt.'

'Als jij het zegt dan zal het wel zo zijn,' zei Stephanie met een klein glimlachje. 'Fijne avond, nog.'

Vijf minuten later ging haar mobiel.

'Hij heeft me net gebeld,' hoorde ze Katies stem zeggen. Ze hadden afgesproken dat ze elkaar op de hoogte zouden houden van wat James allemaal uitvrat.

'En?'

'Hij zei dat Abi een avondje op stap was, zodat hij alleen zat met Peter. Ze zaten erover te denken om nog even naar de pub te gaan. Wat is hij echt aan het doen?'

'Hij zit Finn voor te lezen. Die vindt het altijd fijn als James voor het slapengaan bij hem komt. Ze lezen *Robinson Crusoë*, geloof ik. Dat is een van zijn lievelingsboeken.'

'Aha.'

'Wat zei hij verder nog?'

'Dat hij me miste.' Ze zweeg even. 'Dat hij van me hield. De gebruikelijke riedel.'

'Gaat het wel?' vroeg Stephanie. Ook niet een vraag waarvan ze ooit gedacht had dat ze hem ooit aan de maîtresse van haar man zou stellen.

'Ik geloof van wel. En met jou?'

'Beter, sinds vanmiddag,' zei Stephanie.

'Met mij ook. O, hij zei ook nog dat hij me later op de avond nog zou bellen om welterusten te zeggen.'

'Prima. Dan ga ik voor de lol proberen of ik dat kan dwarsbomen. Nu we er toch mee bezig zijn, kunnen we net zo goed proberen om er wat leuks van te maken.'

'Ik sms je wel of het hem nog gelukt is,' zei Katie, en ze hing op.

James zat televisie te kijken in de zitkamer. Sebastian lag op zijn schoot te spinnen. Finn lag in bed. Stephanie ging automatisch op het kleine bankje zitten – haar vaste plek – terwijl James uitgestrekt op de driezitsbank lag. Zodra ze was gaan zitten bedacht ze dat ze zich eigenlijk bij hem op de bank had moeten wurmen, om wat fysiek contact te forceren.

'Nog een glaasje?' vroeg hij terwijl hij opstond.

'Lekker,' zei ze, en ze dacht: ach, als het echt niet anders kan, dan word ik gewoon dronken en bespring ik hem. Dan weet ik tenminste zeker dat ik zijn aandacht heb. Ze probeerde te bedenken wanneer ze voor het laatst gesekst hadden. Ze had het bange vermoeden dat dat misschien nog was voor ze naar Londen verhuisden. Nee, dat kon niet. Het was heus nog wel een keer gebeurd, daarna. Maar in de tussentijd had hij aan de lopende band seks gehad. Alleen niet met haar.

Ze keken naar *Project Catwalk* en naar *Oorlog in de keuken*, met Gordon Ramsay, eigenlijk best gezellig. Bij realityprogramma's hadden ze altijd enorme lol samen; beetje mensen uitlachen, en de onuitgesproken opluchting dat zijzelf niet zo waren, dat ze op de een of andere manier beter waren dan zij. Om tien over tien stond James op en liep naar de deur. 'Ik moet Malcolm nog even bellen,' zei hij.

Stephanie stond ook op. Ze wachtte tot hij naar boven liep, ging toen achter hem aan en viste kleren van de grond alsof ze wilde opruimen. James keek een tikje nerveus, en stopte de telefoon weer in zijn zak.

'O, sorry,' zei Stephanie. 'Moet ik weg?'

'Nee, nee, natuurlijk niet,' zei hij. 'Ik moet hem alleen nog vragen hoe het nieuwe veulen van Collins het doet. Die had koliek.'

Stephanie schonk hem een glimlach. 'Nou, bel dan.'

'Nee, ik bedenk me net dat hij vanavond ergens naartoe moest,' zei hij. 'Ik probeer het later nog.'

'O, oké,' zei ze. 'Is hij nou al eens uit de kast gekomen?'

James moest lachen. 'Echt niet.' Hij liet zijn telefoon in zijn zak zitten en liep de trap weer af. Stephanie volgde hem op de voet en kletste erop los. Ongelofelijk, dacht ze, hoe vrolijk ze werd van deze kleine triomf. Misschien had Natasha inderdaad gelijk. Misschien was het wel leuk om te zien hoe James zich in allerlei bochten moest wringen.

Een uur later, om ongeveer halfelf, stond James nog een keer op. 'Ik probeer toch Malcolm nog even,' kondigde hij aan, en hij liep weer naar de deur.

'Nee joh, dat kun je niet maken. Het is al veel te laat,' zei Stephanie. 'Stel nou dat hij helemaal geen afspraak had, dat hij al in zijn bed ligt?'

Ze zou toch zweren dat James nu bloosde. 'Dan heeft hij zijn telefoon toch uit staan, als hij al in bed ligt?'

'Niet als het veulen van Collins zo ziek is,' zei Stephanie. 'Hij heeft waarschijnlijk dienst vanavond. Dan zou ik hem niet storen als het niet echt nodig is.'

'Dat vindt hij echt niet erg, hoor,' hield James vol. 'Hij heeft zelf gevraagd of ik hem wilde bellen.'

Hij liep de kamer uit en Stephanie lachte in haar vuistje. Ze had hem lekker op stang gejaagd. Nu moest hij een excuus verzinnen waarom hij Katie niet veel eerder had gebeld.

Katie zat voor de televisie naar een nachtprogramma te kijken; hoewel, echt kijken was er niet bij. Toen ze thuiskwam na haar ontmoeting met Stephanie was ze wazig van de drank. In de trein was ze in slaap gevallen en ze had bijna haar station gemist. Toevallig werd ze wakker van iemand die langs haar wilde omdat hij er uit moest. Het was goed gegaan, vond ze. Stephanie was best aardig geweest, en Katie dacht dat ze er absoluut van uitging dat het nooit Katies bedoeling was geweest om haar pijn te doen, en dat was het belangrijkste.

Ze probeerde te bedenken of ze iets met elkaar gemeen zouden hebben als James er niet was. Ze hadden dan best met elkaar op kunnen schieten, dat wist ze zeker, maar of ze nou vriendinnen zouden zijn geworden… Hun persoonlijkheden waren al even verschillend als hun uiterlijk. Stephanie was… hoe noemde je dat? Zo afgemeten. Afstandelijk en cynisch en pessimistisch. Terwijl Katie een hartstochtelijk positief type was, tenminste, zo zag ze zichzelf graag. Ze was zo diep in gedachten verzonken dat ze opschrok toen haar telefoon ging. Ze geeuwde om zichzelf in de juiste stemming te brengen, en zette toen het geluid van de tv uit.

'Hm… hallo?' zei ze op een toon alsof ze net wakker werd.

Het was James, wat ze al vermoedde.

'Shit, sorry. Sliep je al?'

'Hh-hm…'

'Sorry. We zijn naar de pub geweest en toen ben ik de tijd helemaal vergeten, ' zei hij maar al te overtuigend.

'Waren jij en Peter met zijn tweetjes?' vroeg Katie.

'Abi kwam ook nog een rondje meedoen. Ze was naar het theater geweest. De *Sound of Music*,' voegde hij eraan toe.

'O? Met wie was ze?'

'Geen idee. Met vriendinnen denk ik.'

'En, vond ze het leuk?'

'Zal wel. Luister, schatje, ik bel alleen om je welterusten te wensen.'

'Wie speelde Maria, dit keer?' vroeg Katie, die bijna moest lachen, ook al begreep ze niet waarom. Ongelofelijk, wat kon die man liegen.

'Heb ik niet gevraagd. Luister, ik moet morgen vroeg weer op.'

'Was het dat meisje dat de rol toen heeft gewonnen, in dat televisieprogramma?'

'Ik zei toch, dat heb ik niet gevraagd,' antwoordde James gepikeerd. 'Ik moet echt hangen.'

'Oké dan,' zei Katie. 'Slaap lekker.'

'Dagdag,' zei hij en hij maakte het kusgeluidje dat bij hun avondritueel hoorde. Katie moest zichzelf geweld aandoen om datzelfde geluidje te maken.

Twee minuten later, terwijl James de trap weer af kwam, in zijn pyjama, kreeg Stephanie een sms'je binnen.

JAMES BELDE NET

stond er.

HEEFT DE HELE AVOND IN DE PUB GEZETEN MET PETER. ABI WAS NAAR DE SOUND OF MUSIC.

Ook ironisch, vond Stephanie, dat ik nu de laatste sms van de dag krijg, van K.

'Hoe ging het met hem?' vroeg ze aan James toen hij de kamer in kwam en naar het drankenkastje liep om een glas whisky in te schenken voor zichzelf. Hij leek een beetje gestrest.

'O, prima, vals alarm. Er is blijkbaar niks aan de hand met dat veulen.'

'En hoe ging zijn afspraakje?'

'Niet naar gevraagd. Dat zijn mijn zaken niet.' Hij veegde zijn voorhoofd af alsof hij het warm had, wat natuurlijk geen wonder was. Normaal was Stephanie nooit zo geïnteresseerd in wat er in Lincolnshire gebeurde.

'Gek, dat hij jou wel vertelt dat hij een afspraakje had, als jij denkt dat hij je een bemoeial zal vinden als je hem vraagt met wie, toch?' vroeg Stephanie.

81

'Ja, dat zal wel.'

'Het lijkt net alsof hij wil dat je erachter komt. Misschien moet je het er toch maar eens met hem over hebben. Gewoon, recht op de man af. Hij vindt het waarschijnlijk vreselijk om met zo'n leugen te moeten leven. Ik bedoel, het is vast dodelijk vermoeiend.'

'Ja,' zei James achterdochtig. 'Dat zal best.'

15

JAMES ZAG WEL DAT STEPHANIE er goed uitzag. Weg waren de joggingbroeken en de Juicy Couture-vestjes die ze meestal aanhad, thuis, als tegenwicht voor hoe ze er op haar werk bij liep. Ze zei zelf altijd dat ze het hipste van het hipste moest dragen, hoe belachelijk en weinig flatterend hip ook kon zijn. In plaats van haar comfortabele sportkleding liep ze nu rond in een zwierig rokje met een A-lijn dat net haar knieën raakte, en een hemdje met spaghettibandjes – zo heette dat, meende hij. Ze zag er tegelijkertijd respectabel en sexy uit, en daar werd hij behoorlijk ongemakkelijk van. Niet dat hij was vergeten hoe aantrekkelijk zijn vrouw er bij kon lopen, maar hij kreeg dat tegenwoordig niet zo vaak meer te zien.

Hij belde Katie zodra hij die ochtend in de kliniek aankwam. Hij wist wat ze nu aan het doen was: ze deed het 's ochtends altijd rustig aan. Dan zat ze aan de keukentafel met een kopje thee en de ochtendkrant. Dat moest eerst gebeuren. Hij vond het een prettig idee, hoe ze daar zat met een potlood dat ze om haar krullen draaide terwijl ze de kruiswoordpuzzel probeerde op te lossen. Hij stelde zich voor hoe haar hand zich uitstrekte naar haar telefoon terwijl die overging, en dat ze glimlachte als ze zag dat hij het was. Bij het opstaan zag ze er altijd nogal verwilderd uit, met die grote verbaasde ogen van haar en die honingkleurige krullenbol slordig om haar gezicht. Ze nam pas op toen haar telefoon al zes keer over was gegaan.

'O, jee,' zei James. 'Ik bel je toch niet uit je bed, hè?'

'Nee,' zei Katie, die bij haar telefoon had staan denken of ze nu moest opnemen of niet. 'Ik was boven.'

'Heb je goed geslapen?'

'Heel goed zelfs. En jij?'

'Peter en Abi hadden ruzie, dus het duurde even voordat ik sliep.'

'Och jeetje, arm schaap,' zei Katie met al het nepmedeleven dat ze kon opbrengen. 'Wat zul je je beroerd voelen. Vertel op, waar hadden ze ruzie over.'

'O niks, het gewone werk. Over het huishouden. "Jij doet ook nooit eens een afwas", dat soort ongein.'

'Echt waar? Maken ze ruzie over wie de afwas doet?'

'Ja, zoiets. Eerlijk gezegd heb ik niet op de details gelet.'

'Hoelang zijn ze eigenlijk getrouwd? Een jaar of tien? En dan maken ze nog steeds ruzie over de afwas?'

'Hé, Katie,' zei James, 'ik heb spreekuur, dus ik hang weer op.'

Ondanks het feit dat ze diepongelukkig was, moest Katie toch lachen toen ze ophing.

Natasha en Stephanie probeerden het nieuwe actricetje Santana Alberta (echte naam: Susan Anderson, maar ze had al vroeg besloten dat ze moest opvallen met een naam die paste bij haar donkere, exotische uiterlijk) ervan te overtuigen dat de doorzichtige zijden haltertop waar ze het allemaal over eens waren, zonder beha echt een domme zet zou zijn, carrièretechnisch. Santana had er hard aan gewerkt om serieus genomen te worden nadat ze zich aan de publieke aandacht had opgedrongen door een reeks relaties met veel oudere (en daardoor uiterst dankbare) bekende heren.

Ze was eigenlijk helemaal niet zo'n goeie actrice. Ze zou nooit zijn opgevallen in die massa andere knappe maar weinig inspirerende jongedames, als ze zich niet door een meeslepend privéleven een vaste plek had weten te veroveren in de roddelbladen. Er was een tijd dat ze haar vriend, een acteur op leeftijd, had verlaten na een gigantische ruzie. Ze vertrok uit zijn huis in niets anders dan een van zijn smokingjasjes en een paar Jimmy Choos. Gelukkig stonden de paparazzi voor de deur om het moment vast te leggen, want die had ze door haar manager laten tippen dat dit eraan zat te komen. Of die keer dat ze met de impresario met wie ze het toen deed slaande ruzie had, op straat, toevallig bij de bioscoop waar net een belangrijke film in première ging en waar de fotografen toch even niks te doen hadden nu de film net was begonnen. Goddank had Santana net haar nieuwe niemendalletje uit de laatste collectie van Julien Macdonald aan (die

Stephanie voor haar had geregeld), die zo prachtig kleurde bij het blauwe oog dat hij haar had geslagen. Het zag er werkelijk schitterend uit, zo groot op de voorpagina van de *Sun*.

Met Stephanies hulp had Santana een reputatie gevestigd als trendsetter. Helaas begon ze zelf ook te geloven in wat ze allemaal over haar schreven, en dus nam ze niet meer voetstoots aan dat Stephanie het beter wist als het om styling ging. Ze had onlangs haar eerste film gemaakt – een lowbudgetfilm die nauwelijks iets had losgemaakt, maar ze had heel veel uitgegeven aan haar pr-mensen, zodat die verhalen hadden verspreid als 'Santana maakt kans op BAFTA-nominatie', en zo. 'Van een insider vernamen wij dat Santana Alberta's rol hoge ogen gooit', beweerden ze, en het was maar goed dat niemand de naam van die insider ooit onthulde, want dat was gewoon haar moeder. Ze hoopte dat de mensen het vanzelf zouden geloven als ze het maar vaak genoeg liet herhalen, en dat het daardoor op de een of andere manier nog uit zou komen ook. Uiteraard werd ze helemaal nergens voor genomineerd. Ze was nog niet eens op een shortlist beland. Wat het haar wel opleverde, was een uitnodiging van BAFTA om een van de prijzen te komen uitreiken, en ze zou er verdomme voor zorgen dat ze werd gezien.

'Het is sexy,' klaagde ze. 'En het is heel belangrijk dat ik er sexy uitzie. Anders drukken ze alleen maar foto's af van Helen Mirren en krijg ik helemaal geen aandacht.'

'Het is ordinair,' zei Stephanie, die haar geduld begon te verliezen. 'Als jij eruit wilt uit zien als een stripper dan moet je dat helemaal zelf weten. Maar verwacht niet van mij dat ik dan zeg dat je er goed uitziet, want dat is niet zo. En als je liever naar een andere styliste gaat, die je trouwens precies hetzelfde zal vertellen, dan is mij dat ook best.'

Natasha wierp haar een blik toe die moest uitdrukken dat ze het zich helemaal niet konden veroorloven om Santana als klant te verliezen. Er waren maar weinig anderen die hun diensten zo regelmatig nodig hadden als zij. 'Luister,' zei Natasha, 'waarom zet ik er niet gewoon een extra laag stof in? Dan zijn je... dingen in elk geval netjes bedekt. Het is veel sexyer als je een suggestie wekt dan meteen je hele Pasen en Pinksteren op straat te gooien.'

Santana pruilde mokkend. 'Oké dan,' zei ze. 'Als ik maar wel in de krant kom.'

'Wat is er met jou aan de hand, zeg?' siste Natasha tegen Stephanie toen Santana naar de wc was om haar gewone kleren weer aan te trekken.

'Sorry, hoor,' zei Stephanie sarcastisch. 'Dat komt zo, mijn hele leven is naar de knoppen.'

'Dus zou ik zeggen dat het daarom nu juist belangrijker is dan ooit om je kop bij je werk te houden. Aangezien je binnenkort alleenstaande moeder bent.'

'Fijn dat je me daaraan herinnert.'

'Ik wil alleen maar zeggen dat je ervoor moet zorgen dat James niet echt je hele leven naar de knoppen helpt. Want dan heeft hij gewonnen. Wat heeft het voor zin om hem een lesje te leren als jij er even beroerd voorstaat als hij, als het straks allemaal explodeert? Jij moet zorgen dat je er waanzinnig goed uitziet en dat je succesvol bent in je werk terwijl hij uit de goot probeert te kruipen.'

Stephanie lachte flauw. 'Je hebt gelijk. Ik weet het.'

Toen Santana weer terugkwam, dit keer in haar skinny jeans met een niet zo heel fraai mannenhemd erboven, een giletje en een zwart-wit geruite mannenpet die ze zelf had uitgekozen op haar hoofd, liep Stephanie op haar af en gaf haar een knuffel. 'Sorry, Santana,' zei ze, 'mijn man is momenteel nogal een eikel, en dat mag ik niet op jou afreageren. Als jij de hele handel wil laten zien bij de BAFTA's, dan doe je dat toch lekker? Desnoods met kerstballen om, als jij daar blij van wordt. Wat jij wilt.'

Santana, die van nature een lief kind was, knuffelde terug. 'Geeft niet, joh,' zei ze. 'Ik weet heus wel dat jullie het beste met me voorhebben.'

Katie was rusteloos. Nu de aanvankelijke opwinding (om nog maar te zwijgen over het effect dat de drank op haar had) er een beetje af was, begon ze zich af te vragen of dit nu de juiste weg was. Wat James ook gedaan mocht hebben was geen excuus om te doen wat zij en Stephanie van plan waren. Zo maakte je niet recht wat krom was. Het voelde gemeen om te liegen en te bedriegen zoals hij had gedaan. Toch kon ze niet ontkennen dat het ook wel iets bevredigends had, de wetenschap dat hij totaal niet doorhad wat zij van plan waren. Het gaf haar een zeker gevoel van macht. Hij had dus nog niet haar hele leven geruïneerd.

'Doen we hier nu wel goed aan,' vroeg ze Stephanie bijna elke keer als ze elkaar spraken.

'Ik heb geen idee,' antwoordde Stephanie dan steevast, wat niet echt hielp. Wel vroeg ze Katie dan altijd om zich aan hun plan te houden, en om redenen die ze zelf ook niet helemaal begreep, stemde Katie altijd weer in.

Tot dusverre was hun plan nog niet veel verder gevorderd dan dat het feestje ter gelegenheid van James' veertigste verjaardag D-day zou worden. Ze hadden besloten dat Stephanie zijn feestje in Londen zou laten doorgaan alsof er niks aan de hand was, en dat ze dan de volgende dag tijdens het feestje in Lincolnshire zou komen opdagen, waar de twee vrouwen hem samen zouden confronteren ten overstaan van al zijn vrienden en collega's. Verder dan dat waren ze nog niet. Het had nog iets anders nodig, en toen ze een week later een van hun heimelijke telefoongesprekken voerden om ervaringen uit te wisselen, had Katie per ongeluk iets gezegd wat een heel andere reeks gebeurtenissen zou veroorzaken,

'Wist jij dat hij zich hier door de meeste boeren contant laat betalen? Volkomen zwart. Ik dacht dat je dat misschien wilde weten, vanwege de… nou ja… de alimentatie en zo. Mocht het zover komen.'

'Dat meen je niet!' zei Stephanie plotseling geïnteresseerd. 'Dat heeft hij me nooit verteld. Goh, wat zou de belastingdienst daar eigenlijk van vinden?'

Katie schrok: 'Dat kunnen we niet maken!'

'Nee, je hebt gelijk. Dat kunnen we niet maken. Jammer. Ik vraag me af wat we allemaal nog meer niet van hem weten. Misschien wordt het tijd dat we dat eens gingen uitzoeken.'

16

H ET BLEEK DAT JAMES NOG wel een paar geheimpjes had. Daarvan waren sommige gemakkelijk ontdekt, en andere een stuk minder gemakkelijk.

In hun kleine dorpsgemeenschap, vertelde Katie aan Stephanie, stond hij bij iedereen bekend om zijn etentjes, waar hij steeds ingewikkelder en chiquere gerechten opdiende aan groepjes plaatselijke hoogwaardigheidsbekleders, die hem hier zeer om bewonderden.

'Etentjes?' had Stephanie vol ongeloof geantwoord. 'Hij kan nog geen ei koken.'

'Precies,' zei Katie. 'Hij gaat gewoon naar de stad, koopt alles kant-en-klaar en doet dan net alsof hij het allemaal zelf heeft gemaakt.'

'Krankzinnig,' antwoordde Stephanie, die zich een versie van James probeerde voor te stellen die het ook maar een moer kon schelen of mensen dachten dat hij kon koken. 'Dan zou ik zorgen dat hij snel weer eens zo'n etentje organiseert. Voor mensen op wie hij echt graag indruk wil maken.'

'Denk je echt?'

'Ah, ja, joh, laten wij nu ook eens lol hebben.'

Katie lachte. 'Oké.'

In tegenstelling tot wat hij Katie had wijsgemaakt, was hij helemaal niet van zijn ouders vervreemd, vertelde Stephanie aan Katie. Ze vonden het heerlijk om langs te komen in het weekend als ze maar even kans zagen. 'Ze vinden het vast enig om jou te ontmoeten,' zei ze. 'Misschien stel ik voor dat ze James moeten verrassen, op het platteland.'

'Ik zal de logeerkamer vast voor ze klaarmaken,' grapte Katie. Misschien had Stephanie gelijk, en was het wel lollig om James op zijn nummer te zetten.

Het waren geen enorme lijken die er uit de kast kwamen vallen – het ene flinke lijk nam al genoeg plaats in – maar het was toch genoeg voor kleine speldenprikjes, kleine vernederingetjes die de weg voorbereidden voor de hoofdprijs. Zijn publieke imago was alles voor James. Als ze daar gaten in sloegen zou hij hen meer dan ooit nodig hebben – de twee vrouwen die, zo dacht hij, onvoorwaardelijk van hem hielden. Geniaal.

James verheugde zich al weken op zijn volgende gezellige bijeenkomst. Bij de Selby-Algernons had hij ongaar varkensvlees te eten gekregen, bij de McNeils zat er een hondenhaar in de soep, en bij de Knightly's moesten ze tweeëneenhalf uur op hun toetje wachten, en nu was het weer eens zijn beurt om te schitteren. Hij mocht al hun gastheren en gastvrouwen graag, de conversatie vloeide even rijkelijk als de wijn, maar vooral vond hij dat dit het soort van mensen was met wie hij ook bevriend *behoorde* te zijn.

Hugh en Alison Selby-Algernon stonden boven aan de sociale ladder binnen Lower Shippingham. Zij woonden in het allergrootste, meest indrukwekkende huis van het dorp en Hugh was een hoge pief bij een investeringsbank. Wat James betrof versloegen Hugh en Alison alle andere inwoners van Lower Shippingham met gemak op alle terreinen.

Op zijn A-lijst stonden vervolgens Sam en Geoff McNeil, die al vijfendertig jaar in Lower Shippingham woonden. Sam had een invloedrijke positie bij de gemeente, terwijl Geoff iets belangrijks was bij de Rotary Club. En dan had je nog Richard Knightly, partner van een plaatselijk advocatenkantoor, en zijn vrouw Simone, journaliste bij de *Lincoln Chronicle*.

Oké, het was dan niet echt een supersnelle vriendenkring – Sam en Geoff hadden de neiging om het gesprek op de Kerk te brengen zodra je ze de kans gaf – maar het kon geen kwaad om met de juiste mensen om te gaan. Stephanie zou nooit akkoord gaan met zijn 'geflikflooi met belangrijke mensen', zoals zij het noemde, maar Katie begreep hoe belangrijk het was om je best te doen op dit gebied.

De vier stellen spraken eens in de veertien dagen af, en waren om beurten de ontvangende partij. De eerste keer dat James en Katie aan de beurt waren, was James in paniek geraakt vanwege Katies nogal rustieke kookkunst. Hij vond het heel lekker hoor, maar het was niet bepaald haute cuisine. Dus had hij haar overgehaald en was naar Lincoln gereden om versbereide spullen op te pikken bij een grote traiteur in het centrum. Hij had kreeftensalade als voorafje, *beef Wellington* die je alleen nog maar hoefde te verwarmen en een *tarte tatin* met een 'eigen-gemaakte' deegkorst. De Selby-Algernons, de McNeils en de Knightly's waren lyrisch toen ze een hap van hun voorafje hadden genomen, en James had die gelegenheid niet te baat genomen door te zeggen dat hij het eten eigenlijk kant-en-klaar had gekocht. Nee, het was nog veel erger: hij had hun complimenten minzaam in ontvangst genomen en enorm uitgeweid over zijn middagje buffelen boven een heet fornuis.

'Maar James, ik had geen idee dat jij zo'n verborgen talent had,' had Alison gekird. 'Hugh, waarom kan jij nou niet zo goed koken?' had ze gevraagd.

'Waarom kan jij het zelf niet zo goed?' had Hugh geantwoord.

James zag wel dat Katie hem een blik toewierp, en heel even voelde hij de paniek opkomen. Ze zou hem toch niet verlinken? Hij trok zijn wenkbrauwen een stukje op, alsof hij wilde zeggen: 'Toe nou, niks zeggen', en ze had inderdaad niks gezegd en bleef glimlachen zoals altijd. 'Wat een gelukje voor mij, hè?' zei ze terwijl ze haar hand over de zijne legde.

'Dat kun je wel zeggen, ja,' stemde Simone in, en Katie zou zweren dat ze een sjansblik wisselde met James. Van alle vrouwen in hun kringetje was Simone de enige met wie hij het zou kunnen. Alison was eerlijk gezegd te vormeloos, met haar hangborsten die ergens rond haar middel zwabberden, want taille kon je het niet noemen. Sam was veel te neurotisch – ze zag er altijd uit alsof ze haar make-up in het donker had opgesmeerd, maar dat kwam waarschijnlijk doordat ze zo nerveus was. Simone was daarentegen slank en goedgevormd, ook al had haar gezicht wel iets weg van een paard. Hij had onwillekeurig naar haar geknipoogd, en ze glimlachte naar hem als een klein meisje. Sindsdien was er een zekere kilte tussen Simone en Katie ontstaan, waardoor de dinertjes aanmerkelijk minder gezellig waren. Hij zou natuurlijk nooit iets doen met zijn vermoeden dat Simone een beetje verkikkerd op hem was, en hij had geen reden om aan te nemen dat zijzelf iets zou ondernemen. Maar hij vond het lekker om te weten dat hij het nog in zich had. Wat 'het' ook maar mocht zijn.

Sinds die avond deed de mare over zijn culinaire expertise de ronde. Malcolm van de dierenkliniek had er al eens iets over gezegd, en een van de boeren uit de buurt noemde hem 'Delia', naar Delia Smith. James vond het wel leuk dat hij nu een bijnaam had. Het was net als vroeger op de speelplaats; je hoorde weer ergens bij. Hij had het aan Malcolm verteld en aan Simon, in de hoop dat zij hem ook zo zouden gaan noemen.

'Ha, met Delia,' grinnikte hij dan met gemaakte zelfspot als hij een van hen moest bellen. Hij had er ook een tijdje zijn Post-its mee ondertekend als hij voor een van beiden een boodschap achter moest laten. Dat hield hij een dikke week vol, maar zij deden er helaas niets mee, bovendien maakte hij zich ineens zorgen dat Malcolm zou denken dat hij er iets anders mee wilde zeggen. Zoals van die nichten die het enorm geestig vinden om andere mannen 'zij' te noemen. Dus was hij er maar mee opgehouden.

De weken waarin ze moesten wachten tot het weer hun beurt zou zijn waren verschrikkelijk, en hij vroeg zich af of hij deze stunt nog een keer uit kon halen. Deze keer kocht hij hartige taartjes met geitenkaas, een pastei met hert en vijgen die zo de oven in kon, om daarna te serveren met 'zelfgemaakt' whisky-ijs. Er was een pijnlijk moment toen Sam vroeg waar hij dat hertenvlees in 's hemelsnaam vandaan had, omdat zij het nooit kon krijgen als ze het nodig had, en hij had toen maar iets geroepen over Kent en Zonen in St John's Wood, want hij wist dat ze dat nooit zou controleren. James liet zich alle loftuitingen heerlijk aanleunen, en hij geloofde bijna dat hij het nog verdiend had ook.

Het etentje van vanavond was zijn vijfde. Hij begon zich zorgen te maken of hij het repertoire van Le Joli Poulet, de traiteur, niet had uitgeput. Hij had hun lamsrack al geserveerd, hun spiesen met zeeduivel en inktvis, en hun gebraden patrijs, allemaal met veel succes. Maar nu hij weer in de kant-en-klare feestmaaltijden aan het snuffelen was kon hij niets nieuws vinden. Het was te vroeg om in herhaling te vervallen. Hij zou eens met de eigenaren moeten praten of ze hun assortiment niet eens wat konden uitbreiden.

Hij vond een bouillabaisse die hij vooraf zou serveren, en dan een cassoulet, die hij voordien altijd een beetje te eenvoudig had gevonden. Er waren geen nieuwe toetjes, dus ging hij maar weer voor de *tarte ta-*

tin. Dan zou hij net doen alsof hij die avond voor een Frans thema was gegaan. Hij sprak kort met Guy, de eigenaar van de winkel, maar hij kon niet goed uitleggen wat zijn punt was zonder meteen zijn geheim prijs te geven en te zeggen waarom het zo belangrijk was dat hij iedere keer iets nieuws kon serveren, en dus was hij maar weggegaan.

Tegen de tijd dat hij weer thuis was, bij Katie, had die het huis helemaal aan kant, en was Stanley naar de logeerkamer verbannen. Het was nog steeds lekker weer, dus had ze de tafel bij de openslaande deuren gezet, zodat ze de avond tenminste konden beginnen met wat frisse koele lucht uit de achtertuin.

James pakte zijn lekkernijen uit, keek wat hij moest doen om het zaakje warm te krijgen en verstopte vervolgens alle verpakkingsmaterialen zorgvuldig onder in de vuilnisbak. De cassoulet deed hij over in een grote ovenschaal, en zodra de oven pingelde om aan te geven dat hij de juiste temperatuur had bereikt, zette hij de schaal in het midden van de oven en keek op zijn horloge. Hij schonk de bouillabaisse in de pan en zette die apart. De *tarte tatin*, die hij koud wilde serveren, met room, zette hij in de ijskast.

'Je hebt nog net genoeg tijd om te douchen,' zei Katie. Ze gaf hem een kus op zijn voorhoofd en overhandigde hem een flinke bel rode wijn. 'Kan ik nog iets doen?'

'Alles onder controle,' zei hij. 'Help me alleen even herinneren dat ik de soep om tien over op moet zetten. Hmm... wat ruik jij verrukkelijk,' zei hij terwijl hij in haar haren snuffelde.

Katie lachte en duwde hem van zich af. 'Schiet jij nou maar op.'

Katie keek James na terwijl hij naar boven liep en neuriënd in de badkamer verdween. Toen ze hoorde dat hij de deur achter zich dicht had getrokken en ze het water hoorde kletteren, tilde ze het deksel van de vuilnisbak en begon te rommelen in het afval.

Katie vond dat Sam eruitzag als de pop van een buikspreker toen ze de deur opendeed en haar en Geoff daar zag staan met een fles merlot in de aanslag. Ze droeg knalrode lippenstift, en het leek wel of ze die met een verfkwast had aangebracht, want ze had zich niet veel aangetrokken van haar lipcontouren. Haar korte haar stond in klonterige pieken van haar hoofd, waardoor het leek alsof ze net een gigantische elektrische schok had gekregen.

Geoff was stug als altijd, en droeg het soort van afgedragen en aftandse kleren waar alleen echt heel rijke mensen mee wegkomen. Katie had al wel een paar keer tegen James gezegd dat ze het leuk zou vinden om ook eens met mensen van hun eigen soort om te gaan. Mensen van hun eigen leeftijd, die wat spiritueler waren, en minder… kakkerig. Maar toen had hij haar de les gelezen en uitgelegd hoe belangrijk het was dat je de juiste mensen kende, en dat was dus dat. Het was ook niet dat ze Sam en Geoff niet aardig vond of zo, maar het was soms net of je je kritische ouwe tante over de vloer had.

'Wat ruikt er hier zo heerlijk,' zei Geoff snuivend toen hij naar binnen liep. 'Wat heeft hij dit keer voor ons in petto?'

Katie ratelde het menu op en Sam en Geoff maakten goedkeurende geluidjes. Ze wilde hun net iets te drinken aanbieden, toen James de keuken uit stormde, met een belachelijk gestreept schort voor, zwaaiend met een spatel. Het schort zat onder de vegen rode saus, die hij daar ongetwijfeld een paar minuten geleden expres op had aangebracht. Ze had wel eens gedacht dat hij te ver ging met deze poppenkast: dan strooide hij bloem in zijn haar en smeerde veegjes balsamicoazijn op zijn wangen. Maar ja, het maakte hem gelukkig en ze had er nooit iets verkeerds in gezien. Maar nu ze hem vandaag zo bezig zag, viel het haar op dat hij een ontzettend sneue man was, die heel erg met zichzelf was ingenomen, en geobsedeerd was door schone schijn en status. 'Trek?' vroeg hij.

'Uitgehongerd,' antwoordde Geoff. 'We kijken hier al weken naar uit.'

De deurbel ging weer. Hugh, Alison, Richard en Simone stonden op een kluitje op de stoep. Er werd driftig in de lucht gezoend en geknuffeld.

'Zullen we een aperitiefje doen voor het eten?' vroeg James met het air van iemand die wist dat hij weer flink indruk zou gaan maken straks.

Stephanie kon de slaap niet vatten. Ze had het al helemaal opgegeven en ze had zich erbij neergelegd dat ze de hele nacht zou liggen piekeren en zich morgen op het werk een dweil zou voelen. Ze maalde over Katies verhaal van die avond. Het was extreem lachwekkend en walgelijk tegelijk. Die arme James. Ach nee, verdomme, hij had er gewoon om gevraagd.

De zes gasten en James waren kennelijk losgegaan over hun favoriete onderwerp: de noodzaak om een 'dorpsraad' te kiezen die kon lobbyen tegen zaken als foeilelijke nieuwe gebouwen en het samenscholen van de drie hangjongeren die soms wel eens beledigende teksten uitsloegen naar argeloze voorbijgangers vanaf hun vaste plek op het bankje bij de eendenvijver. Het waren alle drie volkomen onschuldige kinderen, had Katie haar verteld. Ze was zelfs wel eens uit het dorp komen lopen met een tas vol zware boodschappen, en toen hadden ze haar om de beurt helpen dragen, daarna weigerden ze om geld van haar aan te nemen voor de moeite. Maar Sam, Geoff, Alison, Hugh en James vonden het lekker om te overdrijven tegen elkaar, en vertelden dat de jongeren waarschijnlijk aan de crack waren en dat het niet lang meer zou duren of straatroof zou aan de orde van de dag zijn. Richard en Simone waren wel enigszins vergevingsgezind, aangezien ze zelf een puberzoon hadden, maar zij gingen dan weer helemaal uit hun dak als het ging om mensen die zelf serres aan hun huizen bouwden. Alle zeven, James ook, vertelde Katie aan Stephanie, vonden dat zij uit-verkoren waren om zo'n dorpsraad te runnen, en elk van hen hoopte stiekem dat hij de voorzitter zou worden.

'Trouwens,' zei Katie, 'wist jij dat hijzelf helemaal geen vergunning had voor de uitbouw van de kliniek? Hij dacht dat niemand het zou zien, en dat het dan niet zou tellen. En daarbij was hij bang dat er een goede kans was dat hij er geen vergunning voor zou krijgen. Hij heeft nieuwe bakstenen gebruikt, ook nog eens. Terwijl het buurtje onder monumentenzorg valt. Dat zouden Richard en Simone nog eens fijn vinden om te weten.'

Stephanie kon zich nog herinneren dat James haar vertelde van zijn plannen om de praktijk uit te bouwen en de daaropvolgende toestanden met de aannemer. Het was nooit bij haar opgekomen om te vragen of het allemaal wel volgens het boekje was verlopen. Ze had gewoon aangenomen dat dat zo was. Hij was immers James.

Maar goed, Katie had verteld dat de bouillabaisse weer met veel o's en a's werd ontvangen, en dat een paar van de gasten zich zelfs twee keer lieten opscheppen, ook al waren er nog twee gangen te gaan.

'Ik snap niet dat je hier geduld voor hebt,' had Alison gezegd, 'al die garnalen pellen, en de baarden van de mosselen schrapen.'

'Hij zal ze schoongemaakt kopen – toch, James?' nam Geoff aan. 'Veel te veel gedoe.'

'Nee, joh,' zei James verontwaardigd. 'Dan weet je nooit zeker of ze wel goed gewassen zijn. Of dat ze niet een paar bedorven mosselen open hebben gewrikt. Nee, ik doe het liever zelf. Ik vind het ook heel therapeutisch, om je de waarheid te zeggen. Dan zet ik lekker de radio aan en dan ben ik helemaal in mijn element.'

Katie vond het hartstikke spannend dat hij zo zijn eigen graf aan het graven was, vertelde ze aan Stephanie.

De cassoulet werd omschreven als 'overheerlijk' en 'onbeschrijfelijk'. Het gesprek ging nu over de verschillende tekortkomingen van de andere dorpelingen, vooral de dorpelingen die niet veel geld hadden.

'Maar James is ook *nouveau riche*,' had Stephanie tegengeworpen.

'Ja, dat weet ik nu ook,' zei Katie, 'maar hij vindt het prettiger als iedereen denkt dat dat niet zo is.'

'Wat gebeurde er verder?' Stephanie wilde dolgraag weten hoe het afliep, maar tegelijkertijd hield ze haar hart vast. Ze voelde het bonzen in haar keel, en ze kon zich niet voorstellen hoe Katie – die haar vertelde dat ze belde vanaf de wc beneden om rustig te kunnen praten – zich moest voelen.

'Nou, toen was het dus tijd voor het dessert,' zei Katie dramatisch.

Katie vertelde haar dat James met rode wangen van de wijn en de trots had verkondigd dat hij zijn fameuze *tarte tatin* weer had gemaakt. 'Ik dacht nog, zal ik iets nieuws proberen, maar ik vond dat het mooi paste in het Franse thema van vanavond. Dus waarom niet gewoon weer mijn beproefde recept uit de kast gehaald?' Hij had het binnengebracht vanuit de keuken, op een schaal, met een air alsof hij zijn pasgeboren kind aan de wereld presenteerde.

'Wat voor appels gebruik je dan, in deze tijd van het jaar?' vroeg Simone. 'Ik vind ze nu zo waterig en flauw van smaak.'

'Ah,' zei James. 'Dat ga ik je natuurlijk niet aan je neus hangen.'

Hij sneed de eerste punt en Katie zag hem wit wegtrekken terwijl hij een stuk papier met de taart mee omhoogtrok. Hij liet de taart meteen terugvallen, maar terwijl hij dat deed leunde Sam voorover om het papier weg te halen.

'Alsjeblieft,' zei ze opgewekt terwijl ze het verfrommelde en naast haar bord legde. James zag eruit alsof hij totaal geen bloed meer in zijn lichaam had, volgens Katie.

'O jee, ik heb de taart waarschijnlijk ergens bovenop gelegd,' zei hij, nerveus lachend. 'Ik ga even terug naar de keuken om te kijken of dit nog wel kan.'

Katie had haar adem ingehouden. Ze kon nu niets doen. Zij kon niet degene zijn die onthulde wat er precies onder de bodem van de *tarte* had gehangen. Ze kon alleen maar afwachten, en hopen. Het leek erop dat James ermee weg zou komen. Hij had zijn mes neergelegd en wilde net de schaal optillen, toen Hugh onhandig naar voren leunde en een hoekje van de rest van het papier vastgreep dat onder de *tarte* uitstak. Hij gaf er een ruk aan. 'Doe toch geen moeite, man. Kijk. Ik heb het al voor je geregeld.'

'Wat is dit, zeg?' wilde Simone weten. Het was bijna komisch hoe James zijn hand uitstak om het stuk papier weg te grissen, maar Geoff was hem voor.

'Hé, dat lijkt wel een kassabonnetje,' zei Geoff, en hij wilde het net weggooien toen Sam – goddank dat die altijd overal haar neus in steekt – over zijn schouder mee keek en uitriep: 'Er staat hier *tarte tatin*!'

De anderen hadden gelachen, want ze wisten nog niet wat voor geweldige ontdekking ze hierna zouden doen. Richard grapte zelfs nog: 'Je gaat me toch niet vertellen dat je stiekem kant-en-klare spullen koopt zonder dat wij het weten, hè?'

Toen stokte Sams adem: 'Jemig, James, er staat hier ook "bouillabaisse" en "cassoulet". Wat gek?'

Het was ineens doodstil, zei Katie.

17

JAMES WERD WAKKER MET EEN hoofd dat vol watten leek te zitten. Hij gromde, en voelde een papieren droogte in zijn mond. Hij had te veel gedronken. Hij rolde op zijn zij, deed voorzichtig een oog open maar schrok van het licht op zijn netvlies. Katie was blijkbaar al op. Hij gluurde naar de wekker naast het bed. Het leek wel… Nee, het kon toch nooit al elf uur zijn? Hij had toch dienst vanochtend?

Hij hoorde geluid van beneden. De radio en iets wat klonk als geschraap over borden. Katie was kennelijk met de afwas bezig. Toen drong het plotseling tot hem door, en hij legde zijn hoofd weer op het kussen. O, shit. O, god. O, fuck.

Hij dacht terug aan die gênante stilte nadat Sam het bonnetje van Le Joli Poulet had voorgelezen. Hij probeerde het eerst nog weg te lachen, terwijl hij als een dolle probeerde te bedenken wat hij kon zeggen om dit goed te maken. Toen probeerde hij ze wijs te maken dat hij alle ingrediënten bij elkaar in een pakket had gekocht, zodat je er meteen mee aan de slag kon. Dus dat van die mosselen, dat was een geintje, maar de rest had hij heus helemaal zelf gekookt.

Maar die vervloekte Richard had dat irritante schelle lachje van hem laten horen en gezegd dat hij zelf wel eens in Le Joli Poulet was geweest, en dat ze daar alles uitsluitend kant-en-klaar verkochten, en of James hen soms de hele tijd al bij de neus had genomen? Toen moest hij het allemaal wel opbiechten.

Zijn gasten waren reuze aardig geweest – hij had ook niemand vermoord of zo – maar het was juist dat beleefde begrip van hen dat hem had gevloerd. Hij wist best dat ze hem allemaal behoorlijk sneu vonden, en behoorlijk onbetrouwbaar, en dat het niet zo fraai was. Niemand zou er ooit iets lelijks van zeggen waar hij bij was. Maar hij wist dat ze zodra ze de deur uit waren ergens anders naartoe zouden gaan – het huis van Sam en Geoff misschien, want dat was vlakbij – en dat ze daar, onder het genot van een glas cognac, geen spaan van hem heel zouden laten. Ze zouden op de proppen komen met anekdotes over andere gelegenheden waarbij ze hem ook al zo raar vonden doen. Of dat hij toen en toen toch zoiets raars zei. Ze zouden hem uitlachen, en dat zou hun onderlinge band alleen nog maar verstevigen. Ook wist hij, zonder dat het ooit uitgesproken zou worden, dat hij nooit meer mee zou mogen doen met het eetclubje. Ze zouden net doen alsof ze ineens allemaal een verplichting hadden met de familie, en er zouden weken voorbijgaan tot het moment dat ze niet eens meer zogenaamd probeerden om een datum te prikken. Misschien bleven zij nog wel met zijn zessen eten, zonder hem en Katie, om bij hun aangebrande eend en papperige aardappels te lachen over hoe belachelijk hij was.

Hij nam een enorme slok uit het glas water dat Katie naast het bed had laten staan. Hij herinnerde zich weer dat Katie en hij een gigantische ruzie hadden gehad toen ze weg waren, omdat hij graag de schuld voor het hele debacle op iemand anders wilde schuiven. Daarna had hij bijna een hele fles whisky naar binnen gegoten. Die nacht was hij pas heel laat naar bed gegaan.

Hij kreunde hardop. Wat voelde hij zich ongehoord voor lul staan.

Waarom had hij zichzelf dan ook in deze positie gebracht? De anderen konden ook geen van allen koken, en niemand scheen zich daar ooit druk om te maken. Hij had er meteen de eerste keer voor uit moeten komen. Zodra ze zijn eten begonnen te prijzen had hij moeten zeggen: 'Nou, ik heb het eigenlijk allemaal gewoon zo gekocht, want ik kan helemaal niks in de keuken', en dan was er verder geen woord aan vuil gemaakt. Maar hij vond het zo lekker, al die aandacht. Hij was altijd een tikje geïntimideerd door 'deftige mensen', zoals zijn moeder hen altijd noemde. Hij baalde dan dat hij niet ook naar een kostschool was geweest, en dat er hem geen grote erfenis wachtte. Hij wilde er stiekem altijd bijhoren. Als de plaatselijke dierenarts was het hem gelukt om tot hun kringen door te dringen, en hij had zich onvervangbaar weten te maken, dacht hij. Hij mocht zelfs graag denken dat hij hoog in hun aanzien stond. Zijn vriendschap met de plaatselijke hotshots had zijn statusgevoeligheid goed gedaan. Wat een sufferd was hij eigenlijk.

Hij moest het eerst maar eens goedmaken met Katie. Zij kon er ook niks aan doen, en bovendien had hij haar in de akelige positie gebracht waarin zij het spelletje al die maanden mee moest spelen. Mijn hemel, wat zal ze niet van me denken? Hij glipte uit bed, en voelde iets door hem heen vlammen zodra zijn voeten het zeil raakten en hij probeerde om rechtop te gaan staan. Nee, misschien moest hij toch maar eerst even overgeven.

Tien minuten later, nadat hij zijn tanden had gepoetst en koud water over zijn gezicht had geplensd, liep hij voorzichtig naar de keuken, waar Katie het granieten aanrecht aan het schrobben was. Hij voelde hoe ze verstijfde toen hij zijn armen achterlangs om haar heen sloeg.

'Sorry, sorry,' zei hij terwijl hij in haar nek snuffelde. 'Ik had het niet op jou mogen afreageren.'

'Het is niet erg,' zei Katie vriendelijk. 'Ik begrijp het wel.'

Katie, die schat, had Malcolm al gebeld en gezegd dat James vandaag niet kon komen werken, omdat hij zich niet lekker voelde. Ze had alles wat aan het desastreuze etentje kon herinneren weggegooid, en alle restjes en lege flessen lagen al in de kliko, buiten, klaar om te worden meegenomen door de gemeentereiniging. Ze vond het blijkbaar prima om net te doen alsof er niets aan de hand was, en ze deed even zorgzaam als altijd. Ze zette koffie, en bood aan brood voor hem te roosteren. Maar alleen de gedachte al deed hem kokhalzen.

James had het idee dat hij moest debriefen, en dat hij regelrecht de confrontatie aan moest met de verschrikkingen van de vorige avond door het worstcasescenario na te gaan. Maar het had geen zin, dat wist hij ook best. Als hij zou proberen te praten over wat er was gebeurd, dan zou Katie volhouden dat er niets aan de hand was, en dat het niet gezond was om zo lang stil te staan bij negatieve dingen uit het verleden, ook al was het verleden dan gisteravond.

Stephanie zou er daarentegen helemaal in meegaan, dacht hij. Nou, reken maar dat Stephanie veel zin zoù hebben om hem alle gruwelijke details nog eens flink in te wrijven. Ze zouden samen ongetwijfeld veel lol hebben gehad bij het navertellen – die blik op Sams gezicht met haar scheve lippenstift toen ze het bonnetje las. Hoelang het duurde voor Hugh doorhad wat er aan de hand was. De manier waarop Alison het voor hem uit moest spellen. ('James heeft al die tijd al alles kant-en-klaar gekocht, lieverd. Hij heeft helemaal niet zelf gekookt. Dat was een leugen van hem.') Ze zouden uiteindelijk van de bank rollen van het lachen, en dan was het allemaal zoveel makkelijker te verdragen. Hij dacht erover om Katie te vertellen dat Sam over de drempel bij de voordeur struikelde, zoveel haast had ze om weg te komen. En dat daarbij haar rok zo ver omhoogkwam dat je haar harige benen en griezelig pikante ondergoed kon zien, maar hij wist dat ze niet eens zou glimlachen. In plaats daarvan zou ze waarschijnlijk iets zeggen als: 'Ach, die arme Sam. Nou ja, zand erover', dus besloot hij om maar weer in bed te kruipen.

'Uitstekend,' reageerde Meredith via haar spiegelbeeld, en Stephanie vroeg zich af waarom ze er niet helemaal de brui aan gaf. Meredith droeg een smaragdgroene creatie die eruitzag als een kledingstuk van een Disneyprinses. Het diepe decolleté toonde haar verkreukelde boezem, terwijl door de lage taille haar brede heupen nog veel volumineuzer leken. Ze stonden in de paskamers bij Selfridges, en ze had deze jurk alleen mogen passen van Stephanie zodat ze kon zien hoe vreselijk die haar zou staan.

'Meredith, dit doet echt helemaal niks voor je figuur,' zei ze zo diplomatiek mogelijk. 'Vind jij van wel?' vroeg ze, waarbij ze Natasha nadrukkelijk aankeek zodat die haar zou steunen.

'Eh, nee, niet echt,' zei Natasha. Natasha was als de dood voor Meredith.

'Dit is anders wel de enige jurk waar ik me lekker in voel, en aangezien je tot nu toe niets beters hebt kunnen regelen, doen we deze.'

Stephanie kromp ineen bij de belediging die in Merediths opmerking besloten lag. 'Ik vind dat je even moet wachten. We hebben nog tijd en we kunnen heus wel iets vinden waar we het alle drie over eens zijn.'

'Maar als deze jurk dan niet meer te krijgen is? Wat nu als je niks anders kunt laten zien wat ik leuk vind en als deze uitverkocht is?'

Stephanie keek naar het glimmende doperwtkleurige monster. Je kon je bijna niet voorstellen dat men zich zou verdringen om dat felgroene flutgeval. 'Ik weet het goed gemaakt,' zei ze. 'We kopen deze, en dan brengen we hem terug als we iets beters hebben gevonden.'

'Wat toch niet gaat gebeuren,' zei Meredith ijzig.

'Misschien niet,' zei Stephanie met een gemaakte glimlach.

Ze wierp een blik op haar horloge toen Meredith even niet oplette.

Vanavond zou James weer thuiskomen en dat was iets waarop ze zich verheugde maar wat ze ook vreesde. Stephanie zou vanavond zien hoe hun eerste bescheiden pijltje hem had verwond. Natuurlijk kon hij haar niet vertellen over zijn traumatische ervaring, maar Katie had haar genoeg verteld om te weten dat hij zich vernederd voelde en behoorlijk stom. Blijkbaar was hij gisteren weer aan het werk gegaan, en hij kwam kokend van woede thuis omdat Malcolm door Richard en Simone was ontboden om naar hun golden retriever te kijken, want die had oorontsteking. Simone had hem het hele verhaal verteld. Malcolm had dat weer aan Simon en Sally verteld, en James was daarop blootgesteld aan hun genadeloze gepest – ook al zei Katie dat ze het ongetwijfeld goed bedoelden.

'Hij is woedend op Simone,' zei Katie. 'En dat is best grappig, aangezien die nogal een oogje op hem had, dat dacht hij tenminste.'

'Was dat dan niet zo?' viel Stephanie haar lachend in de rede.

'Nee, ik denk het niet. Richard is een heel knappe vent, en hij aanbidt haar. Ik denk dat ze hooguit flirtte uit beleefdheid.'

'En,' vroeg Stephanie, 'hoe voel jij je nu?'

'Het is heel erg dat ik het moet toegeven, maar ik voel me eigenlijk best goed. Het was zijn verdiende loon,' zei Katie vol overtuiging.

Stephanie vroeg zich af of James zich meer dan anders verheugde op zijn paar dagen Londen, omdat hij zichzelf daar nog niet voor schut had gezet tegenover iedereen. Ze was van plan om vanavond extra lief tegen hem te doen. De stilte voor de storm, zogezegd, terwijl Katie en zij zouden bepalen wat hun volgende stap moest worden.

Om vijf voor vijf vertrokken Natasha en zij per taxi naar het noorden van de stad, met de weerzinwekkende creatie in de bekende gele draagtas tussen hen in. Katie had haar verteld dat James meestal rond een uur of één vertrok als hij naar Londen ging, maar Stephanie zei dat hij altijd pas om een uur of halfzeven thuiskwam. Ze hadden geen van beiden enig idee waarom zijn reis zo lang moest duren.

'Goed onthouden,' zei Natasha terwijl ze haar kort knuffelde toen de taxi Belsize Avenue in draaide, 'tanden op elkaar en glimlachen.'

James' auto stond al langs de weg geparkeerd, zag ze, toen de taxi voor haar huis stopte. Hij was vroeg. Stephanie lachte bij zichzelf. Ja hoor, hij was flink van slag.

'Hoi,' zei ze toen ze de voordeur opendeed. Finn dook bovenop haar vanuit de zitkamer, en toen dook James plotseling op uit het niets en nam haar in een liefhebbende houdgreep. 'Wat ben jij vroeg?' zei ze ademloos nadat hij haar op de grond had gezet.

'Ik wilde naar huis. Ik miste jullie.'

'Nou, fantastisch,' zei Stephanie terwijl ze zich losmaakte uit zijn armen. 'Dan kun je Finn mooi helpen met zijn huiswerk.'

'En,' vroeg ze toen ze aan tafel zaten voor het eten, 'hoe was je week?'

'O, goed hoor,' antwoordde hij. Hij liet zich niet kennen. 'En de jouwe? Is Meredith nog altijd zo'n nachtmerrie?'

Hoorde ze dat nou goed? James informeerde nooit naar haar werk. Helemaal nooit. Dat hij überhaupt nog wist dat ze een klant had die Meredith heette was al een wonder.

'Hou alsjeblieft op over Meredith.'

James lachte. 'Nee, nu wil ik het horen. Heeft ze geprobeerd om je te versieren?'

Mijn god, dacht Stephanie, hij moet wel erg wanhopig zijn, als hij het niet over zichzelf wil hebben.

En dus vertelde ze hem over het groene gewaad – ze haalde hem zelfs nog uit de gele draagtas om haar verhaal kracht bij te zetten – en hij lachte en zei dat Meredith er waarschijnlijk uitzag als een begroeide heuvel in dat ding. Heel even was Stephanie vergeten wat er eigenlijk met hen aan de hand was, maar toen ze zich weer realiseerde hoe gemakkelijk het voor hem moest zijn om te doen alsof er niets aan de hand was, alsof ze een doodnormaal stel waren aan het einde van hun werkdag, alsof hij helemaal geen minnares had ergens op het platteland, alsof zijn hele leven niet één grote leugen was, schrok ze toch weer.

'Maar goed,' zei ze terwijl ze de jurk weer in de tas stopte, 'ik kan maar beter zorgen dat er geen kreukels in komen, voor het geval ik hem toch terug moet brengen.'

18

KATIE HAD EEN GOEIE DAG. Hij was niet zo best begonnen. Ze was behoorlijk vrolijk over de gebeurtenissen tijdens het etentje, dat wat haar betrof niet beter had kunnen verlopen. James zo over zijn toeren te zien had haar onverwacht veel plezier gedaan, tot haar schande en vreugde. Ze dacht dat ze misschien medelijden voor hem zou moeten voelen of dat ze haar eigen rol in zijn tragikomische afgang zou moeten opbiechten, maar ze ontdekte dat ze een goed verstopt hart van staal bezat als het erop aankwam, en dat ze onbewogen had kunnen toezien hoe hij ongelukkig door het huis sjokte. Maar vanochtend, toen ze afscheid namen voor de komende drie dagen, drong het feit tot haar door dat haar relatie – die tot een paar weken geleden nog zo perfect had geleken – over was. Dus huilde ze tegen zijn schouder, en hij, ontzettende stomkop, had gedacht dat ze dat deed omdat ze hem zo zou missen, hoewel dat in zekere zin ook zo was.

Hij had haar op haar kruin gekust. 'Ik ben er zondag toch alweer, raar meisje,' had hij gezegd, en Katie dacht hoe bevoogdend dat eigenlijk klonk. Ze was meteen opgehouden met huilen, en ze wist ook meteen weer waarom ze had gedaan wat ze had gedaan.

Zodra hij weg was had ze lusteloos door haar post gebladerd, waar kaartjes bij zaten van Hugh en Alison ('Wat een enige avond. Moeten we snel weer eens doen.') en van Sam en Geoff ('Reusachtig bedankt, als altijd!'). Geen van beide kaartjes repte over het akelige einde van het etentje, en ze wist ook wel dat geen van haar vrienden dat ooit zou doen. Ze zouden gewoon oplossen aan de horizon en uiteindelijk een stel andere arme sufferds in hun exclusieve eetclubje opnemen. Met een beetje mazzel zou ze geen van hen ooit meer hoeven te spreken, behalve dan een groet in het postkantoor.

Ze zou Richard en Simone nog het meeste missen – die waren tenminste niet zo heel veel ouder dan zij, en ze had nog wel iets met hen gemeen – maar ze zouden de hele geschiedenis waarschijnlijk hilarisch vinden. Katie wist zeker dat als ze Simone zou bellen voor een borrel, als dit allemaal achter de rug was, die zeker ja zou zeggen. In de tussentijd was ze absoluut niet van plan om contact op te nemen, omdat ze wist dat James zich te erg schaamde om de eerste stap te zetten, en ze wilde dat hij zou lijden onder het verlies van zijn vrienden.

Ze keek om zich heen in haar kleine huisje, en dacht eraan hoe heerlijk het zou zijn als ze het huis weer helemaal voor zichzelf had. Ze zou misschien lila verf kopen, of lichtroze, en de zitkamer opfrissen door een muur te schilderen in een kleur die James nooit zou goedkeuren. Ze kon de hele dag kaarsen laten branden als ze daar zin in had, zonder dat hij dan zou zeggen dat het binnen naar een kerk rook. Stanley mocht dan gewoon weer op de bank zitten. Toen er werd aangebeld, een paar minuten voor tien, had ze het hele huis in haar hoofd opnieuw ingericht en was ze helemaal vergeten dat Owen zou komen.

Ze ging op de automatische piloot aan de slag ('Hoe gaat het met slapen?', 'Mag ik je tong even zien?'), en vreesde het komende uur, waarin ze weer zou moeten luisteren naar Owens eeuwige geklaag. Maar hij had een verrassing. 'Ik ga verhuizen,' zei hij plompverloren.

'Echt waar? Wat goed!' Owen had altijd zo vurig betoogd dat hij zich niet uit zijn huis liet verjagen, hoe hopeloos zijn situatie ook mocht zijn.

'Ik heb een huisje gekregen in Springfield Lane. Het is maar een huurhuisje, maar goed, het is een begin.'

'Hoe komt dat zo?' vroeg Katie.

'Het komt door wat jij verleden week tegen me zei. Over dat negatieve energie je kan stukmaken, als je niet oppast.'

'Maar dat zeg ik al maanden tegen je.'

Owen haalde een hand door zijn haar. 'Ik denk dat ik verleden week pas echt heb geluisterd. Maar goed, ik moet je bedanken. Zodra ik de knoop had doorgehakt voelde ik me meteen zoveel beter over mezelf. Precies zoals jij al had voorspeld. Ik had het gevoel dat ik het heft in eigen handen nam.'

Katie voelde zich net een trotse moeder die haar kind voor het eerst zonder zijwieltjes ziet fietsen. 'Jeetje,' zei ze. 'Knap, man.' Ongelofelijk, dat ze iemand bij zoiets belangrijks had kunnen helpen, ook al was haar bijdrage nog zo klein.

Ze wist dat gevoel vast te houden, hoewel Owen vervolgens vertelde dat hij bij het inpakken van zijn spullen alles wat van zijn vrouw was geweest over de muur had gekeild, na het eerst te hebben verscheurd of anderszins toegetakeld. Een van haar spullen, een Moorcroft-vaas die Miriam van haar moeder had gekregen toen ze pas getrouwd waren, en die hij in een doos op zolder had gevonden, was dwars door het glas van Teds serre gevlogen.

'Maar was die niet heel duur?' vroeg Katie, die niet precies wist wat ze moest zeggen.

'Net goed. Ik heb ze daar een keer zien staan kleffen toen ik over de muur keek. Gewoon zomaar, in het zicht. Het kon ze niks schelen dat de gordijnen open waren,' zei Owen door zijn op elkaar geklemde tanden.

Katie lachte. 'Ik bedoelde eigenlijk de vaas.'

'O, ja, dat zal wel.'

Ondanks de aankondiging van zijn verhuizing leek het er toch weer op dat hun gesprek de gebruikelijke weg insloeg ('Het is een kutwijf, hij is een klootzak.'), maar Katie vroeg hem om iets te vertellen over zijn nieuwe huis, en wat hij er allemaal mee van plan was. Dat veranderde Owens bui, en zijn hervonden optimisme was er weer. De rest van het uur hadden ze het over kleurenschema's en wat je op de vloer zou kunnen leggen, en ook al zou Katie liever weg zijn gegaan terwijl de naalden hun magische werk deden, zoals ze bij andere klanten altijd deed, ging het uur toch aanmerkelijk plezieriger voorbij dan anders.

'Misschien,' opperde Katie aan het eind van de sessie, 'kan je wel weer een baan vinden als je eenmaal bent gesetteld in je nieuwe huis.' Ze zei niet wat ze eigenlijk had willen zeggen, namelijk: 'En dan kun je mij al het geld dat ik nog van je krijg betalen', maar ze nam aan dat hij dat wel begreep.

'Ja,' zei Owen. 'Wie weet? Misschien.'

Toen hij weg was trok ze haar jasje aan en reed naar de doe-het-zelfzaak net buiten Lincoln, waar ze kleurenstalen meenam voor pastelkleurige verf, en vervolgens reed ze naar de kiosk, waar ze een stapeltje woningtijdschriften kocht. Het kon geen kwaad eens wat nieuwe ideeën op te doen.

'Ik ben moe. Misschien moeten we maar niet gaan – dan kunnen we vroeg naar bed.'

'Maar ik heb al kaartjes,' zei Stephanie met een onschuldig glimlachje. 'Je zit al eeuwen te zeuren dat je hem zo graag wilt zien! Ik dacht nog wel dat het zo'n leuke verrassing was.'

'Dat is het ook. Het is echt heel lief van je, maar ik trek het nu gewoon niet. Waarom proberen we niet of we die kaartjes nog kunnen ruilen voor een andere avond?'

Stephanie trok een gekwetst gezicht. 'Cassie komt om op te passen. Toe nou, James. Ik ga bijna nooit meer uit.'

James wreef over zijn voorhoofd. 'Oké dan,' zei hij. 'Hoe laat begint het?'

Victorie! Wat James natuurlijk niet kon weten was dat zij wist dat hij eerder die week al met Katie naar diezelfde film met Will Smith was geweest. Katie had haar tijdens een van hun telefoongesprekken verteld dat ze naar de bioscoop waren gegaan zodat hij wat afleiding had van het rampendinertje. Ze had ook nog gezegd dat James na afloop opmerkte dat hij nog liever zijn ogen met een scheermesje zou bewerken dan dat hij deze shitfilm nog een keer moest zien.

'Geweldig,' zei Stephanie. 'Ik ga gelijk reserveren.'

'Weet je,' zei hij vlak voordat ze weg zouden gaan, 'ik heb gehoord dat het eigenlijk helemaal niet zo'n goeie film is.'

'Van wie heb je dat gehoord?' wilde Stephanie weten.

'O, ik herinner me dat ik ergens een slechte recensie heb gelezen. Ik weet niet meer waar.'

'Ach, alles krijgt wel eens ergens een slechte recensie. Wanneer ben jij voor het laatst naar een film geweest die alleen maar juichende recensies kreeg?'

Ze wist dat hij dolgraag zou willen zeggen: 'Het is een klotefilm, ja? Ik heb hem al gezien', maar dat kon niet, omdat hij dan moest uitleggen waarom hij dat niet al had verteld aan de telefoon. Dan had hij namelijk een verhaal moeten verzinnen over met wie hij daar naartoe was geweest. James deed altijd net alsof hij totaal geen sociaal leven had in Lower Shippingham, los van af en toe een snelle borrel in de pub met Malcolm of Simon. Dus gromde hij nu maar, en zei: 'Ja, je hebt gelijk', en stak toen verongelijkt zijn arm in de mouw van zijn jasje.

Eenmaal in de bioscoop vroeg Stephanie zich af of ze zichzelf nu niet nog erger strafte dan hem. Er kwam geen einde aan die film. Het enige wat haar humeur overeind hield was de manier waarop James zat te zuchten en te steunen. Toen de film ongeveer een halfuur bezig was, leunde hij naar haar toe en zei dat ze ook gewoon lekker een pizza konden gaan eten, maar ze weigerde. Ze wilde graag het einde zien, want 'misschien wordt het nog wat'.

'Ik denk het niet hoor,' zei hij gepikeerd.

'Nou,' zei ze, 'hoop doet leven.'

'Nou ja,' zei ze toen de film was afgelopen en ze in de taxi onderweg naar huis waren, 'dat konden we toch ook niet weten, dat het zo beroerd zou aflopen?'

James zweeg.

'Toen rolde hij met zijn ogen; ze verdwenen bijna helemaal in zijn hoofd.'

Stephanie hoorde Finn praten aan de telefoon toen ze de trap af holde. Ze hoorde hem overgaan toen ze in de badkamer bezig was, en ze had nog geroepen: 'Laat maar, ik neem hem wel', maar het was al te laat. Ze had geen idee tegen wie hij sprak – het kon evengoed zo'n telefonische verkoper zijn als een bekende: het maakte hem niet uit bij wie hij de vreselijke verhalen over het vroegtijdig overlijden van Spike kwijt kon.

'Zijn tong hing er helemaal uit,' zei hij terwijl zij de telefoon van hem overnam.

'Wie is het?' siste ze.

'Oma,' antwoordde Finn met een blik alsof hij wilde zeggen: 'Wie anders?'

'Ga jij nou maar eens beginnen aan dat Vikingenproject van je. Dan kom ik je zo wel helpen,' zei Stephanie met haar hand over de telefoon. 'Hallo Pauline, hoe is het ermee?'

'O, al een stuk beter sinds ik Finns verhaal over de hamster van zijn vriendje heb mogen aanhoren,' zei haar schoonmoeder lachend.

Stephanie was dol op haar schoonouders, wat het cliché ook voorschreef in dit verband. De eerste keer dat ze met James mee naar huis ging – maanden nadat ze verkering hadden gekregen, en onder luid protest van James die beweerde dat hij 'dat familiegedoe' niet zag zitten – had hij zich uitgeput in excuses. Dat het huis zo klein was, en dat zijn vader en moeder zo'n burgerlijke smaak hadden. Ze had hem uitgelachen; hij had haar eigen familie nog niet ontmoet, hij leek te denken dat die uit de betere kringen kwamen, stinkend rijk. Dat had hij verkeerd gegokt, want ze hadden bepaald niet veel geld, en met die betere kringen viel het ook nogal mee, maar later had ze beseft dat zijn aanname meer iets zei over hem dan over haar. Hij schaamde zich voor zijn afkomst.

James had zo'n treurig beeld geschetst van zijn familie, dat Stephanie dacht dat ze het verkeerde adres hadden toen ze de auto parkeerden bij een keurig, halfvrijstaand huis. Oké, het was wel in zo'n nieuwbouwwijk waar alleen maar dezelfde huizen stonden, maar al die huizen stonden er netjes bij. Ze keek om zich heen, op zoek naar graffiti, naar verwilderde jeugd, naar drugshandelaren, want ze had aangenomen dat James daarop doelde in zijn omschrijvingen van de buurt waar hij was opgegroeid, maar het enige dubieuze dat er te zien viel was hier en daar een tuinkabouter en een lelijk stenen muurtje. James' moeder, Pauline, en zijn vader, John, hadden de deur opengegooid en hun enige zoon vervolgens bijna gesmoord in hun omhelzing. Daarna hadden ze Stephanie welkom geheten alsof ze de dochter was die ze altijd al zo graag hadden willen hebben.

'Het zijn kleine mensen,' had James tegen haar gezegd in de auto naar huis. 'Kleine mensen, met kleine levens.'

'Ze zijn hartstikke aardig,' zei zij toen, want ze voelde de behoefte om vooral voor Pauline op te komen. 'Ze zijn ontzettend trots op jou, hoor.'

'Dat weet ik wel,' zei hij iets milder. 'Ik ben de enige van de kinderen van hun vriendenkring die naar de universiteit is gegaan. Hebben ze iets om over op te scheppen.'

'Nou, ik vond ze anders hartstikke lief,' zei ze, en toen zette ze de radio aan, ten teken dat hun gesprek wat haar betrof voorbij was.

In de daaropvolgende jaren greep Stephanie elke mogelijkheid aan om tijd door te brengen met haar schoonouders. Pauline was precies zoals een moeder zou moeten zijn: warm, liefhebbend en zorgzaam, altijd in de weer met schaaltjes vol koekjes en kopjes thee om je te verwennen. Stephanie twijfelde er niet aan dat haar eigen ouders veel van haar hielden, maar dat lieten ze nooit zien. Ze waren geïnteresseerd, maar hielden een emotionele afstand. Pauline, daarentegen, overstelpte je altijd met zoenen en knuffels en schatje en popje. Het was net een grote, lieve, levende teddybeer.

John was al net zo. Hij was ongelofelijk sentimenteel, en huilde al bij een ontroerend stukje in de krant over een verdwaald kind of een in de steek gelaten hondje, iets wat James gênant vond, maar waar Stephanie hem wel om kon zoenen.

Toen Finn werd geboren was John eindeloos in tranen. Snikkend en lachend tegelijk hield hij zijn kleinzoon in zijn armen. Stephanies eigen ouders, die omkwamen in de kleinkinderen van haar oudere broer en zusjes, waren er ook, maar zij pruttelden niet echt gemotiveerd tegen Finn, het was meer alsof ze hem opbelden voor hypotheekadvies. Stephanie had altijd al verlangd naar wat meer ongebreidelde emotie in haar leven. En die had ze nu dus gekregen.

Het laatste wat ze zou willen was Pauline en John vertellen dat de relatie tussen haar en James voorbij was, hoewel ze aannam dat die dat al best een poosje in de gaten hadden. In de tussentijd wist ze dat Pauline er verdriet van had dat James hen nooit had uitgenodigd om eens naar Lincolnshire te komen, en ze had besloten dat het tijd was om dat eens recht te zetten. Ze vond het niet prettig dat ze hen in moest zetten in haar campagne tegen hun zoon, maar ze zou ervoor zorgen dat ze er nooit achter kwamen – ze was zelfs vastbesloten dat ze het naar hun zin zouden hebben.

'Ik heb een ideetje,' zei ze door de telefoon. 'James zegt altijd dat hij het zo leuk zou vinden als jullie hem eens zouden bezoeken, op het platteland…'

'Echt waar?' vroeg Pauline, en de blijdschap die doorklonk in haar stem gaf Stephanie een scheut schuldgevoel. Moest ze dit wel doorzetten? Kon ze er maar zeker van zijn dat James aardig zou doen tegen zijn ouders als ze bij hem op de stoep stonden. Ze besloot ter plekke dat het te wreed zou zijn als ze hen bij wijze van verrassing op hem af stuurde, ook al zou James daar het meest onder lijden. Maar ze wist ook dat als ze hem zou vertellen dat ze kwamen, hij hen zou bellen om te zeggen dat hij het veel te druk had, en of ze niet gewoon het weekend naar Londen konden komen.

'Misschien hebben John en jij wel zin in een paar daagjes Lincolnshire,' verzon ze. 'Dan boeken we een leuk hotelletje voor jullie ergens in de stad, want die flat boven de praktijk is veel te krap. En dan zitten jullie tenminste niet in Lower Shippingham als James aan het werk is. Er is een mooie kathedraal in de stad. Zie het als een korte vakantie.' Perfect. Ze zouden dichtbij genoeg zijn om James flink de stuipen op het lijf te jagen, maar ook weer niet zo dichtbij dat ze Katie automatisch tegen zouden komen. Katie zou er uiteraard wel degelijk voor zorgen dat dat zou gebeuren, maar dat kon James natuurlijk nooit weten.

'Komen Finn en jij dan ook?' vroeg Pauline hoopvol.

Stephanie had zich al vaker afgevraagd of Pauline haar soms een slechte echtgenote vond omdat ze James de halve week in zijn eentje liet zitten, hoewel ze dat nooit zou zeggen. 'Nee, Finn moet naar school.'

'Als we nou wachten tot de schoolvakantie – dan gaan we gezellig met zijn allen.'

'Weet je wat?' zei Stephanie, 'als jullie daarna hier komen? Jullie kunnen met James meerijden, en dan blijven jullie hier een paar dagen logeren. Gezellig! Wat zeg je van volgende week?'

'Jeetje,' zei Pauline, die klonk als een opgewonden schoolmeisje. 'Dat klinkt heerlijk. Ik heb het er even over met John, en dan bel ik je terug.'

Stephanie hing op. Het was bijna te gemakkelijk.

19

'**H**OE BEDOEL JE, ZE KOMEN MAANDAG?'
James realiseerde zich dat hij schreeuwde, en hij nam
aan dat Stephanie zijn reactie overdreven vond. Maar
hij kon zich niet inhouden. Dit kon toch niet waar zijn? Stephanie
had hem verteld dat zijn moeder had gezegd dat hij hen nog nooit
had uitgenodigd en toen had ze zo'n medelijden met haar, dat ze hen
had voorgesteld deze week naar Lincoln te komen.

'Wat had ik dan moeten doen?' vroeg ze. 'Ze denkt volgens mij dat
jij je voor haar schaamt, en ze was er zo verdrietig om. Wat maakt het
jou nou uit, man, als ze een paar dagen in de buurt zijn?'

'Maar ik ben aan het werk,' antwoordde hij, zich vastgrijpend aan
strohalmen. 'Ik heb helemaal geen tijd om me met ze bezig te houden.'

'Precies,' zei Stephanie. 'Daarom heb ik ook een hotel voor ze geboekt in Lincoln. Dan kunnen ze zichzelf daar overdag bezighouden.
En zelfs als je 's avonds moet werken zijn er daar genoeg restaurantjes
waar ze naartoe kunnen. Of ze gaan naar het theater. Dan hebben ze
in elk geval het gevoel dat ze welkom zijn, en je hoeft ze misschien
maar één keertje te zien. Daarna neem je ze mee naar hier, en dan zal
ik ze flink in de watten leggen.'

'Misschien,' zei James kwaad. Hij zag wel in dat Stephanie gelijk
had. Door het zo aan te pakken hoefde hij zich in elk geval de komende
jaren geen zorgen te maken dat ze weer naar een uitnodiging gingen
vissen. Hij voelde zich soms best schuldig over de manier waarop hij
met zijn ouders omging. Hij hield van hen, echt waar, en met de jaren
was hij ook heus wel gaan waarderen hoeveel ze voor hem hadden
gedaan. Maar als hij bij hen was werd hij op de een af andere manier
meteen weer die mokkende puber die uitviel naar zijn moeder als ze

informeerde naar zijn werk, en die haar hooghartig terechtwees als ze een woord verkeerd gebruikte. Van een afstandje hield hij veel meer van ze. Als hij Stephanie haar zin gaf wat dit plan betrof, was dat een win-winsituatie: dan konden zijn ouders hun vrienden melden dat hun verloren zoon hen had uitgenodigd om een paar dagen te komen logeren, en hij zou een goed gevoel overhouden aan het gebaar zonder dat hij zich ook echt met hen bezig hoefde te houden, 's avonds. Hoe meer hij erover nadacht, des te genialer vond hij Stephanies plan.

'Je hebt gelijk,' zei hij. 'Het is inderdaad een geweldig idee.'

Katie had zaterdag allerlei dingen voor zichzelf gedaan. Zo zou het voortaan altijd zijn, had ze besloten. Zij kwam zelf op de eerste plaats, en de rest moest maar wachten. Ze had altijd andermans behoeften voorrang gegeven – die van James, haar vrienden, haar klanten, mensen die ze hooguit een keer eerder had ontmoet, bij de bank of zo. Het maakte niet uit wie, haar natuurlijke instinct was altijd om hen te helpen. 'Jij bent echt zo'n watje,' had haar moeder wel eens gezegd nadat ze geld dat ze eigenlijk niet kon missen had uitgeleend aan een buurvrouw die dat, zoals ze zelf eigenlijk ook wel wist, nooit meer terug zou betalen. Nou, die tijd was voorbij.

Om te beginnen liet ze haar haar verven en steil maken. James was gek op haar lange blonde krullen. Het was het eerste wat hem aan haar opviel, en hij kon er uren mee liggen spelen. De chemische troep deed onwijs pijn, maar de blik op zijn gezicht was het ongetwijfeld waard. Eerlijk gezegd paste dat hele steile helemaal niet bij haar, maar dat kon haar niet schelen. Het was maar haar. Over een paar maanden was het weer uitgegroeid. Ze had eerst nog overwogen om het zwart te laten verven – ze had altijd al zo graag donker en mysterieus willen zijn – maar dat zou waarschijnlijk net iets te ver gaan. Ze wilde James pas dumpen als ze daar zelf klaar voor was. Dus liet ze zich ompraten door de kapster en ging ze voor de dieprode tint die hij 'een kleur voor een vuurgodin' noemde. Steil, rood haar, net als Stephanie. Ze moest lachen toen ze zichzelf in de spiegel zag. Als hij zich hier geen ongeluk van zou schrikken…

Toen ze klaar was bij de kapper, was ze doodmoe van al die uren stilzitten in de stoel, en dus liep ze door naar beneden, waar de schoonheidssalon zat. Gelukkig had er iemand afgebeld en was er plek. Ze trakteerde zichzelf op een massage en een gezichtsbehandeling, waar ze een rozig babyhuidje aan overhield. Op weg naar huis kocht ze nog wat tijdschriften – roddelblaadjes met verhalen over beroemdheden en hun strijd tegen de overtollige pondjes en over wie het met wie deed – en een paar biologische worstjes met kant-en-klare aardappelpuree voor het avondeten. Ze stuurde James een sms'je om te zeggen dat ze bij haar moeder zat, legde haar vaste telefoon naast de haak en zette haar mobieltje uit. Toen schonk ze een glaasje wijn in, voerde Stanley een biefstuk die James voor zichzelf in de vriezer had gedaan en die ze die ochtend had ontdooid, en kroop toen in de grote leunstoel in haar zitkamer.

Stephanie had eerder die dag gebeld om de volgende stap van het plan te onthullen. Katie kon zich nog precies de dag herinneren dat James haar vertelde dat hij geen contact meer had met zijn ouders. Ze waren toen nog niet zolang bij elkaar, en ze was diep geraakt door zijn pijn. Hij had er alles aan gedaan om het weer goed te maken, vertelde hij, maar zijn ouders wilden niet toegeven; toen had hij de moed maar opgegeven. Hij moest het loslaten, zei hij met een droevige blik, anders zou hij er nog aan onderdoor gaan. Toen ze door had gevraagd wat precies de reden was van hun ruzie, had hij een gecompliceerd verhaal opgehangen over dat zijn moeder partij had gekozen voor Stephanie na de scheiding, omdat zij vond dat het egocentrisch van hem was dat hij per se de halve week in het noorden wilde zijn. 'Ze zei dat ze vond dat ik meer om mijn carrière gaf dan om mijn gezin.'

'Maar jullie zijn alleen maar naar Londen verhuisd vanwege *Stephanies* carrière!' had Katie toen verontwaardigd uitgeroepen.

'Precies, ja,' zei James toen. 'Ik wilde dat nog tegen haar zeggen, maar ik wilde niet alle schuld op Steph afwentelen. We hebben allebei evenveel schuld.'

'Je bent toch zo ontzettend aardig,' had Katie gezegd, en nu ze daaraan terugdacht moest ze hardop lachen.

'Dus, we kregen uiteindelijk slaande ruzie. Mijn moeder heeft gezegd dat ik haar verschrikkelijk teleurgesteld heb, en mijn vader viel haar bij, en zei dat ik iedereen verdriet heb gedaan doordat ik mijn huwelijk heb stukgemaakt. Ik ben maar weggegaan voordat ik nog iets zei waar ik spijt van zou krijgen. Sindsdien heb ik ze niet meer gesproken.'

Katie had over zijn haar geaaid. 'Arme lieverd.'

'Zolang Finn zijn opa en oma nog maar kan zien, dat is het enige wat me nog iets kan schelen. Ik ben een volwassen vent. Ik kan best zonder mijn ouders.'

'Ik zou het niet trekken als ik mijn moeder nooit meer zag,' had Katie gezegd. 'Ik mag hopen dat Stephanie waardeert wat je voor haar hebt gedaan.'

James had geforceerd gelachen. Op dat moment dacht ze dat hij lachte om niet te huilen. 'Nou, dat waag ik te betwijfelen.'

Bij een paar andere gelegenheden waarbij zijn jeugd of zijn ouders ter sprake kwamen, had ze sterk de indruk gekregen dat zijn ouders erg veeleisend waren, en dat hij het nooit goed genoeg deed in hun ogen.

'Maar je bent dierenarts,' zei ze. 'Veel indrukwekkender dan dat kon toch helemaal niet?'

'Dat vinden zij anders niet. Ik zou niet weten wat ik moest doen dat wel hun goedkeuring kan wegdragen.'

Dus toen Stephanie vertelde dat James tenminste één keer per week eindeloos aan de telefoon hing met een van zijn liefhebbende ouders en dat Pauline, zijn moeder, altijd trots sprak over 'mijn zoon, de dierenarts' tegen wie het maar horen wilde, was ze een beetje van slag. Nu begreep ze waarom hij er zoveel belang aan hechtte dat zijn ouders hier nooit op bezoek zouden komen: dan zou zijn hele dubbelleven eraan gaan – maar het was zo'n ingewikkelde leugen, en hij had het zo vergenoegd zitten vertellen. Stephanie zei dat het doodgoeie mensen waren, en dat ze hun bezoekje volgende week heel zorgvuldig moesten plannen, zodat John en Pauline er niet onder zouden lijden. Katie ging daar maar al te graag mee akkoord. Ze had geen enkele behoefte om gemeen te zijn tegen mensen die ze niet eens kende, en die kennelijk ook gewoon het slachtoffer waren van James' bedrog. Ze had medelijden met hen.

20

FLUFFY O'LEARY LAG UITGESPREID OP de operatietafel, met een slappe tong die buiten haar bek hing terwijl de verdoving zijn werk deed. Het was een doodgewone operatie, eentje die James al honderden keren had gedaan. Oké, Fluffy was wat ouder dan de gemiddelde poes die hij moest steriliseren, maar haar baasje, Amanda O'Leary, was ervan overtuigd dat ze toe had moeten geven aan Fluffy's natuurlijke instincten en dat ze haar minstens een nestje kittens moest gunnen voordat de poes zo wreed van haar vrouwelijkheid zou worden beroofd. Fluffy had uiteraard gepaard met een mannelijk familielid dat waardig werd geacht, en had vervolgens een zwikje te magere, ziekelijke kittens gebaard met rode, dichtgeknepen oogjes en loopneusjes. Ongetwijfeld een symptoom van overmatige inteelt.

James was al nooit zo dol geweest op Fluffy. De naam suggereerde iets wolligs en gezelligs, maar de kat zelf was precies het tegenovergestelde en had de neiging om te bijten en te krabben als hij ook maar een beetje bij haar in de buurt kwam. Toch bewonderde hij haar omdat ze zo snel na de geboorte van haar vijf baby'tjes alweer zo sierlijk en gespierd was. Jammer dat dat bij vrouwen niet zo ging, dacht hij. Maar toen moest hij zichzelf streng toespreken: was hij echt zo oppervlakkig geworden? Waarschijnlijk wel, dacht hij.

Hij kon maar niet wennen aan Stephs striae en aan dat zachte buikje dat ze had sinds de geboorte van Finn. Wat was het leven van een dier dan gemakkelijk, eigenlijk. Je zag bijna nooit een hond die geen zin had om te paren omdat het teefje een beetje cellulitis op de dijen vertoonde. Toch was het bij Steph vooral allemaal zo anders geworden doordat zij zich er plotseling zo scherp van bewust leek te zijn van wat hij allemaal dacht. Ze kleedde zich ineens om met haar rug naar hem toe, of zelfs in de badkamer, met de deur dicht. Het was juist die onzekerheid die hem zo afstootte, en niet de veranderingen aan haar lichaam. Als hij dan toch opgewonden was, gaf hem dat een onbehoorlijk, vies gevoel, iets om je voor te schamen. Katie was daarentegen nog zo heerlijk ongeremd. Een vrouwtjeshond zou nog niet met haar ogen knipperen als haar partner ook over alle andere teefjes in het land heenging. Dieren waren vaak veel verstandiger dan mensen.

Zulke gedachten had hij vaak als hij stond te opereren. Dan schrok hij op als de assistente hem een naald voorhield zodat hij de incisie weer dicht kon naaien en de hele operatie alweer achter de rug was zonder dat hij er iets van had gemerkt. De eerste keer dat hem dat overkwam had hij dagenlang lopen piekeren of er misschien iets mis was gegaan. Maar hij accepteerde dat dit zijn manier was om met de sleur om te gaan. Hij desinfecteerde zijn handen, controleerde of Fluffy al bijkwam en liep naar boven, naar de receptie, om even te bellen voor hij zijn volgende patiënt zou begroeten.

Zijn ouders zouden maandagmiddag aankomen en hij moest Sally van de andere kliniek bellen om te zorgen dat zij zijn afspraken afbelde, zodat hij naar hen toe zou kunnen, en dan toch nog op tijd thuis was, zodat Katie zich niet zou afvragen waar hij uithing. Voor de maandagavond had hij kaartjes voor een toneelstuk, *Het Belang van Ernst*, voor hen gereserveerd. Hij had hun gezegd dat hij dienst had, en dat hij dus niet mee kon. Zij begrepen natuurlijk best dat hij niet weg kon lopen uit de voorstelling als hij zou worden opgepiept. Nu moest hij alleen nog iets zien te verzinnen zodat hij hen dinsdagavond kon zien, en dan was hij safe. Hij zou dinsdag een lange lunchpauze nemen en met hen naar een pub rijden, en dan zou hij ze woensdag oppikken bij hun hotel, zodat ze met hem mee konden rijden naar Londen. Hij wist dat ze teleurgesteld zouden zijn als ze Lower Shippingham niet te zien kregen, en dat ze zijn collega's niet zouden ontmoeten. Maar daar stond tegenover dat ze het heerlijk zouden vinden om hem weer eens te zien, en dat hij de moeite had genomen om tijd met hen door te brengen. Hij begon zich er bijna op te verheugen.

'Ik heb Sam McNeil net gesproken,' zei Sally zodra ze zich realiseerde wie ze aan de lijn had. 'Ze kan er nog steeds niet over uit dat jij je eten bij Le Joli Poulet had gekocht en dat je net deed alsof je het zelf had gemaakt. Mijn god, hoe was het eigenlijk toen ze erachter kwamen?'

James wist meteen weer waarom hij Sally eigenlijk niet mocht, en waarom hij maar snel iemand moest zoeken om haar te vervangen. 'Wil jij alles annuleren wat er voor mij staat op maandagmiddag? Kijk maar of Malcolm en Simon kunnen overnemen wat je echt niet af kunt zeggen.'

'Hoezo? Wat ga je dan doen?' vroeg ze, en hij dacht: ik moet dit mens echt ontslaan, wat een draak.

'Dat gaat jou niets aan,' zei hij onvriendelijk. 'Doe maar gewoon wat ik zeg.'

Hij hing op zonder dag te zeggen, en zijn goede humeur was naar de haaien.

Met Mandee Martin was het veel gemakkelijker zakendoen dan met hun andere BAFTA-klanten, vonden Stephanie en Natasha. Mandee schreef haar naam niet met een y, maar met twee e's, om zichzelf te onderscheiden van een andere Mandy, die ook om een duistere reden beroemd was. Beide meisjes wilden graag van hun achternaam af, zodat ze alleen onder hun voornaam bekendstonden. Momenteel leek Mandy met een y op winst te staan, aangezien er de afgelopen weken twee keer een artikeltje over haar in de krant stond. Eerst een onder de kop 'Geen Man Voor Mandy', waarin ze zich beklaagde over haar gebrek aan een minnaar, en toen een stukje onder het kopje 'Handy Mandy', waarin stond dat ze in een tuinbroek zonder iets eronder verf was gaan kopen. Mandee zag dat er nog wel mogelijkheden voor haar lagen als 'Mandee's Dandy', als ze zich zou laten fotograferen met een zwierig heerschap aan de arm, of misschien als 'Maffe Mandee', hoewel dat eigenlijk niet zo aardig klonk. Natasha en Stephanie begrepen eigenlijk niet waarom ze geld wilde neertellen voor het advies van een styliste, maar Mandy met een y had er eentje, dus zij wilde niet achterblijven. Mandee had hun opgedragen om iets voor te stellen waarmee ze zeker in de krant zou komen. Het kon haar niet schelen wat (Natasha had nog geopperd dat ze een bivakmuts op zou doen en een bowlingbal met een brandend sterretje erin en het woord BOM erop geschilderd mee zou torsen, maar daar zag Mandee de grap niet van in). Stephanie vond het maar zozo dat ze Mandee als klant hadden, maar Natasha had haar verzekerd dat er geen enkel risico was dat een journalist Mandee ooit zou vragen wie haar styling deed, dus dat ze het geld maar beter konden pakken.

Ze stonden in Agent Provocateur, waar Mandee het allerkleinste lingeriesetje aanpaste waarin ze nog kon rondlopen zonder gearresteerd te worden. Stephanie hoopte dat niemand Finn, als hij wat ouder was, zou vertellen dat zijn moeder ooit een negentienjarig meisje had aangemoedigd om een hele avond min of meer in haar blote kont rond te lopen.

'Misschien moet jij ook zoiets kopen,' zei Natasha terwijl ze een prachtige string omhooghield, met een bijpassend beugelbehaatje. 'Dan heeft James in ieder geval iets om over na te denken.'

'Hij ziet het waarschijnlijk niet eens,' zei Stephanie mistroostig.

'Ik heb gehoord dat je je man nooit het huis uit moet laten gaan voor je hem hebt gepijpt,' zei Mandee opgewekt. 'Want zelfs als hij dan een heel mooie vrouw tegenkomt, komt hij niet in de verleiding om vreemd te gaan. Want hij weet wat hij thuis heeft zitten.'

'Joh, jij moet relatietherapeute worden,' zei Stephanie. 'Mannen zullen in de rij staan om hun vrouw naar je toe te slepen als ze weten dat jij dit soort adviezen voor ze in petto hebt.'

'Nou, ik heb het ook maar uit een blad.'

'Weet je wat, als we dit gesprekje over een paar jaar nou nog eens overdoen. Als jij een stel kinderen hebt en je man zijn neusharen verwijdert met jouw pincet.'

'Ah nee, hè, doet James dat dan?' vroeg Natasha vol walging aan Stephanie.

'Martin doet het ook, dat weet je best. Alleen is jouw relatie nog niet zo ver heen dat hij het doet waar je bij bent.'

'Je moet werken aan je relatie. Je moet er veel moeite in steken.' Mandee stond met haar handen in haar zij, zich er niet van bewust dat voorbijgangers haar vanaf de straat in haar ondergoed zagen staan.

Dat schoot Stephanie in het verkeerde keelgat. 'Zeg, hoeveel relaties heb jij ook alweer precies achter de rug, Mandee? En dan heb ik het over echte relaties, en niet over al die vluggertjes met kerels die je niet eens om hun naam hebt gevraagd.'

'Steph.' Natasha keek haar waarschuwend aan.

Maar Mandee bleef onaangedaan. 'Nee, is niet erg,' zei ze. 'Ik heb al sinds mijn veertiende hetzelfde vriendje. En ik ben nog nooit met iemand anders naar bed geweest.'

'Echt waar?' Stephanie liep rood aan. 'Shit, sorry.'

'Maakt niet uit, joh. Iedereen gaat er altijd automatisch van uit dat ik een stoepsnol ben. Dat ben ik wel gewend.'

'En… doe jij dat dan ook… voordat hij de deur uitgaat?' wilde Natasha weten.

'Nee, joh, doe normaal. Ik zei toch, dat heb ik in een of ander blad gelezen.'

'Mandee, wil je nou echt in dit soort kleren lopen? Ik bedoel, waarom gaan we niet gewoon naar een mooie jurk op zoek?' Stephanie wreef in haar ogen. Als ze iedereen zo bleef beledigen, hadden ze binnenkort geen klant meer over.

'Vind je niet dat je maar eens een paar weekjes vrij moet nemen?' vroeg Natasha voorzichtig terwijl hun taxi vaart maakte door Camden High Street.

'En dan?' zei Stephanie aangebrand.

'Ik denk dat je er even tussenuit moet.'

'Je bedoelt dat je bang bent dat ik nog meer klanten over de kling jaag.'

'Nou,' zei Natasha, 'dat ook, ja.'

'Luister, ik zit niet te wachten op relatieadvies van een wicht van negentien.'

'Dat weet ik ook wel. Maar ze bedoelde het goed. En zelfs al bedoelde ze het niet goed, dan nog betaalt zij ons. Dus dan kunnen we geen ruzie met haar maken.'

Stephanie wist best dat ze zich aanstelde als een mokkend kind, maar ze kon het niet helpen. 'Met "we" bedoel je mij, neem ik aan?'

'Nee, ik bedoel wij allebei,' zei Natasha diplomatiek. 'Ik weet dat het irritante types zijn, die Mandee en Santana en Meredith. Maar de BAFTA-uitreiking is al over een paar weken, dus we kunnen maar beter aan het geld denken en onze kaken op elkaar houden.'

Stephanie zuchtte diep. 'Ik weet heus wel dat je gelijk hebt, maar het laatste waar ik nu zin in heb is vakantie, oké? Misschien had ik dit gedoe met James helemaal niet zolang uit moeten smeren. Misschien had ik hem meteen moeten zeggen dat ik het wist.'

'Dus je wilt beweren dat je helemaal geen lol had van zijn eetfestijnfiasco?'

Stephanie glimlachte. 'Nou, een beetje.'

'Moet je je zijn gezicht indenken toen dat ene mens – die Sam – het bonnetje voorlas.'

Stephanie lachte. 'Volgens Katie keek hij als een hond die op heterdaad betrapt was bij het opeten van iemands verjaardagstaart.'

'Wat ik zo leuk vond, is dat hij het eerst nog ontkende!'

'Die arme James,' zei Stephanie zonder het te menen. 'En het wordt alleen nog maar erger.'

21

JAMES VOND DE AFGELOPEN DAGEN bijna therapeutisch. Weg van dat vernederende toneel van het etentjesincident – en weg van iedereen die daarvan wist – was het bijna gelukt om te vergeten dat het überhaupt was gebeurd. In Londen kon hij gewoon zijn dagelijkse gangetje gaan zonder dat hij hoefde te luisteren naar de joviale opmerkingen van mensen over wat voor hem een enorm gênante gebeurtenis was. Dat was het probleem met het leven in een klein dorp: iedereen wist alles van iedereen. Het zou heus wel weer in de vergetelheid raken zodra een nieuwe dorpsroddel de ronde deed, maar op dit moment was het pijnlijk om het mikpunt van alle grappen te zijn. Hij kon toch al nooit om zichzelf lachen.

Na zijn gesprek met Sally had hij eerst Malcolm gebeld, en toen Simon, en hij had hun gezegd dat hij had besloten haar te ontslaan. Ze protesteerden allebei dat hij daar helemaal geen gegronde reden voor had. Bovendien werkte ze hard, en je kon altijd op haar rekenen. 'Ze kwam verleden jaar zelfs naar de kliniek op eerste kerstdag omdat we een spoedgeval hadden,' zei Malcolm boos.

Het irriteerde James dat ze hem niet steunden, en daarom stak hij zijn hakken nog dieper in het zand. Het was zijn praktijk, zei hij hooghartig. Hij was degene die mocht aannemen en ontslaan wie hij maar wilde.

'Waarom vraag je dan naar mijn mening?' zei Simon.

'Je kunt mensen niet zomaar ontslaan,' bleef Malcolm protesteren. 'Er zijn procedures waar je je aan moet houden. Mondelinge en schriftelijke waarschuwingen, dat soort dingen.'

'Doe niet zo belachelijk,' had James geantwoord. 'We zijn hier geen bank.'

Toen hij Sally belde om haar het slechte nieuws te vertellen, kon ze het niet geloven. 'Je maakt een geintje, toch?' vroeg ze, want ze dacht dat het een bizarre practical joke was. Toen het haar duidelijk werd dat James bloedserieus was, barstte ze uit in tranen van verontwaardiging. 'Maar wat heb ik dan verkeerd gedaan?' huilde ze. 'Zeg dan gewoon wat ik fout doe, dan doe ik het voortaan goed.'

Maar James liet zich niet vermurwen. Het ging niet om haar werk, maar om haar houding. Hij had een aantal klachten gekregen van cliënten, zoog hij uit zijn duim. Want dat was natuurlijk helemaal niet waar. Binnen de gemeenschap was Sally zelfs vrij populair.

'Van wie dan?' had ze gevraagd.

'Dat kan ik niet zeggen. Dat is vertrouwelijk.'

'Maar dat is toch oneerlijk!' had Sally gejammerd. 'Weten Malcolm en Simon hier ook van?'

'Het spijt me, maar we hebben dit uitvoerig besproken. Je krijgt een maand opzegtermijn, uiteraard, dan kun je vast zoeken naar een nieuwe baan.'

Toen ze had opgehangen, was Sally Malcolms kamer in gestormd. Voordat ze de kans kreeg om iets te zeggen, stak hij zijn handen in de lucht om haar het zwijgen op te leggen. 'Simon en ik hebben hier helemaal niets mee te maken. Ik zou hem aanklagen voor onterecht ontslag als ik jou was. Dit mag helemaal niet, volgens de wet.'

'Dat zou ik nooit doen,' had Sally toen geantwoord. 'Ik zoek gewoon een ander baantje en dan ga ik weg zonder toestanden te maken. Als ik nou maar wist wat ik fout heb gedaan.'

'Dat zou ik ook wel eens willen weten, ja,' zei Malcolm, en hij sloeg zijn armen om haar heen.

Een halfuur nadat hij het telefoontje had gepleegd, kreeg James ineens het gevoel dat hij misschien wat had overdreven. Het was per slot van rekening maar een grapje van Sally: zij kon ook niet weten dat het hem zo diep raakte. Hij dacht erover haar terug te bellen om te zeggen dat hij het zo niet had bedoeld, of dat hij erachter was gekomen dat de klachten verzonnen waren, en dat hij zijn besluit daarom uiteraard terug zou draaien, maar eigenlijk vond hij dat er geen weg meer terug was. Hij had nu eenmaal al gezegd dat haar houding niet deugde, dus besloot hij dat hij het er maar beter bij kon laten. Hij zou haar een klinkend getuigschrift meegeven, en hij wist zeker dat ze zo weer ander werk had. En trouwens, hij wilde niet slap overkomen op Malcolm en Simon door terug te krabbelen. Nee, dat kon echt niet.

Met die twee gruwelen, de situatie met Sally en het mislukte etentje, in zijn achterhoofd, om nog maar te zwijgen over het bezoek van zijn ouders, ging James die zaterdag gebukt onder een gevoel van naderend onheil die zijn kostbare vrijdag totaal dreigde te overschaduwen. Zo'n gevoel had hij al niet meer gehad sinds hij nog op school zat en die laatste heerlijke dagen van de grote vakantie verziekt werden door het deprimerende idee dat het nieuwe schooljaar voor de deur stond.

Uiteindelijk bleef hij veel te lang in bed liggen, als een sombere puber, en kwam om halftwaalf pas de slaapkamer uitgestiefeld. Daar zat Finn boven aan de trap. Finn was boos. 'Je zou met me naar het park gaan,' zei hij beschuldigend. 'Ik zit hier al een uur en elf minuten te wachten...' hij keek op zijn horloge, '...en nog zevenentwintig seconden.'

James voelde zich vreselijk schuldig. Hij zag Finn toch al veel te weinig, en hij had hem inderdaad beloofd dat ze een potje gingen voetballen in Regent's Park, als het weer het toeliet. 'Waarom heb je me dan niet gewoon wakker gemaakt?' vroeg hij terwijl hij door Finns haar woelde.

Finn wurmde zich los. 'Omdat dat niet mocht van mama. Ze zei dat jij heel moe was als je nu nog sliep, en dat ik je met rust moest laten.'

'Zullen we afspreken dat je me de volgende keer wel gewoon uit bed haalt?' zei James. 'Dan beloof ik dat ik niet boos word, hoe moe ik ook ben, afgesproken?'

Finn probeerde boos te blijven kijken. 'Oké dan,' zei hij.

'Dan gaan we nu op zoek naar mama. Vragen of ze een picknick voor ons wil maken. Wat zeg je daarvan?'

'Alleen jij en ik,' zei Finn, die veel van zijn moeder hield, maar die zo graag alleen met zijn vader wilde zijn.

'Tuurlijk,' zei James, in het volste vertrouwen dat hij zijn zoon weer in zijn zak had. 'Alleen jij en ik.'

22

DE REIS VAN CHELTENHAM NAAR Lincoln per trein kostte
drieëneenhalf uur, met een overstap in Nottingham. Pauline
had de dienstregeling bestudeerd, er was geen snellere of ge-
makkelijkere manier om er te komen. Dus had ze broodjes gesmeerd
en flesjes met water gevuld voor geval van nood, en ze had ervoor
gezorgd dat John het sportkatern van de krant bij zich had, zodat hij
onderweg iets te doen had. Zelf was ze van plan de Maeve Binchy uit
te lezen waar ze een paar dagen eerder aan begonnen was. Ze zouden
met de taxi naar het station gaan, wat wel een beetje onzin was, maar
John had tegenwoordig te veel last van zijn knie. Dan zouden ze ruim
op tijd zijn om een kaartje te kopen en het juiste perron te vinden, en
was er geen reden voor paniek. Het zou een avontuur worden.

Naar Londen konden ze de weg blindelings vinden. Ze gingen zo'n
keer of drie, vier op bezoek bij James, Stephanie en hun kleinzoon, en
bleven dan meestal een nachtje logeren. Het was jaren geleden dat ze
langer van huis waren geweest – Stephanie had hen overgehaald om
dit keer twee nachtjes in Londen te blijven, omdat ze bang was dat ze
anders te moe zouden zijn na de lange autorit van Lincoln naar Londen.
Met de twee nachtjes in het hotel in Lincoln erbij was het bijna een
heuse vakantie. Buurvrouw Jean zou de kanarie eten komen geven.

Stephanie had het hotel voor hen geboekt – typisch Stephanie, die
wilde hen altijd alles uit handen nemen. Pauline bofte maar met zo'n
schoondochter, vond ze. Ze had vriendinnen die hun eigen zonen
nauwelijks meer zagen zodra die getrouwd waren, maar Pauline had
Steph meteen in haart hart gesloten, en dat was omgekeerd gelukkig
ook zo.

Soms had Pauline zelfs het gevoel dat Stephanie meer zat te wachten
op hun gezelschap dan James. Ze kon best begrijpen waarom James

hen nooit eerder had uitgenodigd om naar Lincolnshire te komen – hoewel ze er natuurlijk wel een paar keer waren geweest toen het hele gezin daar nog woonde. Toen hadden ze gelogeerd in dat grote rommelige huis in een dorpje vlak bij de praktijk van James. Maar dat huis was nu verkocht, anders konden ze het huis in Londen niet betalen, ook al was dat maar half zo groot en zat er nauwelijks grond bij. En James moest in het appartement boven de praktijk wonen, waar natuurlijk geen plek voor zijn ouders was. Het idee van het hotel was echt geniaal, en Steph en James waren zo gul om het voor hen te betalen, want Pauline en John konden zich zoiets nooit veroorloven. En dan had hij ook nog kaartjes voor hen gekocht voor het theater. Ze was echt een enorme bofkont.

Toen James zondagavond thuiskwam, had Katie ervoor gezorgd dat ze in de deuropening klaarstond om hem lief en schattig en totaal niet bedreigend welkom te heten.

'Wat heb je in godsnaam met je haar gedaan?' vroeg hij ontzet.

Katie, die er al een paar dagen aan had kunnen wennen, was alweer bijna vergeten wat een schok dit voor hem moest zijn. 'Ik had gewoon zin in iets anders,' zei ze.

'Maar waarom nou rood? Ik vond je blonde haar juist zo mooi.'

'Wen er maar aan,' zei ze luchtig, maar hij was verontwaardigd en zei dat hij er helemaal niet aan wilde wennen, omdat hij haar goedvond zoals ze was. 'Hou je dan niet van rood haar?' vroeg ze, en toen was hij over iets anders begonnen.

'Dit bloesje daarentegen...' zei hij, en hij liet zijn hand in haar nieuwe, laag uitgesneden floddergeval glijden dat ze eerder die dag had aangeschaft, '...vind ik nogal opwindend.'

Ze duwde hem lachend van zich af. 'Straks,' zei ze, in de hoop dat hij straks te moe zou zijn. Ze vroeg hem hoe zijn week was geweest en schonk hem een glas wijn in en roerde in de stoofschotel met zoete aardappel. Ze voelde hem aan de tand over zijn plannen voor de komende dagen, en hij antwoordde: 'O, je weet wel, gewoon', en zei uiteraard niets over het aanstaande bezoek van zijn ouders.

Katie had zich voorgenomen dat ze het dienstenpakket dat ze haar klanten bood, zou gaan uitbreiden. Om die reden had ze zich inge-schreven voor een cursus voetreflexologie. Die cursus werd gegeven op een middelbare school in Lincoln. Ze was zoiets al eeuwen van plan, maar de cursus was op dinsdagavond, en James had haar altijd overgehaald om het niet te doen, omdat het zo zonde was – 'oneerlijk' had hij zelfs een keer gezegd – als zij er niet zou zijn op een van hun avonden samen. Maar nu had ze besloten om het toch te doen. Het kon haar geen bal meer schelen wat hij ervan vond.

Nadat hij een paar ontevreden geluiden had geproduceerd ('Echt? Op dinsdag? Ik dacht dat we het erover eens waren dat onze tijd samen zo kostbaar was.') en toen hij eenmaal doorhad dat ze zich niet, zoals gewoonlijk, liet overhalen, gooide hij het ineens over een andere boeg. 'En het begint deze week al?' vroeg hij. 'Nu dinsdag?'

Ze zei dat het inderdaad deze week al begon, en hij vroeg: 'Hoe laat?' Dus zij nam aan dat hij zich had bedacht omdat hij dan toch met zijn ouders uit eten kon. Ze zei dat de les om zeven uur begon en om halftien klaar was. Dat was een leugentje om bestwil. De les begon namelijk eigenlijk pas om halfacht, maar ze zou later wel uitleggen dat ze zich had vergist.

Ze gingen vroeg naar bed, na een verplicht nummertje, en Katie bedacht dat het zo gek was dat je de ene dag nog van iemand kon houden, terwijl je de volgende dag niet eens meer begreep wat je ooit in hem had gezien. Het was net of je oogkleppen op had gehad. Nadat die weg waren gehaald werd je in één klap blootgesteld aan alle onaantrekkelijke, en zelfs enigszins weerzinwekkende kwaliteiten van je geliefde.

James moest natuurlijk Sally onder ogen komen toen hij de volgende ochtend vroeg op de praktijk arriveerde. Hij had zitten peinzen over hoe hij dit aan zou pakken, en had besloten vriendelijk maar zakelijk te blijven. Hij zou zich niet verontschuldigen voor zijn besluit. Hij verwachtte eigenlijk dat Sally oorlogszuchtig zou zijn, en dat ze hem voor de voeten zou werpen dat het allemaal zo oneerlijk was. Maar ze keek hem alleen maar aan met een verdrietige, verwijtende blik, en zei: 'Goeiemorgen.' Vreemd. Zijn schuldgevoel werd nog eens opgeschroefd.

Hij was blij dat hij voor zijn eerste afspraken van die dag bij cliënten op bezoek moest. De sfeer in de kliniek was nogal gespannen en het was een opluchting om er weg te kunnen. Bovendien was dit de reden waarom hij dit werk überhaupt deed. Malcolm en Simon hadden zich in hun kantoortjes verschanst toen hij aankwam, en dat was maar goed ook, want hij had het gevoel dat die allebei boos op hem waren – vooral Malcolm. Hij zou zo snel mogelijk een advertentie zetten voor een nieuwe receptioniste-assistente. Als Sally eenmaal weg was en ze het nieuwe meisje hadden ingewerkt zou het vast weer snel normaal zijn. Hij had alleen geen idee wat de etiquette vereiste als je iemand moest vragen een advertentie te laten plaatsen om zichzelf te vervangen. Misschien zou hij Katie maar eens om een gunst vragen, dacht hij.

Zo om tien over één vertrok hij richting Lincoln. Hij had met zijn vader en moeder afgesproken in een restaurantje in het centrum voor een late lunch, en hij was van plan om hen daarna de kathedraal te laten zien. Daar zouden ze een uurtje ronddarren en dan zouden ze ergens theedrinken. Dan kon hij zich daarna weer uit de voeten maken. Dat moest kunnen.

Zijn moeder zag hem al aankomen nog voor hij zijn hand op de deurknop had gelegd, en stond driftig naar hem te zwaaien toen hij het restaurantje binnenkwam. Elke keer als hij haar tegenwoordig zag, leek ze weer iets gekrompen. En nu ze op hem af stormde om hem te knuffelen, leek ze net een klein kind in een broekpak van Marks & Spencer. Hij boog zich voorover en kuste haar boven op haar hoofd. Toen stak hij zijn hand uit naar zijn vader. Zijn ouderdom stond John beter dan zijn vrouw. Hij leek nog altijd op die grote, sterke man die James zich uit zijn kindertijd herinnerde, alleen met minder haar en wat er nog van over was, was nu grijs.

'Je ziet er moe uit, lieverd,' zei Pauline. Dat zei Pauline altijd als ze hem zag. Hij wist zeker dat ze hem straks ook zou vragen of hij wel genoeg at en of hij niet liever voorgoed naar Londen zou verhuizen, om bij Stephanie en Finn te kunnen zijn. 'Jullie zijn een gezin, dan hoor je bij elkaar te zijn,' zei ze altijd, en hij zou zich moeten inhouden om niet te zeggen: 'Nou, zeg dan maar tegen haar dat zij hier had moeten blijven.'

Het lukte hun om het gesprek neutraal en niet-confronterend te houden. Ze aten lasagne met frites, en ze hadden het over het werk, de tuin, en over Jimmy de kanarie ('Je zou eens naar hem moeten kijken. Hij is helemaal kaal aan een kant.'). Pauline zei dat ze graag naar Lower

Shippingham zou komen om zijn appartementje eens lekker schoon te maken voor hem, dus dat was wel even spannend, maar hij wist haar ervan te overtuigen dat daar helemaal geen tijd voor was.

'O, en het is me gelukt om morgenavond vrij te houden, dus ik heb een tafeltje voor ons gereserveerd bij Le Château,' zei hij. Dat was een van de duurste, chicste restaurants van Lincoln. Hij had er meteen spijt van. Op zo korte termijn lukte het hem natuurlijk nooit om echt een tafeltje te krijgen, maar hij wilde net doen alsof hij van alles had geregeld, zodat zijn moeder niet zou voorstellen dat ze in de Cross Keys, de pub in Lower Shippingham, zouden eten. Want het kon niet missen dat ze daar iemand tegenkwamen die iets over Katie zou zeggen.

'Wat lief van je,' zei Pauline stralend. 'Weet je zeker dat je daar tijd voor hebt?' vroeg ze op die irritante toon die moeders altijd aansloegen als ze je een schuldgevoel wilden bezorgen omdat je normaal te druk was om tijd voor hen vrij te maken.

'Ik heb er zin in,' zei hij, en hij kneep even in haar hand. Shit, fuck, klote. Wie kende hij bij Le Château die hij om een gunst zou kunnen vragen? Hij twijfelde er niet aan dat Hugh en Alison Selby-Algernon bevriend waren met de eigenaar, want die kende iedereen die ertoe deed, maar hij kon het niet opbrengen om hen te bellen. Hij had hen niet meer gesproken sinds het heuglijke dinertje. En ook al wist hij dat de vriendschappen, voor zover je ze zo kon noemen, zouden verwateren als hij niet snel weer eens iets van zich liet horen, hij zou de plagerijtjes die ze ongetwijfeld voor hem in petto hadden niet trekken. Daarbij kon hij niet aan iemand vragen zoiets voor hem te doen als die later aan Katie zou kunnen vragen of ze lekker had gegeten in Le Château. Nee, hij moest het er maar op wagen en het restaurant zelf bellen zodra hij daar de tijd voor had.

Na een ruzie over wie de lunch zou betalen (Pauline en John wonnen, aangezien James wel inzag dat ze anders beledigd zouden zijn) kuierden ze naar de kathedraal, waar ze een prettig uurtje doorbrachten met het bekijken van de graftombes en muurschilderingen. Daarna dronken ze nog thee in de voormalige refter. Om vier uur keek James omstandig op zijn horloge en zei dat hij maar weer eens op pad moest. Hij zei dat hij de volgende avond om halfacht een tafeltje had. Dan zou hij hen om zeven uur bij het hotel ophalen, zodat ze van tevoren nog iets konden drinken. Hij veinsde teleurstelling dat hij ze morgen overdag niet zou zien (hij had een paar afspraken van Simon overgenomen om die avond vrij te hebben, vertelde hij) en hij liet hen achter terwijl ze zaten te delibereren wat ze zouden doen in de uren voordat *Het Belang van Ernst* zou beginnen.

Op de terugweg, in de auto, pakte hij zijn mobieltje en belde de nummerinformatie die hem direct doorverbond met de afdeling Reserveringen van Le Château.

'Het spijt me, meneer, maar we zitten de komende twee weken alle avonden vol,' zei de verwaande kwast aan de lijn met zijn nepaccent, althans, James had het donkerbruine vermoeden dat hij helemaal niet Frans was.

'Maar het is voor mijn ouders. Dat zijn oudere mensen. Morgen is de enige avond dat zij kunnen.'

'Mag ik u dan voorstellen om te komen lunchen? Om drie uur hebben we nog een tafeltje vrij.'

'Nee, nee, het moet echt 's avonds. Ach, laat ook maar,' zei hij en hij beëindigde het gesprek abrupt. Hij zou wel ergens anders reserveren. Het maakte niet uit waar, zolang het maar een heel eind uit de buurt was van Lower Shippingham. Hij zou zijn ouders morgen gewoon vertellen dat hij van gedachten was veranderd.

'Hij heeft dus blijkbaar gereserveerd bij een restaurant dat Sorrento heet. Om halfacht. Het is vlak naast het hotel, zei hij. Ken je het?' Stephanie was naar de keuken gelopen om Katie te bellen terwijl Finn voor de televisie zat. Ze wilde niet dat Finn iets van deze gesprekken zou horen, want hij had een antenne voor geheimpjes. En hij vond het vreselijk als hij ergens buiten werd gehouden.

'Nooit van gehoord,' zei Katie.

'Nou, hij ziet ze eerst in het hotel, dus dat is vast niet moeilijk te vinden. Ben je bang?'

'Doodsbang,' zei Katie overtuigend.

'Goed onthouden, niet te veel weggeven en zorg ervoor dat je John en Pauline niet overstuur maakt.'

'Ik weet het, ik weet het. Alleen al het feit dat hij me ziet bezorgt hem een hartverzakking.'

'Precies,' zei Stephanie met klem. 'En bel me als je klaar bent.'

De volgende dag kookte Katie al vroeg een enorme maaltijd voor James: kip in parmaham met lekker veel aardappeltjes en asperges. Hij had zich bijna verraden toen hij van zijn werk kwam en haar bij het fornuis aantrof. 'Ik vind het nog een beetje te vroeg om te eten,' had hij gezegd. 'Kan je het niet warm houden voor me? Dan eet ik het misschien later wel, als jij weg bent.'

'Nee, dat kan niet,' zei Katie toen. 'Het is zes uur. We eten zo vaak om zes uur. Ik zou het geen fijn idee vinden als jij hier straks alleen een boterham zit te eten.'

Ze smeet de borden op tafel.

'Misschien dat ik eerst even ga douchen,' zei James, die dacht dat ze nooit meer op tijd zou komen voor haar eerste les als hij de boel zou traineren, en dat ze het dus niet zou merken dat hij zijn eten uiteindelijk niet op zou krijgen.

Katie gaf hem een knuffel, en duwde hem daarbij naar de tafel. 'Jij hebt nog de hele avond om te douchen. Ga nou gewoon gezellig zitten.' Ze keek naar hoe hij maar wat zat te prikken in zijn eten en trok een teleurgesteld gezicht. 'Vind je het niet lekker?'

'Het is heerlijk, maar ik zei toch dat ik nog geen honger heb. Ik heb laat geluncht.'

Om halfzeven zat James nog steeds met zijn eten te schuiven. Katie zette haar eigen bord weg, pakte haar tas, gaf hem een kus op zijn voorhoofd en zei: 'Ik moet gaan. Ik ben uiterlijk om tien uur thuis. Vind je het echt niet erg?'

'Nee, ik zat te denken dat ik straks wel even naar de pub kon.'

'Goed idee,' zei ze en toen ze wegging realiseerde ze zich dat hij haar helemaal geen succes had gewenst met haar cursus.

Ze reed naar Lincoln en parkeerde vlak bij het hotel. Sorrento zat inderdaad zo goed als naast het hotel. Het was een treurige Italiaan met gescheurde tafelkleedjes en halfdode bloemen in potjes, waarvan de bruine bladeren in de suikerpotjes hingen. Een boze vlieg zoemde voor het raam. Die wilde er ook weg. Het was James duidelijk niet meegevallen om op het laatste moment nog ergens een tafeltje te boeken.

Ze bleef in de auto wachten tot ze naar binnen gingen en probeerde scherp te krijgen wat ze precies moest doen. Ze moest ervoor zorgen dat James haar zou zien en dat zij hem zou aankijken. Idealiter zou ze het zo moeten regelen dat hij niet anders kon dan zeggen dat deze mensen zijn ouders waren, zonder dat die natuurlijk iets zouden zeggen over dat hij nog steeds met Stephanie getrouwd was. Stephanie en zij wilden de verrassing niet nu al weggeven.

Ze keek op haar horloge. Het was vijf voor zeven. Ze nam aan dat James meteen het huis uit was gehold zodra zij weg was – dat hij alleen nog snel zijn eten in de vuilnisbak had geschoven en dat, uiteraard, had bedekt met ander vuil, zodat Katie niet kon weten dat hij het niet had opgegeten. Ze zakte diep weg in haar stoel. Ze wilde niet dat hij haar meteen al zou zien.

Een paar tellen later zag ze hem in de richting van het hotel stappen, boordevol zelfvertrouwen. Hij had zijn werkkleren nog aan, dus was hij duidelijk in allerijl vertrokken. Katie wachtte tot hij naar binnen was, stapte toen uit haar auto en ging zogenaamd in de etalage staan kijken van een winkel vijftig meter verderop in de straat. Haar hart ging verschrikkelijk tekeer, en ze was misselijk bij het vooruitzicht. Het leek wel of ze daar een eeuwigheid zo stond te wachten, en toen kwam hij naar buiten met twee oude mensjes achter zich aan. Een piepklein vrouwtje dat er lief en vriendelijk uitzag, en een gedistingeerde man met wit haar. Katie haalde diep adem en liep op hen af. Ze moest hen tegen het lijf lopen voor ze bij het restaurant waren.

23

JAMES DACHT EERST DAT HIJ hallucineerde. Hij was net bezig om aan zijn ouders uit te leggen waarom het mis was gegaan met de reservering bij Le Château ('Problemen in de keuken, dus ze moesten vanavond sluiten.') en waarom hij ze mee uit eten nam in een soort kantine, in plaats van hen mee te nemen naar de pub in Lower Shippingham.

'Wat voor problemen waren dat dan?' vroeg zijn moeder. 'Iets met de keuringdienst van waren, of zo?'

'Geen idee. Waarschijnlijk wel,' zei hij, om Le Château nog wat meer te belasteren.

'Maar wat was er dan?' drong Pauline aan. 'Hadden ze ratten? Of kakkerlakken? Je moet er toch niet aan denken, hè?'

'In ieder geval,' zei James, 'ik heb gehoord dat je hier heel lekker kunt eten. Hun kok komt uit Rome,' verzon hij ter plekke. 'Hij is heel bekend in…'

Een vrouw die er precies zo uitzag als Katie liep regelrecht op hen af. Hij haalde zich maar wat in zijn hoofd, dacht hij. Paranoia was het. Maar ze leek toch wel erg veel op Katie, en Katie was die avond ook in Lincoln, immers, hoewel haar les al was begonnen. Niettemin probeerde hij Pauline en John snel voor zich uit te loodsen. Maar zij liepen als een stelletje slakken.

'Waar is hij heel bekend, lieverd?' vroeg Pauline.

De vrouw kwam nog steeds op hen af. Ze had precies hetzelfde haar als Katie tegenwoordig had – dat haar gaf hem overigens een behoorlijk onprettig gevoel. Toen hij vanochtend wakker werd dacht hij dat hij bij Stephanie in bed lag, en het duurde even voor hij doorhad met wie en waar hij was. Ze droeg precies dezelfde kleren die Katie aanhad toen ze het huis uitging: dat roze flodderbloesje en een wit

T-shirt met een zachtroze vestje met capuchon erover. Shit, dacht hij. Het is Katie.

Er was een moment, voordat ze iets zei, dat hij het gevoel had dat hij pijlsnel een tunnel in zakte. Hij hoorde het bloed in zijn hoofd suizen en vroeg zich af of hij soms flauw zou vallen. Zijn moeder keuvelde maar door over Italiaans eten, en dat dat eigenlijk altijd lekker was, behalve dan als ze wat al te scheutig waren met de knoflook, en hij dacht er even over om zich gewoon om te draaien en de andere kant op te lopen voor Katie hem zag.

'James?'

Te laat.

Hij fronste naar haar alsof hij haar telepathisch kon opdragen wat ze nu moest doen. Nu zou het gebeuren. Nu zouden zowel Katie als zijn ouders erachter komen dat hij een dubbelleven leidde.

'Hallo,' zei hij zo gemaakt joviaal dat hij een beetje gestoord klonk. 'Wat doe jij hier?'

Zijn ouders bleven staan en keken deze vrouw, die kennelijk een kennis van hun zoon was, vriendelijk aan.

'Ik heb cursus, weet je nog?' zei Katie op een toon waarmee ze niks weggaf. 'Ik had alleen de tijd verkeerd onthouden. Het begint pas om halfacht, en niet om zeven uur. Dus toen ben ik wat gaan rondlopen om de tijd te doden.'

Hij wachtte tot ze nog meer zou zeggen. Zoals: 'En wat spook jij hier verdomme uit, als je net nog zogenaamd thuis zat te eten?' Maar om de een of andere reden deed ze dat niet.

'Ik ga een hapje eten met Pauline en John,' zei hij terwijl hij naar het restaurant gebaarde. Als hij nou maar naar binnen kon, bij haar weg, dan kwam het nog wel goed. Dan zou hij nog genoeg tijd hebben om een plausibel verhaal in elkaar te draaien. Iets over dat ze oude vrienden van de familie waren, die zomaar ineens opbelden. Hij begon al aanstalten te maken, in de hoop dat zijn ouders de hint zouden oppikken en met hem mee zouden gaan. Maar uiteraard liet zijn moeder deze kans om kennis te maken met een van zijn vrienden niet aan haar neus voorbijgaan.

'Ik ben Pauline,' zei ze, 'de moeder van James, en dit is zijn vader, John.'

Katie stond daar maar, en keek hen allemaal eens aan. Er was nog tijd om de situatie te redden. Oké, dus hij had tegen haar gelogen dat hij zijn ouders nooit meer zag, maar hij zou er wel iets op verzinnen. Als zij nu maar niet zou zeggen: 'Hallo, ik ben Katie, zijn vriendin.'

'Dit is Katie,' zei hij snel. 'Ze woont bij mij in het dorp.' Hij keek Katie aan en schudde zijn hoofd nauwelijks zichtbaar. Ze zou vast wel begrijpen wat hij daarmee bedoelde – niks zeggen – en hopelijk zou die lieve, nietsvermoedende Katie hem nog genoeg vertrouwen om hem het voordeel van de twijfel te gunnen. Zij was niet het type dat in het openbaar de confrontatie aanging.

Gelukkig zei ze helemaal niets. Ze glimlachte alleen vriendelijk naar zijn moeder.

'Goed,' zei hij, en hij klapte in zijn handen. 'We moeten gaan, anders komen we nog te laat. Tot ziens, Katie, leuk om je te zien.'

Hij liep in de richting van het restaurant en bad dat ze zou verdwijnen. Als ze echt wegging, en als ze echt zo lief en onschuldig en grootmoedig was, en het hem niet zou nadragen en ze later zijn verklaring voor zoete koek zou slikken, dan zou hij het allemaal goedmaken. Dat bezwoer hij zichzelf. Dan zou hij haar nooit meer belazeren. Hij hield zijn adem in en hoorde: 'Nou, leuk om u eens te ontmoeten.'

'Ik vond het ook leuk, kind,' zei zijn moeder.

James waagde een blik achterom, en zag Katie weglopen. Ze keek nog even om en fronste, zo dat zijn ouders het niet zagen, alsof ze wilde zeggen: 'Wat is hier aan de hand?' en hij trok een gezicht van 'vertrouw me nou maar' voordat hij zijn ouders door de deuren van Sorrento loodste.

'Wat een aardig meisje. Wie was dat ook alweer?'

'O, gewoon een vrouw uit het dorp. Ze komt wel eens bij me voor haar hond.'

James voelde dat zijn hart nog steeds zwaar in de versnelling zat. Jezus, dat scheelde echt niks.

Het viel niet mee om zich te concentreren op haar eerst les in de voetreflexologie. Katie was een paar minuten te laat, omdat ze de school niet had kunnen vinden. Ze was er totaal niet bij met haar hoofd, en was links afgeslagen waar ze rechtsaf had gemoeten, en tegen de tijd dat ze doorhad wat er mis was gegaan, zat ze alweer op de grote weg, de stad uit. Toen ze er eindelijk was, stamelde ze haar verontschuldigingen tegen de leraar, die al midden in zijn inleiding zat. Ze glimlachte aarzelend tegen haar nieuwe klasgenoten en ging ergens achterin zitten. Ze was in zekere zin ook trots dat het gelukt was, en dat James nu in de zenuwen zat over de consequenties van vanavond. Maar toch had ze er ook een rotgevoel over. Als hun ontmoeting echt toevallig was geweest, dan had ze zich zonder meer aan Pauline en John voorgesteld als de vriendin van James, en dan zou het allemaal uitgekomen zijn. Ze kon niet geloven dat James zo dom was om dat hele ingewikkelde web van leugens te spinnen. Hoe had hij ooit kunnen denken dat er überhaupt een happy end zou zijn voor wie dan ook in dit verhaal? Inmiddels wist ze dat hij nooit aan iemand anders had gedacht. Hij dacht alleen maar aan zichzelf. Nou, maar ze had hem mooi te grazen genomen. Dat was wel weer leuk.

Ze probeerde zich te concentreren op wat de leraar allemaal zei, en op de complexe tekeningen van de menselijke anatomie waarmee hij zijn verhaal illustreerde. Ze moest er evengoed bijblijven voor haar confrontatie met James, straks. Ze moest verontwaardigd doen en aandringen op een bevredigende uitleg, zonder er iets van te laten merken dat ze precies wist wat er allemaal aan de hand was. Het enige wat ze zeker wist, was dat hij nooit de waarheid zou vertellen, behalve als zij hem die voor de voeten gooide.

Toen zij terugkwam was James al thuis. Hij sprong op uit zijn stoel voor ze zelfs maar de tijd had om de voordeur achter zich dicht te trekken. 'Ik kan het uitleggen,' zei hij.

Denk erom, dacht Katie, je moet de lieve, onschuldige Katie spelen. Je moet hem niet te veel onder druk zetten. 'Nou,' zei ze. 'Ik luister.'

James had zijn speech goed voorbereid en ze besloot hem uit te laten praten zonder hem in de rede te vallen.

'Ik kon het je niet vertellen,' zei hij. 'Ik wilde het wel, maar het kon niet. Wat het is, en dat is de waarheid, is dat mijn moeder laatst weer contact met me heeft opgenomen. Ze vond het zo erg wat er allemaal is gebeurd, en ze wilde het allemaal uitpraten. Dus heb ik ze uitgenodigd om eens te kijken of dat kon.'

Hij zweeg, en Katie wist niet zeker of hij uitgepraat was of niet. Het leek wel alsof hij wilde dat zij nu iets zou zeggen.

'Nou, dat is toch geweldig. Ik begrijp alleen niet waarom je daar nu zo stiekem over moet doen.'

'Ik heb hen nog helemaal niet verteld over jou. Daarom wilde ik ook liever dat ze in Lincoln zouden logeren in plaats van hier. Het is namelijk nogal een grote stap voor hen om te accepteren dat het niet mijn schuld is dat het huwelijk is stukgelopen. Ik weet zeker dat ze het absoluut niet aankunnen als blijkt dat ik nu al iemand anders heb. Nog niet, in elk geval. Ze zullen zeker denken dat jij en ik al iets hadden voor ik bij Steph weg ben gegaan, en dat jij misschien de reden was. En ik zou het echt heel erg vinden als ze jou niet mochten.'

Hij was echt goed, dat moest ze hem nageven. Katie legde een hand op zijn onderarm. 'Maar waarom heb je me dat dan niet gewoon verteld? Dat had ik toch heus wel begrepen? Ik ben gewoon blij voor je dat jullie het weer hebben bijgelegd.'

James keek haar aan als een dankbare pup. 'Ja. Jij begrijpt dit soort dingen, inderdaad. Het spijt me zo, liefje. Ik heb je onderschat. Maar het is ook zo… nou ja, ik ben er niet aan gewend dat iemand zo lief voor me kan zijn.'

'Toch vind ik dat we geen geheimen moeten hebben voor elkaar,' kreeg Katie er nog net uit, zonder sarcastisch te klinken.

'Ja, ja, je hebt gelijk. Maar ik vergeet soms wat voor geweldig mens jij bent. Na al die jaren met Steph kan ik gewoon niet geloven dat jij zoveel begrip voor me hebt.'

'Nou, ik vind het echt geweldig voor je,' zei Katie. 'En binnenkort kun je het ze gewoon vertellen, dan komen ze gezellig hier logeren, en dan kunnen we eindelijk zelf aan ons gezin bouwen.'

'Absoluut,' zei James terwijl hij zijn arm om haar schouders legde. Ze voelde dat hij drijfnat was van het zweet.

24

D E LOGEERPARTIJ VAN JOHN EN Pauline in Londen was veel te snel voorbijgegaan, vond Stephanie. Toen ze hen vrijdagochtend in de taxi zette, richting Paddington, bedacht ze hoe erg ze het vond dat ze hen als schoonouders kwijt zou raken, en de tranen stonden haar in de ogen toen ze Pauline een afscheidsknuffel gaf. Doe normaal, dacht ze. Ze blijven toch altijd de opa en oma van Finn; je ziet ze alleen minder vaak dan vroeger.

Vooral Pauline was helemaal vol van hun reisje naar Lincoln, en van hoe lief James voor hen was geweest, en hoeveel tijd hij had vrijgemaakt, terwijl hij het zo druk had. Stephanie was wel een beetje teleurgesteld dat ze niets zei over die aardige dame uit het dorp die ze tegen waren gekomen, zodat ze James daarover aan de tand had kunnen voelen. Ze had het hele verhaal in geuren en kleuren gehoord, inclusief de smoesjes waar James later mee kwam. Van Katie, uiteraard.

Finn was twee dagen tot op het bot verwend, en hij was helemaal hyper van de suiker en de overdaad aan aandacht. Hij had zijn grootouders zover gekregen dat ze een cavia voor hem hadden gekocht toen ze hem van school kwamen halen. Die zat nu mokkend in een hoekje van de grote kooi die James van zijn werk had meegenomen, achter in de tuin. Stephanie had hem panisch gebeld, want het beest rende los rond door de keuken. Finn had het beest David genoemd. Naar een karakter uit zijn lievelingsserie, *Doctor Who*.

Stephanie vond dat James zich van zijn beste kant had laten zien, en dat hij zijn ouders braaf had aangehoord, met hun ellenlange verhalen over vroeger. Hoefden ze nog maar niet naar huis. De druk was wat van de ketel toen zij er waren. Het was veel gemakkelijker om met James om te gaan als ze niet alleen met hem was. Hij leek een beetje moe, en ook een beetje down. Hopelijk kwam dat doordat de stress van zijn dubbelleven hem nu toch wat te veel werd.

'Waarom zouden we het hem gemakkelijk maken?' zei ze maandagmiddag tegen Katie aan de telefoon.

'We zouden wel gek zijn,' beaamde Katie.

Toen James woensdag weer thuiskwam, was Stephanie wezen winkelen. Ze had precies hetzelfde laag uitgesneden flodderbloesje gekocht dat Katie had. Ze had haar een foto gestuurd. 'Bij New Look; hij kost nog geen tientje!' had ze erbij geschreven. 'Dat is zijn geld dubbel en dwars waard.' Het bloesje had een abstract patroon van roze en paarse vlekken. Zou ik zelf nooit kopen, dacht Stephanie. Maar het was een opvallend bloesje, en de kans was klein dat James het niet zou herkennen. Het was een goed idee van Katie, en het deed Stephanie genoegen dat ze nu eindelijk loskwam, en ook manieren was gaan verzinnen om plezier te hebben ten koste van James.

Stephanie was er al toen James thuiskwam, en ze liep vlug naar de deur en gooide hem enthousiast open. Ze keek hem stralend aan, alsof hij een sint-bernard met een kruikje cognac was in een sneeuwstorm. Heel even beantwoordde hij haar warmte – hij was ongetwijfeld ook blij haar weer te zien – maar toen zag ze dat hij zijn blik naar beneden liet glijden. Zijn glimlach maakte plaats voor verwarring. Stephanie moest er bijna om lachen, maar in plaats daarvan keek ze naar haar bloesje en zei zo onschuldig mogelijk: 'Vind je hem leuk? Heb ik vandaag gekocht.'

James, die erg bleek zag, zei nog net: 'Hm, leuk, ja.' Hij zei niet dat hij er gestoord van werd, viel haar op.

Op vrijdagavond had ze hem gevraagd vroeg thuis te zijn, zodat zijzelf nog even kon borrelen met Natasha. Het was al een eeuw geleden dat ze uit was geweest, op een snel glaasje wijn na, zo nu en dan na het werk. James kreunde meestal als ze hem liet oppassen. 'Maar ik zie je toch al nooit,' zei hij dan altijd, en zij vond het altijd zo lief dat hij niet vaker bij haar weg wilde zijn dan strikt noodzakelijk. Inmiddels wist ze dat het vooral was omdat hij geen zin had om Finn zijn bed in te moeten praten, want dat was zo'n gedoe.

Vandaag ging hij echter zonder tegenstribbelen akkoord, en Stephanie werd prettig dronken in de kroeg, samen met Natasha. Toen ze thuiskwam was ze bijna edelmoedig naar hem toe.

Zaterdag was Finn in de zevende hemel omdat James vroeg uit bed was gekomen en bijna de hele dag met hem in de tuin had gewerkt aan een fatsoenlijk onderkomen voor David. Ze bouwden een soort Addams Family-hok van latten en toen nam James Finn mee naar een bouwmarkt om kippengaas te kopen voor de ren. Stephanie hoorde ze buiten gemoedelijk kletsen. Finn was het liefst bij zijn vader; iets leukers kon hij niet verzinnen.

'Je moet niet vergeten om hem elke dag voer te geven, en vers water. En hij moet elke dag een eindje rennen,' zei James.

Stephanie gluurde door de lamellen naar buiten. Ze zag hoe Finn aan zijn lippen hing.

'En je weet toch wel dat Sebastian hem opeet, als hij de kans krijgt, hè?'

Finn knikte bloedserieus.

'En je moet ervoor zorgen dat hij in het huisjesgedeelte wordt opgesloten voordat jij naar bed gaat, want anders wordt hij door de vossen te grazen genomen.'

Ze bracht hen boterhammen en cola voor de lunch, en zag hoe ze naast elkaar op het gras zaten te eten. Om vier uur kwam ze kijken hoe David werd overgebracht van zijn kooitje naar zijn nieuwe paleis, waar hij onmiddellijk chagrijnig in een hoekje kroop.

'Dit was de allerleukste dag ooit,' zei Finn later, toen ze hem instopte om te gaan slapen.

Stephanie en James deelden een fles wijn voor de televisie. Het voelde relaxed, ze voelden zich een gezinnetje, en ze hadden zelfs een vrolijk gesprek. Maar toen pakte hij om tien uur zijn mobieltje en liep de kamer uit.

Een paar minuten later kreeg ze een sms'je: 'Hij is uit eten geweest in Vauxhall, met een stel vrienden van Abi en Peter. Het was heel saai.'

'Ik ga naar bed,' zei Stephanie toen hij terugkwam. 'Welterusten.'
Ze liep weg zonder hem nog een nachtzoen te geven.

Toen James maandagochtend op zijn plattelandspraktijk kwam, lag er een brief op hem te wachten. 'Wij hebben informatie ontvangen betreffende mogelijke onregelmatigheden in uw belastingaangiften voor de jaren 2005/2006 en 2006/2007. Wij maken u erop attent dat onze inspecteurs de komende weken een volledig onderzoek zullen instellen naar uw boekhouding,' stond erin.

Die vervloekte Sally, dacht James. Die godvergeten bitch. Geen wonder dat ze hem nergens op had aangesproken sinds hij haar had ontslagen. Ze had meteen de belastingdienst gebeld. Hij wist dat hij nooit zo openlijk had moeten praten over behandelingen die hij zich vaak contant liet uitbetalen, maar ja, zo was hij, hij vertrouwde de mensen om zich heen. Hij nam aan dat zijn personeel hem trouw zou zijn. En trouwens, iedereen betaalde iedereen hier zwart. Het was gewoon ruilhandel. Als hij zich door de boeren liet uitbetalen in varkens, dan was er waarschijnlijk geen vuiltje aan de lucht, maar wat moest hij met een vriezer vol karbonades en hamschijven?

Zijn hoofd begon te bonzen. Dit kon er ook nog wel bij. Hij smeet wat spullen in het rond, en knoeide koffie over zijn paperassen.

'Klote,' schreeuwde hij. 'Shit en klote!'

Precies op dat moment deed Sally zijn deur open en hij wilde haar net de huid vol schelden toen hij zag dat zijn eerste klant achter haar stond. Het was Sharon Collins met Rex, haar oude bordercollie. Dus deed hij net alsof er niets aan het handje was. Alsof het voor een dierenarts de gewoonste zaak van de wereld was dat je 'shit en klote' riep en woest met Kleenex je documenten liep te deppen 's ochtends vroeg.

'Neem me niet kwalijk,' zei hij met een glimlach, 'ik gooide net mijn koffie om.'

Toen Sharon weg was, was hij weliswaar niet minder woedend, maar wel wat rationeler. Wat was dit voor een land, dat je met een telefoontje van een ontevreden medewerker meteen de belastingdienst op je nek kreeg? Zat de wereld tegenwoordig echt zo in elkaar? Dat je gewoon maar met de overheid belde als je de balen van iemand had, en dat die er dan voor zorgde dat je leven een hel werd? Nou, dacht hij, het is mijn woord tegen het hare, en naar wie denk je dat ze zullen luisteren? Zolang geen van de boeren haar verhaal maar bevestigde, en hij kon zich niet voorstellen dat ze dat zouden doen, want dan stonden ze er zelf ook gekleurd op.

'Je hebt helemaal geen bewijs dat Sally er iets mee te maken heeft,' zei Malcolm toen James hem op de hoogte stelde. 'Misschien gaat het wel helemaal niet over die zwarte betalingen. Misschien heb je de formulieren gewoon niet goed ingevuld.'

'Nee, Sally heeft ze gebeld,' hield James vol. 'Want het is wel heel toevallig allemaal, vind je ook niet?' Hij wist dat Malcolm en Simon niet met hem mee zouden leven. Malcolm schudde zijn hoofd op zo'n manier dat James zin had hem een lel te verkopen. Hij wist best dat hij eigenlijk wilde zeggen: 'Als jij geen zwart geld had aangenomen en als je Sally niet zo slecht had behandeld, dan was er niets aan de hand geweest.' Malcolm – en Simon ook – vond dat hij dit allemaal aan zichzelf te danken had.

'Ze moet weg,' zei James boos.

'Ze gaat al weg. Dat was toch het probleem, volgens jou?'

'Ik bedoel nu meteen. Vandaag nog. Ik wil haar geen moment langer meer op kantoor hebben.'

'Jezus, James,' zei Malcolm vermoeid. 'Word eens een keer volwassen.'

Maar James luisterde niet naar hem. Er was geen enkele reden om Sally er zo gemakkelijk van af te laten komen. De schade was een feit. Zij kon het niet meer ongedaan maken. Hij wilde haar zo snel mogelijk zo ver mogelijk bij hem vandaan hebben.

Sally zat aan de telefoon te kletsen toen hij de receptie in liep om haar te spreken. Op een van de stoeltjes zat een vrouw die hij niet herkende met een zielige kat in een mandje. James staarde naar Sally tot ze opkeek en hem zag staan.

'Ik moet je even spreken,' zei hij, want het kon hem niet schelen met wie ze aan de lijn hing.

'Ik wil graag dat je je spullen pakt en dat je nu vertrekt,' zei hij toen ze een paar minuten later bij hem in de kamer stond.

'Ik begrijp het niet.' Sally stond op het punt om te gaan huilen, wat hem een ongemakkelijk gevoel gaf, maar ze had het nu eenmaal volkomen aan zichzelf te wijten.

'Ik denk dat jij het heel goed begrijpt. Denk maar niet dat ik niet snap dat jij de belastingdienst hebt ingelicht.'

'Wat?'

Ze kon goed acteren, dat moest hij haar nageven. Ze leek oprecht geschokt.

'Jij weet best dat ik zoiets nooit zou doen,' zei Sally.

'Ik ontsla jou en een paar dagen later heb ik dit. Toe nou, zeg.'

'Maar James,' zei Sally, nu echt in tranen, 'ik weet niet waar je het precies over hebt, maar ik heb er niks mee te maken. Dat zweer ik.'

God, wat haatte hij het als vrouwen gingen janken. Dat was niet goed voor zijn standvastigheid. Nou, dat feest ging dit keer mooi niet door.

'Ik wil dat je nu weggaat,' zei hij en toen liep hij zelf weg voor hij nog van gedachten zou veranderen. Zodra Sally weg was mochten de belastingmensen komen onderzoeken wat ze wilden. Ze zouden toch niks vinden wat haar verhaal kon bevestigen. Hij deed alleen wat hij moest doen. Zij had hem geen keuze gelaten.

Maar waar James niet bij stil had gestaan toen hij Sally verordonneerde om haar biezen te pakken, was wie ondertussen de praktijk moest runnen. Dat bedacht hij later pas. Hij zou Katie vragen of die bij kon springen. Die had toch nooit iets te doen, en bovendien deed ze altijd graag wat ze kon om hem gelukkig te maken.

'Nee hoor, ik heb geen tijd,' zei Katie toen hij had uitgelegd waar hij voor belde. 'Ik heb vanmiddag cliënten.'

'Kan je die dan niet afbellen? Dit is een noodgeval.'

'Nee, James, dat doe ik niet.'

'Godsamme,' zei hij, en hij hing op. Nou, dan moesten ze maar wat aan zien te modderen. Simon, Malcolm, hijzelf en Judy, de assistente, moesten het maar met zijn vieren zien te redden.

Er was iets met Katie, dacht James nadat hij haar had gesproken. Ze was helemaal niet zo lief en inschikkelijk als anders. Het kwam vast door dat gedoe met zijn ouders – ze was natuurlijk nog steeds pissig dat hij daarover had gelogen. Dat was het vast, ook al zou ze het zelf nooit toegeven. Hij nam zich voor om extra aardig tegen haar te zijn. Hij had een fijn weekend achter de rug, thuis – hij voelde zich nauwer betrokken bij Stephanie dan hij zich in tijden had toegestaan. Tenminste, toen hij eenmaal over de schrik van dat bloesje heen was. Waarom wilden die vrouwen er tegenwoordig allemaal precies hetzelfde uitzien? Het stond haar overigens schitterend en hij had haar best in zijn armen willen nemen om haar dat te vertellen, maar ja, zo gingen ze tegenwoordig niet meer met elkaar om. Ze waren het ontwend. Hij voelde zich schuldig dat hij Katie misschien wat had verwaarloosd. De harde werkelijkheid was dat hij heus wel van haar hield maar dat hij op dit moment toch liever in het zuiden bij zijn gezin wilde zijn. Daar was het leven veel eenvoudiger.

25

STEPHANIE KON HET BIJNA NIET geloven toen Katie haar belde om te vertellen wat ze had gedaan. 'Dus jij hebt de belastingdienst getipt? Jezus, Katie, dat hadden we misschien eerst moeten bespreken.'

Katie had totaal geen berouw. 'Hij heeft erom gevraagd. Dat was toch ook het idee, dat we hem dingen aan zouden doen waardoor we onszelf beter zouden voelen? Dat heb je zelf gezegd.'

'Ja, maar dit is zoiets… groots,' zei Stephanie. 'Ik bedoel, hem over de kling jagen is een ding. Dat hij een keer het gevoel heeft dat hij helemaal niet zo onoverwinnelijk is. Maar dit is heel wat anders. Dit kan echt ernstige gevolgen voor hem hebben.'

'Nou en?' zei Katie, en Stephanie begon zich af te vragen of ze wel de juiste persoon aan de lijn had.

'Ik weet het niet, hoor. Ik vind het niet helemaal in de haak.'

'Wat is het allerergste dat er kan gebeuren? Dat ze hem vragen of het zo is, en dan ontkent hij. En zelfs als ze er per ongeluk achter komen dat het echt zo is, dan moet hij hooguit de verschuldigde belasting alsnog betalen, plus een boete. Kom op, Steph. Het bezorgt hem hooguit een paar slapeloze nachten, meer niet.'

Ze had gelijk, dat zag Stephanie wel. Wat ze niet prettig vond, was dat Katie op eigen houtje dingen deed, zonder het eerst met haar te overleggen. Als ze eerlijk was, dan was dat wat haar dwarszat. 'Oké,' zei ze. 'Je hebt gelijk. Maar wel zielig voor Sally, hoor.'

Katie lachte. 'Erg, hè? Gelukkig had hij haar al ontslagen, want als hij haar er om deze reden had uitgeschopt had ik iets moeten doen om te zorgen dat hij het terugdraaide. Het komt wel goed met haar.'

Stephanie was te laat. Toen ze klaar was met haar gesprek met Katie en ze haar make-up op had gesmeerd, was het tien over tien. En om halfelf moest ze bij een herensociëteit zijn op Manchester Square voor een *photo shoot*. Ze belde Natasha om te zeggen dat die de honneurs moest waarnemen. Het thema van de *photo shoot* was een jonge schrijfster die onder de prijzen was bedolven voor haar eerste televisiescript. Het was een dramatisering van haar eigen gewelddadige huwelijk. Een van de wekelijkse glossy's deed een interview met haar over haar levensverhaal, en Stephanie en Natasha leverden de kleding voor de foto's. Gelukkig had Natasha nog tijd om eerst naar kantoor te gaan om de twee koffers met kleding op te pikken die ze hiervoor hadden uitgezocht.

Toen ze arriveerde bij het klassieke gebouw, dat zo discreet was dat er niet eens een bordje aan de deur hing – Stephanie was eerst twee keer het hele plein rond geweest voor ze doorhad waar ze moest zijn – was ze vuurrood in haar gezicht, en zag ze er bepaald niet uit als een glamourstyliste. Maar Natasha had alles onder controle. Ze had de schrijfster, een schattig, gespannen meisje genaamd Caroline, in een chic zwart pak gehesen. Het stond haar fantastisch.

'Sorry, sorry,' stamelde Stephanie terwijl ze over de lampen en fotoschermen heen stapte om bij Natasha te kunnen komen, die in de twee koffers naar iets op zoek was. 'Hoe gaat het?' vroeg ze ademloos.

'Prima, doe maar rustig,' zei Natasha. 'De kleren passen allemaal, alles staat haar geweldig en iedereen is blij en gelukkig. En de fotograaf is nogal een lekker ding.'

Stephanie gluurde om de hoek van de deur. Natasha had gelijk, dacht ze terwijl ze de fotograaf eens opnam, die staande op een stoel de naar hem omhoogkijkende Caroline fotografeerde. Ach, mooi, dan ging de dag lekker snel voorbij. 'Hoe heet hij?' vroeg ze aan Natasha terwijl ze zich weer achter de deur verschanste voor hij doorkreeg dat ze hem aan stond te gapen.

'Mark of Michael, zoiets. Ik ben het alweer kwijt.'

'Michael Sotheby,' zei Michael, niet Mark, toen hij zijn hand naar haar uitstak. Ze hadden Caroline weggestuurd om een andere outfit aan te doen.

Stephanie glimlachte. Hij was echt een ongelofelijk lekker ding. Ergens achter in de veertig. Bruine ogen. Opkrullende mondhoeken.

'Stephanie Mortimer. Ik was te laat, sorry.' Zijn naam kwam haar bekend voor. Ze had hem waarschijnlijk wel eens in een tijdschrift zien staan. Ze keek altijd naar het onderschrift bij foto's om te zien of de stylist werd genoemd. Wat bijna nooit het geval was.

Ze kletsten wat over koetjes en kalfjes – over redacteuren en visagisten die ze allebei kenden, en over een fototentoonstelling van de controversiële fotograaf Ian Hoskins, die zijn vaders verval als alcoholist op foto had vastgelegd en die over een paar dagen zijn expositie zou openen in Hoxton.

'Ongelofelijk,' zei Stephanie. 'Ik ben helemaal weg van zijn werk, en jij bent de eerste die zelfs maar van hem heeft gehoord.'

'Wanneer wilde jij ernaartoe?' vroeg Michael. Stephanie merkte dat ze bloosde, alsof hij haar mee uit vroeg, op een afspraakje.

'O, gewoon, ik weet niet…'

'Nou, misschien kom ik je daar wel tegen. Er gebeuren vreemdere dingen.'

Stephanie lachte alsof hij een supergoede grap had gemaakt. Ze realiseerde zich dat ze met hem aan het flirten was – ongetwijfeld een reactie op Michael, die dat zelf ook deed. Ze voelde zich er meteen ongemakkelijk onder.

Caroline kwam terug in een pauwblauwe jurk van Diane von Furstenberg, die tot op de knie viel. Stephanie ging onmiddellijk met spelden in de weer, ze voelde zich belachelijk. Het was al zo lang geleden dat ze voor het laatst met iemand had geflirt, dat ze helemaal niet meer wist hoe dat moest. Bovendien was ze strikt genomen nog getrouwd – althans, de komende weken nog – dus was het waarschijnlijk helemaal niet netjes van haar. James mocht dan geen moreel besef hebben, maar het mijne is nog wel intact, dacht ze zelfingenomen.

'Hij ziet je wel zitten,' zei Natasha in de taxi onderweg naar huis.

'Doe niet zo debiel,' bloosde Stephanie, waardoor ze weggaf dat ze dat zelf ook had gemerkt.

Katie stelde een lijst op met dingen die ze nog moest doen en mensen die ze nog moest uitnodigen voor James' veertigste verjaardag. Die was al over een paar weken, begin mei. Tot dusverre stonden er bijna vijftig mensen op de lijst met genodigden. James was bekend en geliefd in het dorp, want de meeste mensen hadden wel eens van zijn diensten gebruikgemaakt. Ze had Hugh, Alison, Sam, Geoff, Richard en Simone ook maar op de lijst gezet, omdat ze wist dat James het, ondanks hun eetgeschiedenis, toch belangrijk zou vinden dat ze er waren. En bovendien wilde ze niet dat zij de geweldige ontknoping zouden missen die Stephanie en zij rond tien uur 's avonds voor hem in petto hadden.

'Mis ik nog iemand?' vroeg ze terwijl ze hem de lijst overhandigde. Ze had het zaaltje in het dorpshuis gehuurd – haar huisje was te klein – en James had voorgesteld dat ze flink zouden uitpakken met de hapjes en champagne, en dat er gedanst moest worden.

'De McIntyres misschien?' zei hij, refererend aan het stel dat pas in het dorp was komen wonen. De vrouw, had Katie gehoord, was verre familie van het koninklijk huis, en dat sprak James natuurlijk enorm aan. 'Heb je die dan al eens gesproken?' vroeg ze.

'Nee, maar het is wel zo aardig,' antwoordde James, en Katie moest zich inhouden om niet te vragen of hij ook zo aardig wilde zijn als de McIntyres wat minder interessante familiebanden hadden.

'En dat stel dat op nummer 26 is komen wonen?' vroeg ze, ook al wist ze best wat hij zou zeggen. Het stel dat op nummer 26 was komen wonen had vijf kinderen en drie honden, en vier oude auto's in hun voortuin. Geen van beiden leek een baan te hebben.

'Nou, dat denk ik niet,' zei hij. 'Dat is niet echt ons soort mensen.'

Katie wist niet precies wat dan wel 'ons soort mensen' mocht heten, maar ze had al gedacht dat de mensen van nummer 26 niet aan de eisen voldeden. 'We nodigen uit wie jij erbij wilt hebben,' zei ze, voorover leunend om hem een zoen te geven. 'Het is tenslotte jouw feestje. Je krijgt precies wat je verdient, daar zal ik wel voor zorgen.'

'Ach weet je, wat kan mij het ook schelen,' zei James, die doorhad dat hij een stuk minder populair was dan vroeger. 'Nodig ze maar gewoon uit. Misschien zijn ze heel aardig.'

Het had Katie een ongekende kick gegeven om te bellen met de belastingdienst. Het duurde even voor ze haar met de juiste persoon doorverbonden, en terwijl ze in de wacht hing had ze zich afgevraagd of ze wel kon doen wat ze van plan was. Ze besloot een accent aan te nemen, omdat ze bang was dat James misschien ooit zou worden geconfronteerd met een opname van dit gesprek. Maar zodra ze begon te praten en de hooghartige dame aan de andere kant van de lijn had gevraagd of ze misschien wat langzamer kon spreken omdat ze haar niet verstond, had ze het accent laten vallen. Ze vertelde de vrouw dat ze een voormalige werknemer was, en dat ze weg was gegaan omdat ze zo geschokt was door de manier waarop James zaken deed. Toen ze haar naam moest noemen, beweerde ze dat ze Sylvia Morrison was – de eerste naam die bij haar opkwam, waarschijnlijk omdat haar moeder Sylvia heette en Morrison de naam was van de groenteboer waar ze die ochtend boodschappen had gedaan.

De vrouw was helemaal niet aardig tegen haar, en klonk ook erg sceptisch. Het leek alsof ze Katies beschuldiging helemaal niet serieus nam. Toen ze uitgebeld was, moest Katie gaan zitten, met een flink glas cognac, want dat deden mensen altijd in dit soort situaties. Daarna werd ze misselijk, deels van de drank en deels van de opwinding. Ze kon gewoon niet geloven wat ze net had gedaan. Ze was bang en door het dolle, en ze voelde zich schuldig en in shock. Dat ze hiertoe in staat was! Ze wist niet of ze nu opgelucht moest zijn dat haar telefoontje voor niks was geweest, of juist teleurgesteld. Toch voelde ze zich vooral springlevend.

Toen James de week daarna thuiskwam en haar vertelde over de brief was ze bang dat ze zou grijnzen en zichzelf daarmee zou verraden, maar ze bleef reuze meelevend en begripvol. Griezelig hoe goed ze daarin was geworden.

26

TOEN DE TELEFOON DINSDAGAVOND OVERGING, wilde
Stephanie bijna niet opnemen, omdat Finn net zat te klagen
dat hij zijn tuinbonen moest opeten. Want hij 'haatte' tuinbonen, en ze wist dat hij ze zo in de vuilnisbak zou kieperen als ze even
niet oplette. Ze pakte haar mobieltje en wilde het gesprek eigenlijk
wegdrukken, maar toen ze een nummer zag dat ze niet herkende,
was ze toch te nieuwsgierig en drukte ze op de groene knop om op
te nemen.

'Hallo,' zei een mannenstem. 'Met Michael.'

Stephanie piekerde zich suf. Hij klonk vaag bekend. Nog voor ze
antwoord kon geven had hij al door dat ze aarzelde, want hij zei: 'Van
de *shoot* van gisteren. Michael Sotheby.'

Michael de fotograaf. Die leukerd die haar had doen blozen. 'Hi!'
zei ze een beetje verward. 'Hoe kom je aan mijn nummer?'

'Stond op de papieren van gisteren,' zei hij. 'Je vindt het toch wel
goed dat ik je bel, hoop ik?'

'Ja. Jeetje, ja, tuurlijk.' Hou op met dat gestumper, Stephanie.

Ze dacht weer aan Finn, die aan haar aandacht was ontglipt. Ze
wierp een blik op hem, en zag dat hij enorm met zichzelf in zijn sas
leek, met een leeg bord dat voor hem op tafel stond. Ze schonk hem
een glimlach en liep naar de gang, de deur achter zich dichttrekkend.
'Nou…' zei ze, terwijl ze probeerde te negeren dat haar hart nogal
snel was gaan kloppen. Wat was er in 's hemelsnaam met haar aan de
hand? 'Wat kan ik voor je doen?'

'Ik vroeg me af,' zei Michael, en ze wist zeker dat hij wenste dat
hij niet had gebeld, 'of je zin had om met me mee te gaan naar die
expositie van Ian Hoskins.'

Stephanie haalde diep adem. Vroeg hij haar nu mee uit? Ze had gisteren niet gezegd dat ze getrouwd was, maar waarom zou ze ook? Wel had ze met hem geflirt, dat moest ze toegeven. Ze had hem kennelijk de indruk gegeven dat ze geïnteresseerd was.

Dat ze geen antwoord gaf maakte hem duidelijk nerveus. 'Ach, ik bedacht het zomaar. Als je het te druk hebt, of zo, dan is dat helemaal geen…'

'Nee, nee,' hoorde Stephanie zichzelf zeggen. 'Ik zou het hartstikke leuk vinden. Maar ik kan niet voor volgende week, en ik moet een oppas regelen voor mijn zoon. Ik heb namelijk een zoon,' voegde ze er ademloos aan toen – waar was ze mee bezig? 'En een man, maar we zijn gescheiden, al weet hij dat nog niet. Hij heeft namelijk een vriendin, in Lincoln. Daar ben ik pasgeleden achter gekomen. Een paar weken geleden. Maar hij weet nog niet dat ik het weet. Hij is maar een paar dagen per week hier in Londen. Voor Finn. Zo heet mijn zoon.'

'Stephanie, rustig aan,' lachte Michael. 'Ik heb alleen maar gevraagd of je zin hebt om te gaan kijken naar een paar foto's. En als je liever niet meegaat, is dat ook prima.'

'Nee,' zei Stephanie, die probeerde bij zinnen te blijven. 'Ik wilde gewoon eerlijk zijn. Dat vind ik namelijk heel belangrijk, na wat er met mijn huwelijk is gebeurd. Ik wil dat je precies weet hoe het er voor staat, zodat je niet voor een vervelende verrassing komt te staan.'

'Oké. Nou, ik ben zelf vijftien jaar getrouwd geweest, tot mijn vrouw verleden jaar besloot dat ze van me af wilde. Er was geen ander, voor zover ik weet. En ook geen kinderen. Ik heb een appartement in de Docklands, en ik heb nog al mijn eigen tanden, op een na. Want die ben ik kwijtgeraakt bij een ongelukje met de fiets; dus daar heb ik nu een valse tand. En ik ben ooit een keer kreeft geweest in een toneelstukje op school, maar verder heb ik geen akelige geheimen.'

Stephanie schoot in de lach. 'In dat geval ga ik graag met je mee naar de expositie.' Ze deed niets wat niet in de haak was. Zeker niet in vergelijking met wat James haar aandeed.

'Wat zeg je van volgende week maandagavond?' vroeg hij, en ze zei dat ze dat een heel goed plan vond, en dat ze hem dan om zeven uur bij de galerie zou zien.

Toen ze ophing bleef ze even in de gang staan, om na te gaan hoe ze zich voelde, en of ze hier wel goed aan deed. Finn verscheen in de deuropening. 'Wat doe je?'

'Niks. Hoe is het met je tuinbonen afgelopen?'

'Die heb ik op. Wie was dat?'

'Iemand van mijn werk die jij niet kent. Heb je je bonen echt opgegeten?'

'Dat heb je toch gezien? Mijn bord is helemaal leeg.'

Stephanie wist dat ze een keurig hoopje bonen boven op de rest van het afval zou vinden als ze nu in de vuilnisbak zou kijken, maar ze besloot om er verder geen punt van te maken. Ze had een afspraakje. Iemand vond haar aantrekkelijk genoeg om haar mee uit te vragen. Ze zou er morgen wel bij blijven als Finn zijn groente at.

Ondanks het gevoel dat het geen wandaad was dat ze Michaels uitnodiging had aangenomen – naar een paar foto's kijken stond op de schaal van ontrouw nou niet bepaald gelijk met net doen alsof je single was en vadertje en moedertje spelen met iemand anders – vertelde Stephanie er niets over aan Natasha, de volgende ochtend. Niet dat ze het niet wilde. Zij en Natasha hadden nooit geheimen voor elkaar, voor zover zij wist.

Ze liet zelfs zijn naam achteloos vallen toen Natasha vroeg wanneer ze de jurken die ze voor Carolines *photo shoot* hadden geleend weer terug moesten brengen. 'Michael was volgens mij wel te spreken over hoe ze eruitzag,' zei Stephanie.

'Hij had anders vooral oog voor jou. Volgens mij zag hij die hele Caroline nauwelijks staan,' had Natasha lachend geantwoord, en Stephanie dacht: ik moet nu zeggen dat hij gebeld heeft en als dat goed valt kan ik zeggen dat we maandag hebben afgesproken. Maar iets hield haar tegen. Ze vond het dom om als een puber te gaan praten over een afspraakje. Trouwens, er viel helemaal niets te vertellen: ze gingen alleen maar naar een paar foto's kijken. Meer niet.

Die maandag wenste ze dat ze geen ja had gezegd. Het was gewoon te veel gedoe. Al die zorgen om hoe ze eruitzag, en te bedenken welke interessante en grappige dingen ze kon vertellen. Het regende die avond; eigenlijk wilde ze veel liever naar huis, lekker op de bank televisiekijken. Ze overwoog om Michael af te bellen met een smoesje – dat ze ziek was, of beter nog, dat ze problemen had met de oppas – maar ze wist dat hij waarschijnlijk toch zou proberen om de afspraak te verzetten, en dan zou ze snel door haar smoezen heen zijn. Dus nam ze zich voor de avond zo kort mogelijk te houden. Beleefd blijven, even naar de foto's kijken en dan rond een uur of negen weer naar huis. Halftien, hooguit.

Finn ging uit school mee met de moeder van Arun, daar zou hij die avond ook logeren, dus had ze meer dan genoeg tijd om in bad te dobberen en te piekeren hoe ze zichzelf die avond zou presenteren door middel van haar kleding. Ze ging uiteindelijk voor een redelijk conservatieve maar toch jeugdige bloes met een Puccipatroon, lekker bont dus, en een strakke maar niet al te strakke spijkerbroek, daaronder haar lievelingslaarzen, met veel te hoge hakken om op te kunnen lopen. Ze was net bezig om voor de vijfde keer haar make-up bij te werken, toen Katie belde.

Ze hadden elkaar al een paar dagen niet gesproken. De aanvankelijke pret die ze hadden met elkaar telkens te sms'en als James weer iets idioots had gezegd of gedaan, was er inmiddels vanaf, en ze waren vervallen in een vast patroon van elkaar kort bijpraten na zijn bezoekjes. Stephanie wist dat ze Katie had moeten bellen toen James gisteren weer naar Lincoln vertrok, maar ze had er geen zin in gehad. Ze hadden eigenlijk best een fijn weekend gehad, samen. Omdat Stephanie zich stiekem verheugde op haar aanstaande afspraakje, had ze minder last van zijn aanwezigheid dan anders en hij was op zijn beurt blij dat hij weg kon van de recente moeilijkheden op het platteland, nam ze aan. Dus leek hij ontspannen en blij om thuis te zijn. Ze hadden niet één keer ruziegemaakt, en ook al twijfelde Stephanie er niet aan dat het wel zo fijn was als hij helemaal nooit meer thuis zou komen, ze was bijna vergeten dat ze kwaad op hem was, en gekwetst door zijn verraad. Het was bijna net als vroeger. Nu ze er echt van overtuigd was dat ze hem niet meer wilde, was het gemakkelijker geworden.

Er was alleen een akelig moment toen James het over zijn aanstaande verjaardagsfeestje had, en haar vroeg wat ze van plan was. Ze zouden het thuis doen en Stephanie had opgesomd wie ze allemaal wilde uitnodigen: familie, vrienden, collega's. Ze zouden catering inhuren, en de oudere kinderen van vrienden konden een zakcentje bijverdienen door te bedienen. James zorgde voor de muziek. Hij was van plan om playlists aan te maken op zijn iPod, zodat ze van acht uur 's avonds tot vier uur 's nachts muziek hadden, met verschillende stijlblokken. Een van de slaapkamers op de eerste verdieping zou worden omgetoverd in een grote speelkamer voor de jongere kinderen van hun vrienden.

'Ik heb er zo'n zin in,' had James gezegd, en daar had Stephanie geen antwoord op, want ze voelde zich een beetje ongemakkelijk, al had ze er zelf ook zin in.

Michael stond buiten de galerie op haar te wachten, voor de regen schuilend onder een luifel. Hij zag er goed uit, vond ze, tot haar opluchting, want ze vreesde dat haar herinnering van hem iets rooskleuriger was, puur omdat hij haar leuk vond. Hij zwaaide naar haar toen ze dichterbij kwam, en die mondhoeken van hem waar ze de eerste keer al voor viel, krulden weer omhoog. Hij droeg een wijde kaki broek en een T-shirt met lange mouwen onder een T-shirt met kortere mouwen, in een contrasterende kleur. Zijn dikke haar was donkerblond, en zat precies rommelig genoeg. Hij leek volkomen op zijn plek in de stadse chic van Hoxton. Dat zou je van James nooit kunnen zeggen. Misschien was hij een beetje te veel een *type*, wat normaal niet Stephanies smaak was. Het leek net alsof hij er iets te lang over had nagedacht wat voor indruk hij wilde maken. Maar hij zag er zonder meer geweldig uit.

'Ben ik te laat?' vroeg ze ademloos zodra ze binnen gehoorsafstand was. Ze was altijd overal te laat. Het was een van haar slechtste punten, vond ze zelf, maar ze kon er niets aan doen. De tijd ging zo snel, hoe georganiseerd ze ook probeerde te zijn. Ze weet het er zelf aan dat ze in feite een alleenstaande moeder was – tenminste, voor het grootste deel van de week.

'Nee,' zei hij glimlachend. 'Helemaal niet. Ik wilde er eerder zijn, voor het geval jij het niet kon vinden. Dit is niet echt een wijk waar je verdwaald wilt raken.'

Hij hield de deur voor haar open en ze liepen de verblindend witte ruimte binnen. De foto's, die zonder enige terughoudendheid alle deprimerende aspecten van een minderbedeeld gezinsleven lieten zien, waren zowel schokkend als ontroerend, en wat Stephanie vooral prettig vond, was dat ze hun iets gaven om over te praten. Toen ze bij het einde van de expositie waren, was het bijna anderhalf uur later. Stephanie had het gevoel dat zij en Michael alles van elkaars achtergrond en jeugd wisten. Ook hadden ze het uitvoerig gehad over hun ideeën wat het gezinsleven en relaties betreft. Ze had in geen jaren zoveel gepraat, al helemaal niet tegen iemand die geïnteresseerd leek te zijn in wat ze te zeggen had, althans die indruk wekte hij. Net als haar eigen familie, kwam de familie van Michael uit dat verstikkende overgangsgebied tussen de stad en de buitenwijken. 'Niet spannend maar ook niet idyllisch,' zei hij, en ze moest lachen, want ze wist precies wat hij bedoelde. 'Zo ontzettend gewoon. Echt ongelofelijk gewoon, dodelijk saai.'

Toen ze de natte avond weer in stapten was het halfnegen. Stephanie wist dat ze nu iets moest zeggen als ze zich aan haar plan wilde houden en op tijd thuis wilde zijn. Maar toen Michael vroeg of ze nog iets wilde drinken, hoorde ze zichzelf ja zeggen.

Ze liepen de hoek om en gingen een pijnlijk hippe tent binnen, waar een eclectische mix stond van leunstoelen en niet-bijpassende tafeltjes. Ze vonden een plekje ergens in de hoek en dronken bier uit een flesje. Net toen Stephanie bedacht dat ze hier totaal niet op haar plek was, in die menigte jonge mannen met hun hippe kapsels en hun koerierstassen schuin over hun borst, en die meisjes in hun vintagejurkjes, en ze begon te denken dat ze haar biertje zou leegdrinken en dan toch naar huis wilde, leunde Michael voorover en pakte haar even bij de arm: 'Dit is niet helemaal jouw stijl, hè?' vroeg hij. 'Kom, dan gaan we ergens anders heen.'

Ze vonden een tapasbar, waar het stil was en waar kaarsen brandden. Daar praatten ze door bij een fles rode wijn. Om kwart over elf stelde Michael voor dat ze een taxi zouden delen, waar Stephanie mee instemde. Ze vroeg zich af of ze in zijn huis zouden eindigen, wat ze helemaal niet erg zou vinden. Toen ze bij zijn appartement in Islington stopten, gaf Michael haar een kus op haar wang. 'Zullen we dit binnenkort nog een keertje doen?' vroeg hij.

'Absoluut,' zei Stephanie, zich afvragend of hij wachtte tot zij zou voorstellen om een slaapmutsje te doen, bij hem thuis.

'Ik bel je morgen,' zei hij terwijl hij uitstapte en het portier achter zich dichtsloeg. 'Belsize Park,' hoorde ze hem tegen de taxichauffeur zeggen, toen draaide hij zich om en zwaaide naar haar voor hij de trap op liep naar zijn huis. Michael, naar het leek, was een heer.

27

OOK JAMES HAD EEN SPANNENDE maandag. En koe met mastitis, een schaap met een geïnfecteerde wond aan zijn poot, en nog een schaap met een ooginfectie. Tussendoor had hij de telefoon bemand op de kliniek, en had hij het uitzendbureau in Lincoln achter hun vodden gezeten omdat hij wilde dat ze iemand zouden sturen die de receptie kon waarnemen – kennelijk hadden ze voorlopig niemand voor hem. Er waren niet zoveel meisjes in Lincoln die zin hadden om elke dag voor een mager loontje naar een dorp af te reizen. Om tien over een, net toen hij zich afvroeg of hij de boel een uurtje dicht kon gooien zodat hij lekker rustig een broodje kon gaan eten – Simon en Malcolm waren naar de pub gegaan zonder te vragen of hij hulp nodig had en of hij misschien ook mee wilde – kwam er een vrouw in een donkerblauw mantelpakje binnen. Mager was ze, en niet echt aantrekkelijk. In tegenstelling tot de meeste mensen die langskwamen, had zij geen dier bij zich, maar wel hield ze een pak papieren in haar handen. James glimlachte bij wijze van begroeting, en vroeg zich af of ze soms verdwaald was.

'Is James Mortimer aanwezig?' had de vrouw gevraagd.

'Dat ben ik,' zei James vanachter de receptie. 'Wat kan ik voor u doen?'

De vrouw keek in haar papieren. 'Ik ben van de dienst Bouw- en Woningtoezicht,' zei ze. 'Volgens onze informatie hebt u dit pand zonder vergunning uitgebouwd.'

Zijn glimlach bestierf maar hij dwong zichzelf te blijven lachen. 'Het spijt me, maar dat moet een vergissing zijn. Van wie hebt u deze informatie, zei u?'

De vrouw beantwoordde zijn glimlach niet. 'Ik heb niets gezegd, want dat is vertrouwelijke informatie. Als u me nu wilt rondleiden?'

James zag dat de vrouw onder andere een tekening van het gebouw bij zich had. Hij kon dus met geen mogelijkheid de uitbouw voor haar verborgen houden. Hij probeerde te bedenken wat hier de gevolgen van konden zijn. Een boete? Toch niet iets ergers? Die verdomde Sally. Hij zou het er niet bij laten zitten dit keer. Oké, dacht hij, er was maar één manier om zich hier doorheen te slaan. Door te bluffen.

Hij nam de vrouw, die hem had verteld dat ze Jennifer Cooper heette, mee naar de uitbouw, waar momenteel een schapendoes en een kat lagen bij te komen na een operatie.

'Ik vraag me af of u dit misschien bedoelt,' zei hij met een gebaar naar de grote kamer. Aan de zijkant van die kamer was een deur, die leidde naar de kleine operatiekamer. Jennifer bestudeerde haar bouwtekening. 'Dit heb ik twee jaar geleden laten bouwen, maar de architect heeft me verzekerd dat het te klein was om een bouwvergunning aan te vragen.' Hij was zich ervan bewust dat het zweet hem uitbrak. 'De regel was tien procent, toch? Van de totale oppervlakte?' Jezus, waarom deed hij dit? Liegen tegen dit soort mensen was waarschijnlijk het stomste wat je kon doen.

Jennifer keek even rond, en nam de maten van de ruimte op. Toen liep ze naar de operatiekamer en ze bekeek die ook grondig. Ze deed alle kasten open. Daarna kwam ze weer terug op haar bouwtekening. 'U zegt dat deze uitbouw minder dan tien procent van de oorspronkelijke omvang van het hele gebouw is?' Ze keek hem aan op een manier waardoor de moed hem in de schoenen zonk.

'Ja, dat heb ik tenminste altijd begrepen,' zei James, en hij keek naar zijn schoenen.

Jennifer viste ergens een pen vandaan. 'Mag ik van u de naam van de architect?'

James haalde diep adem. Dit was belachelijk. Hij had helemaal geen architect in de arm genomen toen hij die uitbouw liet maken, omdat hij ook wel wist dat die per se een vergunning zou willen aanvragen, wat maanden zou duren. Hij zou die vergunning vrijwel zeker toch niet hebben gekregen, aangezien niemand in het dorp ooit een vergunning kreeg. Vooral niet zodra Richard en Simone er lucht van kregen. Tenzij de uitbouw natuurlijk werd gemaakt van oude bouwmaterialen en eruit kwam te zien alsof die er al sinds de vijftiende eeuw stond, wat hem een fortuin zou kosten. Hij moest deze vrouw maar gewoon de waarheid vertellen. Dan maar naïef doen, of dom. Wat was het allerergste wat ze hem kon flikken?

'Oké,' zei hij met zijn allercharmantste blik. Misschien viel er wel met haar te flirten. 'Daar hebt u me te pakken. Tegen zo'n vriendelijk gezicht kan ik niet liegen. Niemand heeft me ooit gezegd dat ik die uitbouw zonder vergunning mocht uitvoeren. Ik heb het er gewoon op gewaagd. Ik dacht dat het niet zo'n enorme ingreep was, en dat het aan de achterkant was, waar niemand het kon zien…'

'Deze buurt is beschermd dorpsgezicht,' viel Jennifer hem in de rede. 'U kunt hier niet zomaar wat bouwen zonder toestemming, van welke afmetingen dan ook.'

Zijn beroemde charme werkte duidelijk niet. 'Wat gebeurt er nu dan?' vroeg hij. 'Krijg ik een boete?'

'Wat er nu gebeurt, is dat u alsnog een bouwvergunning aanvraagt,' zei Jennifer.

'En dan?'

'Als uw aanvraag aan alle vereisten voldoet, krijgt u uw vergunning.'

'En wat als ik die niet krijg?' vroeg James, al wist hij het antwoord al.

'Dan moet u het weer afbreken.'

'Dat meent u niet? Als ik dit afbreek moet de praktijk hier weg. Het gebouw is niet groot genoeg zonder de uitbouw.'

'Dan had u beter meteen een ander gebouw kunnen zoeken,' zei Jennifer, die nu voor het eerst een lachje liet zien. 'U hebt zestig dagen om de aanvraag in te dienen. Goedemiddag.'

Toen ze weg was ging James op de grond zitten en aaide afwezig de oren van de slapende schapendoes, door de spijlen van het hok. Wat gebeurde er toch allemaal?

Een halfuur later stond hij bij Sally voor de deur, waar hij zijn vinger op de deurbel hield. Nu was het welletjes. Hij begreep dat ze kwaad was, en hij kon ook begrijpen dat ze een beetje wraak wilde nemen. Ze had nog geen ander werk gevonden, voor zover hij wist, want het was maar een klein dorp, en zoveel werkgelegenheid was hier niet. Misschien had hij wat overhaast gehandeld door haar zo snel te lozen. Achteraf zag hij in dat het onmogelijk was om de kliniek draaiende te houden als er niemand achter de receptie zat. Maar toen dacht hij weer aan de brief van de belastingmensen, en Jennifers overdreven formele houding. Zak er ook maar lekker in. Hij nam liever de hele dag zelf de telefoon op, dan dat hij dat mens ooit nog voor hem zou laten werken.

Achter de deur hoorde hij een hond blaffen, en er klonken zware voetstappen in de gang. Sally's vader, Jim O'Connell, een doorgaans sympathieke kerel met een rooddooraderd gezicht, verscheen in de deuropening. Hij fronste toen hij James zag. 'Ja?' vroeg hij kortaf.

James aarzelde. Hij probeerde in te schatten of Jim hem in elkaar zou slaan of niet, en hij bedacht dat hij ongetwijfeld sterk genoeg was, maar dat er geen vechtersbaas in hem school. 'Ik zou Sally graag willen spreken, alstublieft,' zei hij, nerveus glimlachend. 'Als ze thuis is.'

Hij bleef voor de deur staan wachten en vroeg zich af of hij niet beter weg kon gaan en later nog eens langs zou komen, als Sally alleen thuis was. Hij kon haar moeilijk de huid vol schelden met haar vader in de buurt. Hij wist überhaupt niet meer waarom het hem net nog zo'n goed idee had geleken om haar de huid vol te schelden. Hij dacht misschien dat hij zich dan beter zou voelen.

Toen Sally eindelijk de trap af kwam en de gang in liep, keek ze hem vijandig aan, vond hij, en al zijn woede kwam weer boven. Hoe kwam ze erbij dat ze het recht had om hem dit soort dingen aan te doen? Hij sprak zachtjes, in de hoop dat Jim hem niet zou horen. 'Nou, je kunt trots zijn op jezelf, hoor.'

Sally liet haar masker van zelfvertrouwen vallen. Als hij haar uitdrukking had kunnen lezen, had hij gezien dat ze in opperste verwarring was. 'Waar heb je het over?'

'Jij weet dondersgoed waar ik het over heb. Wel heel toevallig dat er zomaar ineens, na al die jaren, iemand van Bouw- en Woningtoezicht langskomt, vind je zelf ook niet?'

Sally, die eigenlijk dacht dat James langskwam om te zeggen dat het allemaal een groot misverstand was, en of ze haar baan weer terug wilde – tijdens het korte stukje van haar kamer naar de voordeur had ze zelf al bedacht dat ze het hem een paar minuten flink lastig zou maken, maar dat ze dan waardig op zijn aanbod in zou gaan – legde haar hand op de deurpost om zich staande te houden. 'Bouw- en Woningtoezicht?'

'Hang maar niet de vermoorde onschuld uit,' siste James, en ineens zag hij zichzelf van buitenaf staan: een enigszins grijzende man van middelbare leeftijd, die een jong meisje stond uit te schelden bij haar eigen voordeur en die teksten uitkraamde als in een slechte politieserie. 'Maar het is nu echt genoeg geweest, heb je dat goed begrepen. De belastingdienst, dat mens van Bouw- en Woningtoezicht... Nou is het wel genoeg met die wraak van jou, als dat je bedoeling was. Het spijt me vreselijk dat je vindt dat je onterecht bent ontslagen, maar ik vind dat we nu wel quitte staan.'

Hij draaide zich om en wilde weglopen. Er was niets meer te zeggen. Het had geen zin om haar verder op stang te jagen. God weet wat ze nog voor hem in petto had.

28

KATIE GING NA HAAR CURSUS reflexologie altijd iets drinken met haar medecursisten. Het was een leuk groepje – meest vrouwen, en dat vond ze momenteel prima, aangezien ze haar vertrouwen in mannen volledig kwijt was. Er was een pub om de hoek bij de school, waar ze altijd een tafeltje konden vinden, en waar ze een paar glaasjes wijn dronken en kletsten over wat ze hadden geleerd, en, naarmate de weken voorbijgingen, ook steeds meer over hun privé-leven. Daarna reed ze naar huis – heel voorzichtig, wetend dat ze een tikje aangeschoten was – naar een steeds chagrijniger James.

Die paar uurtjes gaven haar een ongelofelijk gevoel van vrijheid. Ze had het idee dat ze haar leven terug had, en dat ze zich voorbereidde op haar hernieuwde vrijgezellenbestaan. Bovendien vond James het vreselijk dat zij liever met haar nieuwe vriendinnen aan de drank ging dan dat ze zich naar huis haastte om bij hem te zijn. Nou, hij kon mooi de pot op. Het kon haar geen moer meer schelen wat hij dacht. Hij had een paar keer voorgesteld dat hij naar Lincoln zou komen en dat hij dan met hen mee zou borrelen in de pub, maar dat was wel het laatste waar ze zin in had. Dit waren haar vrienden en vriendinnen, en het was haar sociale leven, en ze wilde hem er helemaal niet bij hebben.

Het had hem gekwetst en verward; zelfs was hij een keer zo brutaal geweest om te vragen of er ook mannen in dat borrelclubje van haar zaten. 'We zijn niet allemaal zoals jij. Het draait niet allemaal om de seks,' had ze willen zeggen, maar ze had op haar tong gebeten en hem liefjes verzekerd dat de enige mannen op de cursus homo waren of verbluffend lelijk. 'Niks voor jou, die mensen,' zei ze over haar nieuwe vrienden. 'Het zijn allemaal heel spirituele mensen. Heel new age, en zo. Jij zou meteen ruzie met ze hebben.'

De eerste paar weken was James naar de pub in het dorp gegaan om daar een paar biertjes te drinken, maar de laatste tijd zat hij verwijtend op de bank als zij thuiskwam, als een boze kleuter. Ze besloot het te negeren, en vlinderde door het huis alsof er geen vuiltje aan de lucht was. Wat ongelofelijk hypocriet van hem om haar die ene avond uit te misgunnen als hij een heel dubbelleven had.

Via haar nieuwe vrienden – van wie sommigen al een praktijk hadden in aanvullende therapieën, en van wie anderen nieuw waren in de wereld van de alternatieve geneeswijzen – had Katie een aantal nieuwe cliënten gekregen. Ze ging tegenwoordig op huisbezoek, met haar draagbare massagetafel. Dat vond ze fijner dan hen thuis te ontvangen. Daardoor had ze langere werkdagen, en minder vrije tijd, maar ze begon wel steeds beter te verdienen. Mensen waren bereid om flink geld neer te tellen voor iemand die hen in hun vertrouwde omgeving kwam behandelen, zelfs mensen buiten de stad, dus kon ze haar prijzen bijna tot het dubbele verhogen. Zelfs als daar de benzine vanaf ging en haar reistijd, hield ze behoorlijk wat over. Mensen die doordeweeks werkten wilden best iets meer betalen voor een behandeling in het weekend, waardoor haar zondag- en maandagavonden al snel helemaal volgeboekt waren, zodat James begon te klagen dat hij haar nooit meer zag.

Net toen ze bedacht dat ze nu toch echt eens op moest houden met Owen te behandelen – ze begon te vermoeden dat hij haar in de tang had, en de tijd dat ze mensen gratis behandelde waren echt voorbij – kwam hij opdagen met een stapeltje haveloze biljetten van tien pond, in een envelop. Hij had een nieuwe baan, vertelde hij, en nu kon hij haar eindelijk terugbetalen. 'Het is maar gewoon in het ziekenhuis, als portier, maar ik verdien mijn eigen geld weer, en dat is het belangrijkste.'

Katie was in de wolken. 'Owen, dat is geweldig! Wat een ontzettend positieve ontwikkeling! O, wat ben ik blij voor je. En let op, andere goede dingen zullen volgen. Zo gaat het altijd.'

'Ik ga je echt alles terugbetalen. Ik moet er wel een paar weken over doen, maar je krijgt het hele bedrag. Uiteindelijk.'

Hij was meteen uit zijn werk naar haar toe gekomen om haar te zeggen dat hij op woensdagochtend niet meer langs kon komen. Die luxe kon hij zich gewoon niet meer veroorloven, en hij wilde haar diensten niet meer voor niets aannemen. Hij had het allemaal aan haar te danken, zei hij, deze grote ommezwaai in zijn leven. Misschien dat ze, als hij alles had terugbetaald en een beetje had gespaard, nog eens wilde nadenken over zijn uitnodiging om samen uit eten te gaan. Katie was absoluut niet van plan om daar op in te gaan, al was ze nog zo blij met dit bewijs dat haar werk echt iets voor mensen kon betekenen. Het laatste waar ze nu op zat te wachten was een andere man, en al helemaal niet een man met zoveel onzekerheden en tekortkomingen.

'Dat is toch helemaal niet nodig,' zei ze beleefd. 'Maar het is erg aardig dat je het vraagt.'

Owen liep rood aan. 'Ik bedoelde niet dat ik een date met je wil, of zo. De uitnodiging is voor jullie allebei, voor jou en James,' stotterde hij.

'Owen, hou je geld nou maar lekker in je zak. Hoewel ik het echt heel lief van je vind.' Ze gaf hem een zoen op zijn wang, om aan te geven dat het gesprek over was. 'Veel succes,' zei ze. 'Met alles.'

De oom van Sally O'Connell, Paul Goddard, had altijd een prettige relatie met de plaatselijke dierenarts gehad. Hij vond James betrouwbaar en stipt, zelfs als hij hem voor een noodgeval opriep. Hij twijfelde absoluut niet aan zijn gevoel en compassie voor de beesten, maar hij was er gelukkig nooit sentimenteel over, want Paul had geen tijd voor die onzin. Als boer moest je je vee nu eenmaal zien als productiemiddel.

Elke kerstavond liet hij een fles whisky bezorgen bij James, als teken van waardering voor zijn diensten, en omdat die diensten zo goedkoop waren; Paul betaalde James altijd contant. Dat had Paul een verstandige manier van zakendoen geleken: niemand verloor er iets op, het was voor beide partijen gunstiger en trouwens, iedereen deed het. Hij dacht er eigenlijk nooit dieper over na.

Dus toen de man van de belastingdienst op een middag voor zijn deur stond en allerlei vragen begon te stellen, wilde Paul instinctief alles ontkennen. Want als hij en James het allebei niet zouden toegeven, dan kon niemand ooit het tegendeel bewijzen. Maar toen herinnerde hij zich het betraande gezicht van zijn nichtje, de vorige avond, toen ze hem had verteld over het bezoekje van haar voormalige baas, en over de beschuldigingen die hij naar haar hoofd had geslingerd. Plotseling had hij geen zin meer om die vent te beschermen.

'Voor mij is het veel gemakkelijker contant met hem af te rekenen,' hoorde hij zichzelf zeggen tegen de man met het klembord. 'Dan weet ik precies waar ik sta. Ik heb het niet zo op bankrekeningen,' voegde hij eraan toe. Hij speelde de rol van onnozele boer perfect. In werkelijkheid had Paul niet alleen een heel gezonde bankrekening, maar ook een dikke spaarrekening, die hij een keer per jaar flink spekte. Sinds hij biologisch was gaan boeren, was het hem financieel behoorlijk voor de wind gegaan.

'Wat hij vervolgens met dat geld doet, is zijn zaak, toch? Of hij dat nu aan jullie vertelt of niet, tja, daar heb ik verder niets mee te maken.'

De man bedankte hem hartelijk voor zijn tijd en zijn openhartigheid en ging tevreden op pad. Dat zal hem leren, die eikel, dacht Paul. Sally was altijd al zijn lievelingsnichtje geweest.

Toen James op woensdagmiddag thuiskwam in Londen, wilde hij zich het liefst opsluiten in de slaapkamer, met de gordijnen dicht en het dekbed over zijn hoofd, om er nooit meer uit te komen. Hij voelde zich belaagd, en hij was uitgeput van het draaiende houden van de praktijk zonder receptioniste. Ze raakten klandizie kwijt, dat wist hij wel zeker. Hij had via de tamtam gehoord dat toen een van Paul Goddards koeien midden in de nacht was gaan kalveren, Paul er een veearts uit een ander dorp bij had gehaald. James, die als altijd zijn telefoon aan had staan, had op Pauls telefoontje liggen wachten, omdat hij wist dat de koe op alle dagen liep. Hij was zowel verbijsterd als gekwetst toen hij het hoorde.

Hij had Katie 's avonds nauwelijks gezien vanwege al haar nieuwe klanten, en haar huisje begon als een gevangenis te voelen. Het was helemaal niet meer dat gezellige hokje waar twee mensen met genoegen negeerden dat het te klein en te benauwd was, omdat ze het zo heerlijk vonden om samen te zijn. Hij zag ineens hoe belachelijk het was dat een man van zijn leeftijd in zo'n hut moest wonen. Als je in de zitkamer stond kon je de muren aan weerskanten aanraken. Had hij daar zijn hele volwassen leven nou zo hard voor gewerkt? Om in een speelhuisje te wonen met een vrouw die bijna nooit thuis was?

En dan had je uiteraard nog die ellende met Sally en de belastingdienst en de dienst Bouw- en Woningtoezicht. Plus het feit dat Malcolm en Simon bijna geen woord meer tegen hem zeiden. Toen hij Katie zijn zorgen had willen toevertrouwen, zei ze doodleuk dat dingen niet zonder reden gebeurden, en dat het uiteindelijk allemaal het beste was zo, dus toen had hij het gesprek maar beëindigd. Wat had het voor zin om met iemand te praten die toch alleen maar zei wat je wilde horen?

Gelukkig was het in Londen niet zo'n ellende. Hier deed hij gewoon zijn werk, en dan zat hij 's avonds rustig thuis bij Stephanie en Finn. Hier kon hij zich ontspannen zonder dat hij het gevoel had dat iedereen het op hem had voorzien. Hij zat gewoon lekker thuis. Toen hij om vijf over vier binnenkwam – hij stopte niet meer onderweg, want hij wilde zo snel mogelijk in Belsize Park zijn – en die vertrouwde geur opsnoof van koffie en boenwas, en dat typische kleinejongensluchtje van Finn, wat een mengeling was van shampoo en cavia en gympies, schoot er een brok in zijn keel. Dit was het ware leven. Dit was zijn gezin.

Finn kwam op hem af gedenderd, vol verhalen over school en David en zijn vriendjes, en dingen waar James geen touw aan vast kon knopen. Dat kwam, besefte hij nu, doordat hij de halve week fysiek afwezig was, en de andere helft mentaal afwezig. Toch moest hij lachen om wat Finn allemaal vertelde. Zijn zoon had een enorm gevoel voor drama.

Hij had Stephanie in de keuken aangetroffen, en toen die zich omdraaide om hem te begroeten, werd hij getroffen door de afstand die er tussen hen was gegroeid. Toen ze pas in Londen woonden stortte ze zich in zijn armen als hij op woensdagavond thuiskwam. En op zaterdagavond als ze in bed lagen huilde ze altijd omdat hij de volgende dag alweer weg moest. Dat had hem toen behoorlijk op zijn zenuwen gewerkt. Hij was zo verbolgen dat ze hem tot dit gespleten leven had gedwongen, dat hij die tranen met enige scepsis had bekeken – als ze echt zoveel om hem gaf, dan zou ze toch gewoon haar werk opgeven en weer teruggaan naar Lincolnshire? Maar nu, met haar kille glimlach en haar beleefde vraag hoe zijn reis was geweest, zou hij dolgraag enig teken van haar krijgen dat ze blij was hem weer te zien.

Ze zag er heel mooi uit, dacht hij met een schok. Nou ja, fysiek was ze natuurlijk altijd ongelofelijk mooi geweest, maar de afgelopen paar jaar had hij Katies zachte aardsheid zoveel opwindender gevonden dan Stephanies ranke hoekigheid. Hij vond vooral Katies behoefte aan bescherming zo geweldig, terwijl de onafhankelijkheid van Stephanie hem afstootte. Hij liep op haar af voor een knuffel, en hij voelde haar heel even verstijven voor ze zich ontspande en hem niet van ganser harte op zijn rug klopte. Een golf van diepe ellende overspoelde hem, en hij drukte haar dichter tegen zich aan en begroef zijn gezicht in haar zijdeachtige haren. Ze liet hem kort zo staan, voor ze hem vriendelijk van zich afduwde en verder ging met de groente die ze aan het snijden was.

'Finn, kom eens hier zitten met je huiswerk,' riep ze, waarmee ze alle kans op een intiem moment de kop indrukte.

29

DE BAFTA-UITREIKING WAS AL OVER een paar dagen, en Stephanie had eigenlijk nog niet zoveel aan James' verjaardagsfeestje gedaan als zou moeten. Ze had de uitnodigingen wel verstuurd, en de meeste RSVP's waren al binnen. Ook had ze de catering geregeld – het was een Japans bedrijf dat met een tas vol griezelig grote messen bij hen thuis zou komen om sashimi klaar te maken. De gasten konden daar dan vol bewondering omheen komen staan. Maar verder was ze nog niet gekomen. Ze besloot Katie te bellen om te zien hoever die was met de voorbereidingen. Dat was in elk geval de smoes. In werkelijkheid begon ze zich een beetje zorgen te maken. James had haar verteld dat Sally de dienst Bouw- en Woningtoezicht had getipt over de uitbouw die hij achter de praktijk had laten maken, maar zij had zo haar vermoedens. Het leek wel alsof Katie een soort openbaring had gehad sinds hun eerste ontmoeting, en sinds ze hun plan hadden getrokken. Ze was als het ware veranderd van een lieve, gekwetste vrouw in een of andere wraakzuchtige actievoerster. Stephanie, die zich heus wel realiseerde dat zij juist met het wraakplan was gekomen, begon te vrezen dat ze een monster had gecreëerd dat zich niet meer liet temmen.

Katie nam meteen op. Haar stem klonk nog altijd even lief en onbedreigend als altijd, dacht Stephanie.

'Hi Stephanie, hoe is het?'

'Goed,' zei Stephanie. 'Ik vroeg me af hoe het gaat met het feestje.'

Katie vertelde over de aankleding die ze in haar hoofd had voor het dorpshuis, en over de meters witte mousseline waarmee ze de zaal zou omtoveren tot een soort bedoeïenentent, en over de witte tafelkleedjes en het witte serviesgoed dat zo mooi zou afsteken bij het groene blad en de witte lelies die ze had uitgekozen. Het klonk Stephanie allemaal een tikje bruiloftsachtig in de oren. Niet bepaald wat James mooi zou vinden. Ze realiseerde zich dat ze helemaal niet meer luisterde toen ze Katie plotseling heel hard hoorde lachen: 'Ik betwijfel of hij dan überhaupt nog vrienden overheeft om uit te nodigen.'

'Hoe bedoel je?' vroeg Stephanie.

Dus vertelde Katie haar het hele verhaal over Sally en haar oom Paul, en over dat James nu bij de belastingdienst ontboden was om zijn verhaal te doen, en dat hij waarschijnlijk een enorme boete zou krijgen, of op zijn minst zou moeten terugbetalen wat hij nog verschuldigd was. En dat hij naar Sam McNeil was gegaan om te vragen of die, in haar functie bij Bouw- en Woningtoezicht, advies voor hem had over hoe hij die aanvraag voor zijn uitbouw zou moeten aanpakken. En dat die vervolgens uit haar dak was gegaan en hem ervan had beschuldigd dat hij haar in feite vroeg om iets te regelen en hem een voorkeursbehandeling te geven. En dat zelfs Simon en Malcolm nauwelijks nog een woord met hem wilden wisselen en dat een aantal klanten van de praktijk al waren overgelopen naar andere klinieken in de buurt. Stephanie hoorde het aan en merkte dat ze medelijden met hem kreeg, ondanks alles wat hij haar had aangedaan.

'Hoe wisten die Bouw- en Woninglui van die uitbouw?' vroeg ze, al wist ze het antwoord al.

'Ik heb ze gebeld,' zei Katie, die klonk als een kind van twee dat graag een schouderklopje wilde omdat ze netjes op het potje had geplast. 'Anoniem, uiteraard.'

Stephanie zuchtte. 'Maar we hadden toch afgesproken dat we dat soort dingen eerst zouden bespreken?' zei ze moedeloos.

'Ja, weet ik. Ik heb ook nog geprobeerd je te bellen. Maar het is wel een goeie bak, vind je niet?'

'Ik wil gewoon niet dat het allemaal uitkomt voor het feest. Daar deden we het toch voor?' vroeg Stephanie, hoewel ze al helemaal geen zin meer had in dat hele plan.

'Nou, het is zijn verdiende loon,' zei Katie venijnig. 'En hij is zo verschrikkelijk arrogant, dat hij toch nooit doorheeft dat ik er iets mee te maken heb. Wat maakt het uit als niet iedereen naar zijn feestje komt? Hij zal heus wel bloeden.'

'Misschien moeten we er maar gewoon mee ophouden,' zei Stephanie. 'Hij heeft nu genoeg zorgen. Laten we hem maar gewoon dumpen, klaar.'

'Ho, ho,' zei Katie, 'volgens mij was jij degene die zei dat het een gotspe was als hij hier zonder kleerscheuren doorheen kwam.'

'Dat weet ik wel, maar ik ben er nu niet meer zo zeker van. Het voelt allemaal een beetje… ik weet niet… een beetje overdreven.'

'Stephanie, je moet dit doen, voor je gevoel van eigenwaarde, na alles wat hij jou heeft aangedaan. En ik ook. Wat heeft het voor zin om er nu de brui al aan te geven?'

'Oké,' zei Stephanie zonder enig enthousiasme. 'Maar geen verrassingen meer.'

'Dat beloof ik,' zei Katie. 'Nog maar twee weken. We moeten nu doorbijten.'

Stephanie stemde met tegenzin in. Eigenlijk kon het haar allang niet meer schelen of James wel of niet zou moeten bloeden. Ze wilde alleen nog maar verder met haar eigen leven.

Gelukkig voor Stephanie was Natasha in de stemming om haar een peptalk te geven, later op die dag. Het was de laatste keer dat Meredith langs kon komen voor de uitreiking, die dat weekend plaatsvond, en dus kwam ze naar kantoor om schoenen te zoeken bij die afgrijselijke groene jurk die ze nog altijd per se wilde dragen. Ze probeerde Meredith weg te halen bij een paar prachtige crèmekleurige Jimmy Choo's, want ze wilde niet dat ze die zou aftrappen. Ze had een goedkoper schoentje voor haar in gedachten. Maar Meredith had haar zinnen op de Jimmy Choo's gezet en propte haar schilferige voeten in de exquise sandaaltjes met de mededeling dat ze deze wilde.

'Ze kosten driehonderd pond,' zei Natasha in een poging haar af te schrikken.

Meredith riep kwaad: 'Maar ik dacht dat ze die zooi aan ons uitleenden? Ik ben wel genomineerd, ja.'

Stephanie schudde haar hoofd, en probeerde haar lachen in te houden. Ze kon zich niet voorstellen wat ze zou moeten zeggen bij de persdienst van Jimmy Choo, als ze daar een foto van Meredith met haar lompe poten in een van hun delicate schoentjes zou laten zien. 'Nee, dat doen ze niet.'

Uiteindelijk was het toch het prijsbewustzijn van Meredith dat de doorslag gaf. Stephanie wist hoe verschrikkelijk ze het vond om geld uit te moeten geven aan een styliste, en ze ging inderdaad voor de goedkopere optie. Stephanie had met haar doorgesproken dat ze zou worden opgehaald en eerst naar kantoor kwam om aangekleed te worden. Normaal zou Natasha of Stephanie bij haar thuis komen, maar nu ze drie klanten tegelijk hadden, was dat praktisch niet haalbaar.

Zodra Meredith weg was ploften Stephanie en Natasha op de bank en pikten de draad op van het gesprek waar ze eerder die dag aan waren begonnen.

'Het punt is,' begon Natasha, alsof ze nooit gestoord waren, 'dat je het oorspronkelijke doel niet moet vergeten, ondanks dat jij je nu een beetje beter voelt.'

'Het voelt alleen ineens allemaal zo stom,' zei Stephanie, met haar hoofd in de kussens. 'Het is toch veel volwassener om gewoon tegen hem te zeggen dat ik het weet en dat het voorbij is tussen ons, en dat we dan waardig uit elkaar gaan? Dat lijkt me ook verreweg het beste voor Finn.'

'Oké, je bent nu in een positieve bui, omdat je een afspraakje hebt gehad met iemand anders…' Stephanie had uiteindelijk toch de moed gevat om haar vriendin in vertrouwen te nemen over Michael. Natasha had haar een dikke knuffel gegeven, zo blij was ze.

'Twee afspraakjes, zelfs,' verbeterde Stephanie. 'Maar dat vertel ik zo wel.'

'Echt waar?' Natasha keek haar met grote ogen aan. 'Nou goed, je bent dus in een positieve bui omdat je *twee* afspraakjes hebt gehad met een andere man, ook al vertel je me nu pas over die tweede keer, en ik ben nog wel je beste vriendin, maar enfin… ik neem niet aan dat je van plan bent er met Michael vandoor te gaan en om met hem te trouwen.' Ze keek Stephanie vragend aan. 'Toch?'

Stephanie lachte. 'Nee, hè, hè.'

'Nou dan. Dus het kan je nu misschien niet zoveel schelen of James zijn verdiende loon krijgt, want je hebt Michael als een soort afleiding, maar dat wil nog niet zeggen dat je het altijd zo zult zien. Je moet goed voor ogen houden hoe graag je het hem betaald wilde zetten toen je er zo ontzettend onder leed. Het is nog steeds belangrijk voor je geestelijk welzijn op de langere termijn. Tenminste, dat vind ik. Zo! Dat was mijn preek voor vandaag.'

'Oké, oké, ik hou me wel aan het plan. Zolang Katie zich er ook maar aan houdt. Ben je nu blij, dan?'

Natasha knikte. 'Enorm. Zo, en vertel me nu maar eens over Michael. Dat je gewoon nog een afspraakje hebt gehad zonder er iets over te vertellen!'

En dus vertelde Stephanie dat Michael haar had gebeld, op dinsdagochtend, en dat ze die avond uit eten waren gegaan. Hij had gereserveerd in de Wolseley, want Stephanie had laten vallen dat ze daar altijd nog een keertje wilde eten, maar dat het er nooit van kwam. Ze hadden een echt gesprek gehad, zei ze tegen Natasha, als grote mensen. Michael had verteld over zijn ex, en dat die zomaar ineens had aangekondigd dat ze al jaren ongelukkig was in hun huwelijk en dat ze zich genegeerd voelde door hem, en dat ze het niet meer pikte. Hij had daar een nogal stringente mening aan overgehouden over het belang van eerlijkheid binnen een relatie. En dat was precies zoals Stephanie het zelf ook zag. Het was een hartstikke leuke avond geweest, maar verder viel er niets te rapporteren.

'Zelfs geen afscheidszoen?'

'Ik zei toch,' verdedigde Stephanie zich, 'Michael heeft bepaalde principes, en ik ook. Zolang James en ik nog bij elkaar zijn gaat er niets gebeuren. Maar ik heb wel volgende week met hem afgesproken.'

'Dus je hebt James wel verteld van je afspraakjes?'

'Tuurlijk niet. Dan wordt hij gek.'

'Dus Michael vindt het goed dat je stiekem met hem uitgaat, achter de rug van je man, zolang er maar niet wordt gezoend?'

'Wat wil je nou eigenlijk zeggen?' vroeg Stephanie geërgerd. 'Bedoel je soms dat ik iets doe wat ik niet kan maken, na alles wat James mij heeft aangedaan?'

Natasha zei lachend: 'Rustig! Natuurlijk niet. Ik vind alleen, als je toch al met hem uitgaat, dan kun je hem net zo goed maar bespringen. Het maakt weinig verschil.'

'Het maakt wel verschil,' zei Stephanie, 'omdat ik niet net zo wil zijn als James. Ik wil achterom kunnen kijken en zeggen dat ik me onberispelijk heb gedragen. Snap je?'

30

H ET WAS EEN WEEKEND WAAR James normaal gesproken tegenop zou hebben gezien als een berg. Stephanie moest zaterdag de hele dag werken, want ze moest op het nippertje nog van alles kopen om te zorgen dat haar drie cliënten tevreden zouden zijn met hun manicure of pedicure of wat ze verder nodig hadden voor een enorm evenement als de BAFTA's. Op de dag zelf was ze er uiteraard ook niet. James had beloofd dat hij thuis zou blijven tot zij terugkwam, als ze haar klanten veilig en wel in de auto had gezet, op weg naar de uitreiking. Dat was waarschijnlijk rond een uur of vier.

Toen hij de vorige avond naar bed ging, merkte hij dat hij zich er eigenlijk op verheugde. Hij zou met Finn naar de dierentuin gaan – niet alleen er langs lopen, dit keer, maar ook echt naar binnen. Finn was nog nooit naar binnen geweest, en kende alleen de dieren die je gratis van buitenaf kon zien als je in het park liep, dus die zou het helemaal geweldig vinden. Of misschien zouden ze wel naar de London Eye gaan, dat enorme reuzenrad, of naar de Tower, dat kon ook nog. Of, dacht James, misschien was het wel beter om lekker thuis te blijven en spelletjes te spelen op de computer of in de tuin. Waar Finn maar zin in had.

Hij was vroeg opgestaan en had thee en toast gemaakt voor Stephanie. Toen hij haar dat kwam brengen, kon hij uit haar blik opmaken dat het een onverwacht vriendelijk gebaar was. Hij probeerde zich te herinneren wanneer hij voor het laatst ontbijt voor haar had gemaakt, maar dat wist hij uiteraard niet meer, zo lang was het geleden. Het was in een tijd dat hij alleen maar Stephanie in zijn leven had, en verder niemand.

Die ochtend had Finn verklaard dat ze Davids kooi schoon moesten maken, gevolgd door Goldies vissenkom en Sebastians kattenbak. De toewijding die het kind aan de dag legde als het ging om de verzorging van zijn dieren, deed James denken aan hemzelf toen hij nog klein was. 'Jij moet ook dierenarts worden,' zei hij tegen Finn terwijl hij nieuw stro in Davids onderkomen legde.

'Tuurlijk word ik dierenarts,' antwoordde Finn met een ernstig smoeltje, en James had het gevoel alsof hij op de set van een sentimentele kinderfilm was beland. Hij voelde de tranen in zijn ogen prikken, en moest zich inhouden om zijn zoon niet te omhelzen, want dat zou het alleen maar verpesten.

Uiteindelijk waren ze toch naar de dierentuin gegaan die middag, en Finn was verrukt van alle beesten, van de spitsmuizen tot de berggorilla's. Daarna waren ze gaan kijken in de kliniek in St John's Wood, om de dieren die daar het weekend moesten blijven te gaan aaien. Toen Stephanie thuiskwam, rond halfzes, lagen ze allebei uitgeput op de bank voor de televisie.

'En morgen moet je nog een keer,' lachte ze toen ze hem zo zag.

Ze gingen eten en Stephanie vertelde hem van haar dag, en dat Santana nog in bed lag toen de schoonheidsspecialiste bij haar aanbelde om twee uur 's middags, en dat ze weigerde om eruit te komen, zodat het arme kind haar teennagels moest doen terwijl Santana haar vieze voeten onder de dekens uitstak. Finn moest lachen en zei dat meisjes allemaal 'superstom' zijn. Toen vroeg Stephanie: 'Maar ik ben toch ook een meisje? Ben ik dan ook stom?' Maar Finn zei: 'Nee, jij bent geen meisje, jij bent een moeder, dat is heel wat anders', en James moest ontzettend lachen. De avond ging zo snel voorbij dat het niet één keer bij hem opkwam om Katie te bellen.

Stephanie wilde dat dit weekend snel voorbij zou gaan. Het was elk jaar hetzelfde liedje: hoeveel je ook deed aan de voorbereiding, het was altijd een chaos op de dag zelf. Goddank hield Natasha zich met Santana bezig, want die weigerde om naar kantoor te komen om zich aan te laten kleden, omdat ze hoopte dat de paparazzi die middag voor haar deur zouden staan wachten tot ze werd opgehaald. Als ze te vroeg wegging zouden ze haar mislopen.

Stephanie probeerde de juiste sfeer te scheppen voor haar twee cliënten kwamen. Ze wilde graag dat mensen zich konden ontspannen als hun haar en make-up werd gedaan, maar ze kon niet verzinnen welke muziek Meredith en Mandee allebei prettig zouden vinden. Uiteindelijk stopte ze James Morrison in de cd-speler, die weinig aanstootgevend was en nog net hip genoeg, hoopte ze. Ze stak kaarsjes aan en legde hier en daar een paar tijdschriften neer. Regel één luidde: ga er nooit van uit dat je cliënten zin hebben om te kletsen. Dus dat drukte ze de haarstylisten en visagisten die ze inhuurde voor dit soort evenementen altijd op het hart.

De twee make-up- en haardesigners, zoals ze genoemd wilden worden, arriveerden keurig om één uur. Ze richtten hun werkplekken in, elk in een hoek van de kamer, zodat Meredith en Mandee niet met elkaar hoefden te praten als ze daar geen zin in hadden. Stephanie bekeek de kleding die ze in de andere kamer, die dienstdeed als kleedkamer, aan het rek had gehangen. Naast Merediths groene gewaad hing een andere mogelijkheid waar Stephanie zelf nogal op was gebrand, met een ander paar schoenen erbij. Mandee's ondergoed-outfit hing aan het rek, maar er was ook een superschattig jurkje van Chloé, mocht ze haar nog kunnen overhalen. Voor Meredith lag er een breed scala aan insnoerend ondergoed, allemaal in doosjes, zodat wat niet gebruikt werd gewoon weer terug naar de winkel kon. Allebei de dames hadden wat niet al te indrukwekkende juwelen te leen gekregen, waar Stephanie nog eens goed naar keek, om het meest geschikte stuk voor hen uit te zoeken.

Om vijf voor halftwee belde een paniekerige Natasha, die met de visagiste bij Santana voor de deur stond. Ze hadden vijf minuten lang op de bel gedrukt, maar er werd niet opengedaan. Stephanie zei dat ze nog maar even moesten wachten. Ze waren Santana's babysitter niet, en als zij het nodig vond om de avond van tevoren te gaan stappen, en vervolgens niet thuis te komen, dan was dat toch echt haar probleem. Als ze daardoor haar zwaarbevochten stukje presentatie vanavond niet kon doen, dan was dat niet hun zorg.

Ondertussen had Stephanie haar twee cliënten met een café latte en een tijdschrift in de stoel gezet, bij het geruststellende geluid van de twee föhns. Ze controleerde de kleding nog een keertje, en ging op de bank zitten. Ze kon best heel even haar ogen dichtdoen. Af en toe ving ze een flard van het gesprek in de andere kamer op, maar uiteindelijk viel ze in een diepe slaap.

Haar wekker ging. Nee, wacht, het was de deurbel. Stephanie sprong op. Waar was ze? Iemand in de andere kamer riep: 'Zal ik opendoen?' en Stephanie riep terug: 'Ja, graag', voor ze zich maar kon herinneren wie die iemand ook alweer was. Oké, ze was dus op kantoor. Shit, het was BAFTA-dag. Ze keek op haar horloge. Halfvier. Dan had ze dus een uur liggen slapen. Er droop een straaltje kwijl uit haar mondhoek. Ze veegde het weg. Ze bekeek zichzelf in de spiegel aan de muur. Aan een kant van haar gezicht stond een vuurrode afdruk van het kussentje waarop ze had gelegen. Ze wreef er als een bezetene over. Wat nu als een van hen naar binnen had gekeken en haar had zien liggen ronken? Zo onprofessioneel! En wie was daar aan de deur? Ze verwachtte niemand. Toen hoorde ze een mannenstem. Shit. Fuck. Ja, ze verwachtte wel degelijk iemand. Ze had Michael gevraagd om te komen en een paar foto's te maken.

Dat was in een onbewaakt ogenblik gebeurd. Meestal nam ze zelf foto's voor haar archief, als haar klanten tiptop opgetut waren om naar een evenement te gaan. Dat deed ze voor haar presentatiemap, en soms stuurde ze foto's op aan de ontwerper, als de kleding bijzonder goed stond bij een klant, in de hoop dat die klant vervolgens een aanbod voor gratis kleding zou krijgen. Maar vrijdag zocht ze een excuus om Michael te bellen – ze zouden elkaar maandag weer zien – daarom had ze hem gevraagd of ze zondag een uurtje gebruik kon maken van zijn diensten, alsof het de gewoonste zaak van de wereld was. Hij zei uiteraard dat hij het wel voor niks zou doen, en nu was hij hier, in haar kantoor, en zij zag eruit als een oud lijk.

'Stephanie,' riep iemand uit de andere ruimte. 'Er is hier iemand voor je.'

Ze veegde de uitgelopen mascara onder haar ogen weg en haalde haar vingers door haar haren. Ach, nou ja, het zou er toch een keer van komen dat hij haar in deze staat te zien kreeg.

'Michael, hallo,' zei ze vol vertrouwen – dat wil zeggen, al het vertrouwen dat ze bij elkaar wist te schrapen – terwijl ze door de deur liep. Zijn gezicht klaarde absoluut op toen hij haar zag, merkte ze. Misschien zag ze er toch niet zo vreselijk uit.

'Dit is Michael, onze fotograaf,' zei ze tegen de andere aanwezigen. Gelukkig had ze noch Meredith, noch Mandee ooit eerder aangekleed, dus die konden niet weten dat dit iets hoogst ongebruikelijks was. Een van de visagisten, Davina of Davinia, ze hadden tegenwoordig van die achterlijke namen, keek haar verward aan.

'Ik wist niet dat dit een *photo shoot* was,' zei ze. 'Ik heb geen fotografische make-up aangebracht. Ik wilde iets natuurlijks. Je hebt hier niks over gezegd,' zei ze beschuldigend.

Stephanie dwong zichzelf te glimlachen. 'Het is niet voor in een blad, maak je geen zorgen. Laat eens zien?' zei ze om het op een ander onderwerp te gooien. 'Nou, jullie zien er schitterend uit, allebei. Dan gaan we jullie nu aankleden, terwijl Michael zijn materiaal klaarmaakt.'

Ze keek Michael aan, en hij wierp haar een blik vol medeleven toe. Mijn hemel, waar was ze mee bezig? Ze had het niet eens aan Natasha verteld, omdat die er meteen doorheen zou prikken en wist dat dit alleen maar een smoesje was om hem weer te zien. Gelukkig zat Natasha nu aan de andere kant van Londen, waar ze hopelijk met Santana bezig was, en zou ze het nooit te weten komen.

Meredith en Mandee hielden allebei voet bij stuk wat hun kledingkeuze betrof, en Stephanie was blij dat ze Michael van tevoren had uitgelegd dat het haar smaak niet was, maar dat haar cliënten waren gaan muiten en haar mening naast zich neer hadden gelegd. Om vijf voor vier waren ze klaar.

Met haar insnoerende ondergoed onder haar huiveringwekkend groene geval leek het voor de verandering wel alsof Meredith iets van een figuur had. Haar gigantische boezem, die ze doorgaans in een slecht passende, uitgezakte beha propte en vervolgens verstopte onder eindeloze reeksen wijde shirtjes, waren nu pront en prachtig. Stephanie hoopte dat de roddelbladredacteuren zo verblind zouden zijn door de eindeloze witte vlakte die haar decolleté was, dat ze niet zouden zien wat voor vreselijke jurk ze droeg. Anders zou Meredith nog op de lijst van slechtst geklede gasten komen.

Mandee was een schoolvoorbeeld van hoe handig je kon zijn met tape, waarmee ze haar niemendallerige setje aan haar lichaam had geplakt en dat hopelijk al haar vlees op zijn plaats zou houden. Ze zag eruit alsof ze voor een mannenblad op de foto moest, maar in elk geval had ze er het figuurtje voor.

Ze zou zweren dat ze Michael een lachje hoorde onderdrukken toen ze haar twee protegés de kamer binnenleidde. De visagiedames werkten snel de make-up bij en Michael stelde zijn belichting wat vriendelijker af. Toen schoot hij snel een paar plaatjes van de beide dames.

'Heb je nog andere outfits die ze aan kunnen doen, nu ik hier toch ben?' vroeg hij op zijn allercharmantst.

'Ja, goed idee,' viel Stephanie hem onmiddellijk bij. Hij wilde haar helpen, zo lief van hem. 'Zie het maar als een gratis fotosessie. Als jullie de foto's wat vinden, zorg ik dat jullie afdrukken krijgen. Je weet maar nooit wanneer die van pas komen.' Ze keek op haar horloge. 'We hebben nog wel even.' Dat was eigenlijk niet waar, want de auto's kwamen al over een minuut of vijf, maar het was de moeite van het proberen waard.

Ze hielp Meredith zich in het zwarte jurkje te hijsen met de afhangende schouders, en ze zag hoe Mandee een transformatie onderging van snollebol naar een mooie, trendy jonge vrouw in het Chloéjurkje. 'Wow, wat zien jullie er allebei geweldig uit,' zei ze; de twee keken haar allebei stoïcijns aan.

'Jemig, dat is nou wat je noemt sexy,' hoorde ze Michael zeggen toen Mandee naar de kamer ernaast liep. Meredith rolde met haar ogen. 'Jij zou zo als model aan de slag kunnen,' ging hij verder. 'Met wat je net aanhad zag ik dat niet zo, maar deze foto wil iedereen straks hebben.'

'Denk je?' vroeg Mandee. 'Echt?'

Stephanie keek hem samenzweerderig aan toen ze binnenkwam en hij naar haar grijnsde. Toen richtte hij zijn aandacht op Meredith. 'Geweldige jurk,' zei hij. 'Heel flatteus.' Meredith was veel minder makkelijk te bewerken dan Mandee, ze snoof.

'Dit staat je veel beter dan dat andere ding,' voegde Stephanie eraan toe, maar Meredith wilde er niets van weten. Michael mocht nog een paar foto's nemen, toen kondigde ze aan dat ze zich weer ging verkleden.

'Ik heb besloten dat ik toch liever dit aan wil,' zei Mandee, en Stephanie kon haar wel zoenen. Ze keek naar Michael, die achter Merediths rug zat te seinen. Hij gebaarde met zijn hoofd in de richting van de kleedkamer en rolde met zijn ogen. Het leek alsof hij moeite had om een lachstuip te onderdrukken. Toen Meredith zich plotseling omdraaide hield hij op. 'Mag ik nog een paar foto's maken, Meredith. Die van net zijn niet zo scherp geworden. Mijn schuld.'

Met tegenzin gaf Meredith toe en Michael staarde betekenisvol naar Stephanie... Wat de betekenis van dat staren inhield, dat wist ze niet. Plotseling kreeg ze een ingeving. Ze liep naar de kleedkamer, pakte Merediths koffie op en gooide die over het groene monster. 'O nee!' gilde ze, en ze deed ontzettend haar best om niet te lachen. Wat bespottelijk was dit. 'O verdomme! Meredith, het spijt me ontzettend, maar ik heb koffie op je jurk laten vallen.'

Meredith kwam binnenstormen. 'Nou, veeg het eraf, snel, in godsnaam!'

'Dat heeft geen zin meer,' zei Stephanie terwijl ze de jurk oppakte. 'Hij is drijfnat. Bovendien gaat de melk straks ongelofelijk stinken, nog los van het feit dat het er niet uitziet.'

'Wat moet ik nu?' vroeg Meredith; de stoom kwam praktisch uit haar oren.

'Nou…' zei Stephanie, en op dat moment werd er aangebeld. Goddank, het waren de auto's die ze hadden geboekt om Meredith en Mandee naar de uitreiking te brengen. 'Dan zul je dit toch echt aan moeten houden. Je hebt geen keus. Het spijt me echt, Meredith.'

Meredith ontplofte bijna. Michael kwam binnen met handtassen en stola's en kaartjes. 'Kom, dames. Jullie mogen niet te laat komen,' zei hij, en hij bracht ze naar de deur. 'Jullie zien er allebei fantastisch uit.'

'Goed,' zei Stephanie. 'Ik heb lippenstift en lipgloss in jullie tasjes gestopt. Werk dat snel bij voor jullie straks uit de auto stappen. Heel veel plezier allebei,' voegde ze eraan toe, en ze negeerde de woedende blik op Merediths gezicht.

Ze bedankte de kapster en de visagiste en beloofde dat ze hen snel weer zou inzetten. Toen deed ze de deur achter iedereen dicht, leunde ertegen aan en sloeg haar hand voor de mond om haar lachen te smoren totdat de vrouwen allemaal buiten gehoorsafstand waren. Michael stond ook te lachen, en toen sloeg hij een arm om haar hals en trok haar naar zich toe.

'Ik denk dat er sprake was van telepathie,' zei hij.

Stephanie keek naar hem op. 'Je wilt toch niet beweren dat je met die blikken en knikjes van jou wilde zeggen: ga jij eens even een bak koffie over die jurk gooien?'

'Dat is precies wat ik ermee bedoelde, ja,' zei hij, en hij lachte en kuste haar boven op haar hoofd. Voor ze wist wat er gebeurde, waren ze echt aan het kussen, verstopt in het halletje tussen de twee kantoren.

Stephanie kon zich niet herinneren wanneer ze voor het laatst had gezoend met iemand anders dan James. Ze kon zich niet eens meer herinneren wanneer ze met James had gezoend. Behalve dan de plichtmatige kusjes. Ze voelde dat Michaels hand haar hoofd vasthield, en dat ze door het gewicht van zijn lichaam tegen de muur werd gedrukt. Toen hield hij even plotseling op met zoenen als hij ermee was begonnen, nam haar bij de hand en liep met haar naar de bank in het grote kantoor. Ze vroeg zich vagelijk af of ze hem eraan moest herinneren dat ze zouden wachten totdat zij officieel single was, maar aangezien hij kennelijk anders had besloten, zag ze geen reden om hem aan die afspraak te houden. Het zou bovendien nog maar een week duren, dus de pot op met die afspraak! Bovendien wist ze zelf ook wel dat ze hierop had gehoopt toen ze hem uitnodigde om hier te komen. James zat te wachten tot zij thuiskwam en hij weer in de auto naar Lincolnshire kon aftaaien, maar ze voelde zich totaal niet schuldig. Ze deed alleen maar wat hijzelf al een jaar aan het doen was.

Michael trok zijn hoofd weer terug en keek haar aan. 'Is dit wel oké?' vroeg hij, en door de klank in zijn stem en de manier waarop hij het zei, voelde ze zich wee vanbinnen.

'Ja,' antwoordde ze. 'Zeker weten.'

Daarop volgde een waas van armen en benen en kledingstukken en ze dacht net: oké, nu gaat het gebeuren, toen ze een geluid hoorde. Het klikken van de voordeur, voetstappen, en toen een vrouwenstem die zei: 'O, oeps, sorry.' Ze duwde Michael weg en zag Natasha's rug in de aftocht naar de voordeur.

'Natasha,' riep Stephanie. Ze ging rechtop zitten en probeerde wat kleren om zich heen te wikkelen. 'Wacht even.'

Michael zat stijf rechtop en probeerde te doen alsof er niets aan de hand was.

Natasha stond nog steeds met haar rug naar hen toe en ze was duidelijk niet van plan zich om te draaien. Ze stak een arm uit met daarin een kledinghoes vol spullen. 'Ik kwam alleen Santana's kleding terugbrengen. Ze is namelijk niet komen opdagen. Sorry, als ik had geweten dat… dan was ik natuurlijk nooit…'

'Het geeft niet,' zei Stephanie, die zich suf piekerde wat ze nu kon zeggen. Wat was dit onwaardig, om betrapt te worden als een stel pubers in het magazijn op school. 'We waren alleen maar, eh… Ik had Michael gevraagd om langs te komen zodat hij foto's kon schieten van Meredith en Mandee, en toen zijn we gewoon...' Ze wist het niet meer. 'Jezus, wat is dit gênant.'

'Nou, in elk geval,' zei Natasha. 'Ik ga maar. Dan kunnen jullie verder met... elkaar, of zo. Leuk je weer te zien, Michael.' Ze hing de kledinghoes over een stoel. 'Dag hoor. Tot morgen, Steph.'

Stephanie en Michael zaten naast elkaar op de bank te kijken naar de vertrekkende Natasha, die de deur achter zich dichtgooide. De stemming was goed verpest.

'Sorry,' zei Michael. 'Dat was mijn schuld. Ik heb gewoon niet nagedacht.'

'Nee, nee,' zei Stephanie. 'Het was net zo goed mijn schuld. Hoe konden we weten dat zij nog naar kantoor zou komen? Het is geen ramp. Het is hooguit een beetje... ongemakkelijk.'

'Nou,' zei Michael terwijl hij opstond. 'Dan ga ik maar. Ik bedoel, jij zult ook wel naar huis moeten.'

'Ja, ik geloof van wel.' Stephanie kwam ook omhoog, en vroeg zich af hoe het mogelijk was dat ze binnen een paar minuten waren veranderd van mensen die elkaar de kleren van het lijf scheurden in mensen die deden alsof ze elkaar nauwelijks kenden. Onbeholpen kleedden ze zich weer aan, ondertussen elkaars blikken mijdend.

'Staat onze afspraak van morgen nog?' vroeg Stephanie toen ze het kantoor verlieten, zonder elkaar zelfs nog gedag te hebben gezoend.

Michael stak zijn arm op om een taxi aan te houden. 'Natuurlijk,' zei hij. 'Ik bel je 's middags en dan hebben we het erover.'

Ze dacht dat hij bij haar in de taxi zou springen, maar in plaats daarvan gooide hij het portier achter haar dicht en stak een hand op toen de chauffeur wegreed. Ze zette haar telefoon aan. Natasha had een hysterisch berichtje ingesproken: 'O, god, Steph, wat erg dat ik zo binnen kwam stormen. Waarom had je me niet gezegd dat hij langskwam? Dan had ik die kleren gewoon mee naar huis genomen. Jullie konden het klaarblijkelijk goed met elkaar vinden. Hopelijk zijn jullie gewoon verdergegaan met waar je mee bezig was toen ik weg was. Goed gedaan, hoor. Je hebt wel een verzetje verdiend. Maar goed, echt heel erg sorry, dus.'

Stephanie keek naar buiten. Nu de schaamte wegebde voelde ze zich alleen nog maar een beetje verdrietig dat dit een soort barrière tussen haar en Michael had opgeworpen. Misschien ging het allemaal te snel. Wat haar betrof kon het best: ze kende Natasha, en ze wist dat Natasha nooit zou afkeuren wat ze deed, maar Michael was misschien verontrust dat het onprofessioneel overkwam, dacht ze dapper glimlachend. Ze hoopte dat ze morgen weer op de vertrouwde voet verder konden, want als je over de ergste schaamte heen was, was het best grappig. Kon ze er nou maar zeker van zijn dat hij inderdaad zou bellen, morgenmiddag, zoals hij net beloofde. Ze had namelijk zo'n vermoeden van niet.

31

JAMES DACHT ERNSTIG NA IN de auto op weg naar Lincolnshire. Stephanie was net na zessen thuisgekomen, en ze zag er gestrest en verward uit. Hij was in de verleiding geweest om te blijven, en om te zeggen: 'Laat ze het morgenochtend maar mooi zelf uitzoeken. Laat Malcolm of Simon maar fijn een keertje spreekuur doen, voor de verandering', maar hij wist niet hoe hij dat kon aankaarten zonder dat Stephanie dat raar zou vinden. Hij *voelde* zich ook raar, eerlijk gezegd. Het was net alsof hij een jaar had geslapen, en dat hij nu pas wakker werd en tot zich door had laten dringen waar hij al die tijd mee bezig was geweest. Wat had hij in godsnaam allemaal gedaan? En vooral: hoe had hij ooit kunnen denken dat hij er wel mee weg kon komen? Hij had zichzelf zo ongehoord in de nesten gewerkt, dat hij zich niet kon voorstellen hoe hij er ooit weer uit kon komen zonder alles kwijt te raken. Hij had gedacht dat de situatie altijd zo kon blijven, en dat beide vrouwen prima tevreden zouden zijn als ze hem voor de helft hadden, en dat zijn gevoelens voor hen allebei zo zouden blijven dat hij nooit de behoefte zou voelen om te kiezen voor een van beiden. Maar hij begon zich af te vragen of hij dat wel zo scherp had gezien.

Toen hij tegen kwart voor tien thuiskwam, was Katie er niet. Ze had een briefje voor hem achtergelaten met de mededeling dat ze naar een klant was, en dat ze iets te eten voor hem in de oven had gezet. Hij aaide Stanley en at aan de piepkleine keukentafel. Hij keek om zich heen naar de Thaise beeldjes op de planken en naar de lijstjes aan de muur met Katies vakantiefoto's in het Oosten van voordat ze hem had leren kennen. Er was in de hele kamer niets wat van hem was, dacht hij, niets waaruit bleek dat hij hier het afgelopen jaar had gewoond. Zelfs de kleur op de muren, fel zeeblauwgroen, zou hij zelf nooit hebben uitgekozen.

Er werd aangebeld.

James keek op zijn horloge. Vijf over tien. Ook laat voor onaangekondigd bezoek. Hij deed de deur voorzichtig open, en zag Simone op de stoep staan. 'Is Katie thuis?' vroeg ze nog voor hij haar kon begroeten.

'Eh... nee, ze is aan het werk,' zei hij. Simone had iets manisch over zich.

'Goed. Want ik wilde jou spreken. Mag ik binnenkomen?' Simone had al een voet over de drempel toen ze dit zei. 'Heb je wijn? Ik kan wel wat alcohol gebruiken.' Ze had duidelijk al een slok op.

James schonk haar een klein glaasje in. 'Gaat het?' vroeg hij.

'Met mij gaat het prima – waarom zou het niet gaan? Ik hoorde alleen dat jij problemen had met de dienst Bouw- en Woningtoezicht. En ik dacht dat ik je misschien kon helpen.'

James vond het moeilijk te geloven dat Simone hier om vijf over tien binnen kwam lopen omdat ze het over zijn uitbouw wilde hebben.

'Ik kan een goed woordje voor je doen bij Monumentenzorg. Die hebben heel wat in de melk te brokkelen bij de gemeente, namelijk. Als ik er nu voor zorg dat er geen bezwaar wordt gemaakt tegen jouw uitbouw...'

James viel haar in de rede – dit was echt uitermate vreemd. 'Simone, dat is echt heel erg aardig van je, maar ik zie niet in waarom Monumentenzorg zou instemmen met mijn verbouwing, want ik heb bepaald geen oude bouwmaterialen gebruikt. En bovendien wil ik jou geen problemen bezorgen.'

Simone, die in een van de kleine leunstoeltjes was gaan zitten, stond nu op en ging naast James op de bank zitten. Hij schoof ongemakkelijk op.

'Het is absoluut geen moeite, hoor,' zei ze, en ze wierp hem een blik toe die geen twijfel liet waarom ze precies was gekomen. Ze probeerde hem te verleiden. Hij speelde een flits van een seconde met het idee haar aan haar belofte te houden, maar hij wist dat de oplossing voor zijn problemen niet lag in een potje recht op en neer met de buurvrouw.

'Nou, Simone, weet je wat het is, ik heb besloten de officiële weg te bewandelen, voor de verandering. Ik ga gewoon de vergunning aanvragen, en als ik die niet krijg, nou ja, net goed. Maar bedankt voor het aanbod. Echt ontzettend aardig van je. Je bent een goede vriendin.' Hij stond op om haar te laten voelen dat het tijd was om te gaan, maar Simone verroerde zich niet.

'Mag ik niet nog een glaasje wijn?' vroeg ze, op een manier die ze zelf duidelijk erg verleidelijk vond.

James keek op zijn horloge. 'Ik wilde eerlijk gezegd vroeg gaan slapen,' probeerde hij nog te zeggen, maar voor hij zijn zin af kon maken was Simone ook gaan staan, en ze probeerde hem te grijpen. Hij trok zijn hoofd terug, om te voorkomen dat ze hem zou zoenen. 'Toe nou, Simone,' zei hij met een grapje, 'dit kan toch zo niet. Katie is zo weer thuis, en hoe zit het met Richard?'

'Richard kan de pot op,' zei Simone hatelijk.

'Aha,' zei James. 'Dus je hebt ruzie met Richard.' Dat verklaarde een hoop. Ze zocht gewoon naar een manier om wraak te nemen op Richard, en ze dacht dat James het aanbod van een vluggertje niet af zou slaan.

'Nou en, wat maakt dat uit?'

James pakte het glas uit haar hand en zette het op tafel neer. 'Simone, je moet echt naar huis gaan, nu. Dan maak je het morgen maar weer goed met Richard. Nou, wat zeg je ervan?'

Simone begon kwaad te worden. 'Jij zit verdomme al maanden met me te flirten, en dan ga je me nu zeker vernederen door me af te wijzen? Denk jij soms dat ik me maar aan elke man aanbied? Nou, nee dus,' zei ze als antwoord op haar eigen vraag. 'Ik ben hier gekomen omdat jij er nooit enig misverstand over hebt laten bestaan dat je mij wel zag zitten.'

Ze schreeuwde, en James maakte zich enigszins bezorgd wat de buren ervan zouden vinden. 'Het spijt me als ik die indruk heb gewekt,' zei hij. Hij twijfelde er absoluut niet aan dat als dit een paar weken eerder was gebeurd, hij waarschijnlijk op haar aanbod was ingegaan, zonder na te denken over de consequenties. Een uitnodiging om met iemand het bed in te duiken sloeg hij nooit af, hoe lastig het daarna ook werd. Maar nu wilde hij alleen nog maar dat ze wegging. Hij had al genoeg aan zijn hoofd. 'Ik heb inderdaad met je geflirt, dat klopt. Maar ik bedoelde daar verder niets mee. Ik zou er nooit iets mee hebben gedaan. Ik dacht dat het voor jou precies hetzelfde was. Dat we het vooral voor de lol deden.'

Hij realiseerde zich onmiddellijk dat hij dat nou net niet had moeten zeggen. Simones gezicht vertrok tot een woedende grijns. 'Voor de lol? Denk jij nou echt dat ik mijn man zou bedriegen als ik dacht dat we het alleen maar voor de lol deden?'

Als ze in godsnaam maar niet zo schreeuwde. Ze was echt stomdronken, dat mens. 'Voor de goede orde,' zei James, nu veel serieuzer. 'Jij bent je man hier helemaal niet aan het bedriegen. Richard en jij hebben gewoon ruzie gehad, en nu ben je hier gekomen om het hem betaald te zetten, maar daar komt niets van in. Begrepen? Ga nou maar lekker naar huis, en zorg dat jullie het weer bijleggen.'

'Wat is er dan mis met mij? Vind je me dan niet leuk?' Ineens biggelden er dikke tranen over haar gezicht.

O, geweldig, dacht James, nou dit weer. Straks viel ze nog in katzwijm op de bank, en dan kwam hij helemaal nooit meer van haar af. Het klopte inderdaad dat hij de indruk had gewekt dat hij haar wel zag zitten. Hij vond het leuk om met haar te flirten, en het amuseerde hem dat hij Richard tuk had op die manier. Wat was hij eigenlijk een zielig mannetje, bedacht hij nu, dat hij wilde dat de vrouwen van zijn vrienden hem wel lekker vonden. Dat ze zo met hem het bed in zouden springen als hij met zijn vingers knipte.

Er zat nog maar één ding op. Hij moest Simone naar huis zien te krijgen, wat er ook gebeurde. Hij sloeg zijn armen om haar heen. 'Natuurlijk vind ik je wel leuk,' zei hij. 'Dat weet je best. Maar ik vind niet dat we er iets mee mogen doen, vanwege Richard en Katie. Ik zou heus wel willen. Echt,' zei hij terwijl hij naar haar vlekkerige huilgezicht keek. Hij zou het voor geen prijs met haar willen doen, dat zag hij nu. Het was alleen een spel geweest. 'Maar het kan niet. Er staat voor ons allebei veel te veel op het spel.'

Simone keek hem doodkalm aan en knipperde door haar tranen heen. Haar trots was nog intact. Ze waren precies hetzelfde, dacht hij. Ze wilden graag door iedereen begeerd worden.

'Zo, dan ga ik je nu naar huis brengen, voordat we iets doen waar we spijt van krijgen.'

Ze leunde naar hem toe voor een zoen, en hij duwde haar zachtjes van zich af. 'Nee, nee, want anders loopt het straks nog uit de hand.' Hij schudde de clichés zo uit zijn mouw. Erg, eigenlijk. En zij trapte er nog in ook.

'Oké,' zei ze. 'Je hebt gelijk.'

James maakte zich zo snel mogelijk los uit haar greep, zonder onbeleefd te lijken, en liep vervolgens met haar naar de deur. Hij vroeg zich af of hij inderdaad met haar mee naar huis moest lopen, maar hij vond toch dat hij dan zou vragen om moeilijkheden. 'Prettige avond, verder,' riep hij haar na terwijl ze de avond in strompelde. Hij wilde dat de buren zouden horen dat ze weer weg was, want anders kwam er nog geroddel van.

Een halfuur later kwam Katie thuis, en hij vertelde haar het hele verhaal. Hij had er genoeg van, al die geheimen. Tenminste, bijna.

32

O P MAANDAGOCHTEND STONDEN DE KRANTEN bol
van de BAFTA-foto's: de winnaars, de verliezers, de mensen
die te veel hadden gedronken op het feest na afloop, en die
toen op straat op hun snufferd waren gevallen. Stephanie had ze allemaal gekocht op weg naar kantoor, en zat er nu in te bladeren bij
een gigantische latte.

Natasha was er nog niet, want die zou eerst bij Meredith en Mandee
langs om de geleende sieraden op te halen – ergens rond de lunch,
zodat ze hun roes konden uitslapen – die ze eerst netjes in orde zou
maken om terug te brengen naar de winkels waar ze vandaan kwamen.
Dat uitlenen was meer een gunst geweest aan Stephanie dan dat ze nu
zo graag wilden dat Meredith of Mandee ermee werd gezien. Meredith
en Mandee hadden ook geen van beiden een jurk te leen gekregen,
omdat de ontwerpers liever niet met hen geassocieerd wilden worden.
Santana's jurk was weliswaar helemaal niet gedragen, maar ze zouden
hem toch eerst laten stomen.

Stephanie zag ertegen op om Natasha onder ogen te komen, omdat
ze alle ranzige details zou willen horen en haar waarschijnlijk de rest
van de dag pestte met hoe ze op de bank had liggen seksen als een
puber. Nog veel erger was dat ze zou denken dat het de enige reden
was waarom Stephanie Michael überhaupt had laten komen. En dat
klopte ook, natuurlijk, maar dat was een waarheid die ze niet graag
onder ogen zag.

Ze dwong zichzelf om eerst de kwaliteitskranten door te nemen,
in de wetenschap dat de kans klein was daar een foto in aan te treffen
van een van haar drie cliënten. Ze had de uitreiking gisteravond op
televisie gevolgd, nadat James was vertrokken. Santana was er wel,
bleek uiteindelijk. Ze mocht haar prijs uitreiken maar deed dat in wat

ze de vorige avond had gedragen en waar ze zo te zien de hele nacht in had gefeest. Ze las haar tekst met dubbele tong voor, en haalde af en toe een hand door haar warrige kapsel. In een aantal kranten stonden foto's van haar, met het commentaar dat ze eruitzag alsof ze in een enorme blender had gezeten. Een van de kranten toonde een foto die de avond voor de uitreiking was gemaakt, en verdomd, ze droeg precies hetzelfde. Stephanies oorspronkelijke angst dat ze later in een van de roddelbladen terecht zou komen onder de kop 'Geef je styliste de zak!' verdween als sneeuw voor de zon. Hopelijk zou een of andere slimme journalist die beelden aan elkaar verbinden om te benadrukken dat je Santana niet zelf de dingen moest laten regelen.

De soap waarin Meredith speelde won de prijs in de categorie Beste Langlopende Serie, en Stephanie had Meredith zien staan tussen andere leden van de cast, die op het podium kwamen om hun trofee op te halen. Ze stond verdorie ook op pagina vijf van de *Sun*, met een onderschrift dat stelde dat Meredith leuk was opgepoetst. 'Verbeeld ik het me, of ziet Meredith Barnard er zelfs *sexy* uit?' had een mannelijke verslaggever geschreven. Stephanie glimlacht even. Een-nul voor haar.

In de *Daily Mirror* stond een foto van een populaire jonge hartenbreker die het feest verliet met Mandee op sleeptouw. Ze stapten in dezelfde taxi, aldus het stukje, en zag Mandee er niet schitterend uit nu ze haar kleren voor de verandering eens aan had gehouden? Van Mandy met een y waren niet zoveel foto's te zien.

Stephanie knipte de twee berichtjes uit. Dat was een veel beter resultaat dat waar ze op had gehoopt. En ze had het in feite aan Michael te danken. Ze vroeg zich af of ze hem zou bellen om te bedanken, maar ze dacht dat hij zelf wel contact zou opnemen als hij haar wilde spreken. Het was zo pijnlijk geëindigd, en ze wist dat hij zich rotgeschrokken was toen Natasha binnenkwam. Hij maakte zich waarschijnlijk zorgen dat ze zou denken dat hij het op andermans vrouw had voorzien, of dat hij een gladde jongen was. Wat hij natuurlijk niet wist, was dat Natasha haar al weken aanmoedigde om er toch vooral op uit te gaan en een andere kerel te regelen.

Ze besloot Meredith en Mandee te bellen met het goede nieuws, dan had ze wat afleiding. Meredith was zelf al op pad geweest voor de krant, en ze was poeslief tegen haar.

'Ik zat er helemaal naast wat de jurk betrof, jij had volkomen gelijk,' zei ze in alle eerlijkheid, en het klonk alsof ze het nog meende ook. Ze had al twee telefoontjes gekregen van bladen, 's ochtends, die vroegen wie haar styling had gedaan. Dus toen had ze hun uitbundig uit de doeken gedaan dat Stephanie Mortimer een geweldige, talentvolle styliste was, en dat ze haar van harte kon aanbevelen bij al haar collega's. Dit is nu precies waarom ik dit werk doe, dacht Stephanie toen ze ophing nadat ze Meredith had beloofd haar te zullen kleden voor het jaarlijkse feest van de soap. Wat jammer dat ze nu toch niet zo blij was.

De telefoon van Mandee ging meteen op de voicemail. Die lag ongetwijfeld nog ergens met meneer de Hartenbreker in bed. Stephanie sprak in dat ze de *Mirror* moest kopen, en hing op.

Ze keek op haar horloge. Om twaalf uur had ze een afspraak met een mogelijke nieuwe klant, bij haar thuis in Holland Park. Het was pas halfelf, maar ze wilde weg voordat Natasha binnenkwam, dus besloot ze om nu al te vertrekken. Dan zou ze onderweg winkels bekijken om ideeën op te doen. Ze legde de krantenknipsels op Natasha's bureau voor ze wegging.

'Ik vond gewoon dat het hoog tijd werd,' zei Simon.

James probeerde het allemaal te verwerken. Simon, die al voor hem werkte sinds hij de praktijk acht jaar geleden begon, vertelde dat hij wegging om voor zichzelf te beginnen. En Malcolm ging met hem mee.

'Maar…' hoorde James zichzelf stotteren, '…maar er is niet genoeg werk in het dorp voor twee praktijken, daar is het toch veel te klein voor? Ik bedoel, waar halen we het werk vandaan?' Dit was een ramp. Simon en Malcolm lagen goed bij de plaatselijke bevolking, bovendien werkten ze allebei fulltime. Wie zei dat zijn klanten trouw aan hem zouden blijven als ze wisten dat er niemand naar hun dier kwam kijken als dat per ongeluk ziek werd op woensdagmiddag, of donderdag, of vrijdag, of in het weekend? Het gonsde in zijn hoofd. Hij zou iemand anders in dienst moeten nemen, misschien alleen voor de dagen dat hij er zelf niet was.

'Ik weet zeker dat er genoeg werk is voor ons allemaal,' zei Simon met een misselijkmakend glimlachje, en James wist dat het afgelopen was met hem. Ze zouden zijn concurrenten worden, en hij zou verliezen.

Toen Simon was vertrokken, ging James met zijn handen in zijn haar achter zijn grote eiken bureau zitten. Hij had echt een enorme klerezooi van zijn leven gemaakt. Katie zou zeggen dat het de Voorzienigheid was, maar hij geloofde niet in dat soort quatsch. Er was nog maar één iemand met wie hij nu zou willen praten, voelde hij, en dat was Stephanie. Stephanie zou nooit tegen hem zeggen dat alles gebeurde om een bepaalde reden. Van Stephanie zou hij gewoon een poosje in zijn ellende mogen wentelen, en daarna zou ze hem helpen om zich er weer uit te lachen. Hij pakte de telefoon.

Stephanie klonk meelevend, maar ook afgeleid, want ze liep buiten en haar ontvangst was niet geweldig. Hij gooide alles eruit over Simon, en over de problemen die hij had met de gemeente en de dienst Bouw- en Woningtoezicht, om nog maar te zwijgen over een aantal van de mensen in het dorp. Zij hoorde hem geduldig aan, en zei verder niet veel. Toen hij klaar was, zei ze dat ze ervan overtuigd was dat het allemaal wel goed zou komen, maar dat ze nu moest ophangen, want ze had een afspraak. Toen ze inderdaad ophing realiseerde hij zich dat hij eigenlijk maar op één ding had gehoopt: dat ze zou zeggen dat dit een mooie kans was om de praktijk in Lincolnshire op te doeken. Dat het misschien tijd werd dat hij fulltime in Londen kwam wonen. Maar dat had ze niet gezegd. Waarom had ze dat niet gezegd? Shit, dacht James. Hij was er voor het gemak altijd van uitgegaan dat Stephanie erop zat te wachten dat hij zijn plattelandspraktijk op zou geven, en thuis zou komen wonen. Maar dat lag misschien toch anders.

'Dat is negatieve karma,' zei Katie, zoals hij van tevoren al had geraden, toen hij haar vertelde wat Simon en Malcolm van plan waren. 'Als je slechte dingen doet, dan overkomen je ook alleen maar slechte dingen,' voegde ze eraan toe, en ze keek hem recht in de ogen op een manier waar hij een beetje bang van werd. Ze waren allebei thuis die avond, wat tegenwoordig zeldzaam was, en ze zaten tegenover elkaar aan tafel met een bord kip en paarse broccoli.

'Laten we het feestje maar afzeggen,' zei James. Daar had hij al een paar dagen over zitten denken. Wat had het voor zin om zijn verjaardag te vieren als de helft van de genodigden niet eens meer met hem wilden praten. Tenminste, dat gevoel had hij.

'Doe niet zo raar,' zei Katie. 'Dat kan helemaal niet meer. Het is aanstaande zondag, en we hebben alles al besteld. En er komen heel veel mensen.'

'Simon niet, en Sally en haar familie niet, en Malcolm niet.'

'Oké,' zei Katie, 'Sally en haar familie komen inderdaad niet, dat klopt. Maar die zou je er toch ook helemaal niet bij willen hebben, of wel soms? Simon en Malcolm hebben niet afgezegd. Je vindt het misschien niet leuk wat ze van plan zijn, maar dat is gewoon iets zakelijks. Het is niet iets persoonlijks.'

'O nee?' zei James mismoedig.

'Tuurlijk niet. Bovendien, Sam en Geoff, Hugh en Alison, en Richard en Simone…'

James kreunde.

Dat weerhield Katie er niet van om door te gaan met haar opsomming: '…en al je cliënten.'

'Dat wil zeggen, degenen die geen familie zijn van Sally en degenen die zich niet schuldig voelen omdat ze meegaan met Simon en Malcolm.'

'James, doe toch niet zo negatief,' zei Katie. 'Je overdrijft ontzettend. Het wordt hartstikke leuk.'

Katie vond dat het allemaal wat ver ging. Niet omdat ze dat zielig vond voor James – ze kon hem nauwelijks nog aankijken, en als ze dat toch deed moest ze zich inhouden om geen beschuldigingen naar zijn hoofd te gooien. Nee, ze maakte zich zorgen omdat hij opzag tegen het feest, zoals hij nu liet blijken, en dan zou de publieke vernedering ook niet die impact hebben waar ze op hoopten. Iemand af laten gaan als hij al genoeg op zijn bordje had, was lang zo leuk niet als iemand voor schut zetten die zich helemaal het heertje voelde. Maar ze had zich niet in kunnen houden. Al die steken onder water, en al die pijltjes die ze op hem af had gevuurd gaven haar ook zo'n goed gevoel. Wat kon zij er nou aan doen dat de schade zoveel groter uitpakte. Zij kon toch ook niet weten dat hij Sally zou ontslaan, en dat Simon en Malcolm daardoor bij hem weg zouden lopen? Die dingen had James toch echt aan zichzelf te danken.

Ze had Stephanie nu al een paar dagen niet gesproken. Ze had wel een paar berichtjes van haar ontvangen, en een paar keer een telefoontje gemist, maar ze was er nog niet aan toe gekomen om terug te bellen. Ze had geen zin om Stephanie te horen zeggen dat ze hem niet zo hard moest aanpakken. Het begon er sowieso steeds meer op te lijken dat Stephanie koudwatervrees had wat hun plan betrof, en dat was belachelijk, aangezien zijzelf met het idee was gekomen. Zonder Stephanie zou Katie gewoon tegen James hebben gezegd dat hun relatie voorbij was, omdat ze inmiddels wist dat hij nog altijd heel erg getrouwd was. Dan was hij bij haar weggegaan, en dat was dat. Maar nee: Stephanie had haar ervan overtuigd dat het goed was om wraak te nemen, dat je je daar sterker door voelde, en dat hij zijn straf niet mocht ontlopen. En, laten we eerlijk zijn, ze had gelijk. Toen Katie erachter kwam dat James een dubbelleven leidde, was ze daar helemaal kapot van. Ze voelde zich waardeloos, en alleen. Maar nu voelde ze zich sterker dan ooit. Zij had de touwtjes in handen, en daar kon James helemaal niets meer aan veranderen.

Stephanie had Michael nog niet de hele waarheid verteld over de situatie met James. Ze was zo eerlijk mogelijk geweest, en ze had hem verteld dat ze nog steeds getrouwd was, dat ze had ontdekt dat haar man er een andere vrouw op na hield, en dat ze bezig was om zich los te maken uit haar huwelijk. Maar ze was vaag gebleven over de reden waarom ze dat nog niet had gedaan, waarom ze er niet meteen een einde aan had gemaakt toen ze achter de waarheid was gekomen. En ze wist ook wel waarom ze daar vaag over was: omdat hij het nooit goed zou keuren.

Hij was een volwassen man, en ze was bang dat hij het kinderachtig zou vinden, en dat ze het einde van haar huwelijk niet serieus nam. Al was zijn vrouw kennelijk heel open tegen hun vrienden geweest over zijn tekortkomingen, hij was duidelijk trots op zichzelf dat hij de zaak waardig had afgehandeld. Morele winst stond hoog op Michaels prioriteitenlijst. En een feestje organiseren met als vooropgezet doel je ontrouwe echtgenoot te ontmaskeren waar al zijn vrienden en collega's bij waren, zou als gedachte al nooit bij hem opkomen, laat staan dat hij naar die gedachten zou handelen. Michael was veel te dol op rechtschapen zijn.

Om die reden wist Stephanie dat hij zich beroerd zou voelen over wat er zondag was gebeurd. Ze hadden afgesproken dat ze niks zouden beginnen met elkaar voordat Stephanie haar leven weer op de rit had na haar scheiding, en het was nooit het plan geweest om zich door het moment te laten meeslepen als een stel pubers. Laat staan dat ze daarbij betrapt werden. Hij had zich razendsnel uit de voeten gemaakt toen Natasha weg was. Alsof hij het verschrikkelijk vond om nog een seconde langer bij haar te blijven. Dat was een behoorlijke domper. Nu leek wat er was gebeurd ineens zo stiekem en een beetje ranzig. Een beetje achter de fietsenstalling.

Maar goed, hij had gebeld om te bevestigen dat ze elkaar die avond zouden zien. Het was een kort gesprekje, heel zakelijk, alsof ze een vergadering organiseerden. Dus zat ze nu op hem te wachten in de bar van het Soho Hotel. Ze zat op een barkruk en nipte onzeker van een cocktail.

Toen Michael vijf minuten te laat arriveerde en zich hijgend verontschuldigde wegens een stremming in de metro, zag hij er goed uit, vond Stephanie. Ze was belachelijk nerveus. Hij sloeg een arm om haar heen en kuste haar hartelijk. Haar zenuwen verdwenen meteen. Het kwam wel goed. Gelukkig deed hij zijn best om net te doen of er nooit iets gênants was gebeurd. Hij stelde voor om te proberen kaartjes te regelen voor het nieuwe toneelstuk van Joe Penhall, in de Royal Court, waar ze gretig mee instemde. Nu ze weer wat ontspande, schoot ze onwillekeurig in de lach.

'Wat is er?' vroeg Michael.

'Sorry,' zei Stephanie, terwijl ze van kleur verschoot. 'Ik zat alleen te denken hoe het er uit moet hebben gezien, vanuit Natasha's oogpunt.'

'Hou op,' zei hij, en trok een grimas.

Stephanie moest weer lachen – ze kon er niets aan doen. Het *was* ook gewoon heel geestig. 'Het viel me ineens te binnen dat ze "O, oeps" zei. Alsof ze op een theekransje zat, en haar taartje op de grond had laten vallen.'

Michael glimlachte niet van harte. 'Ik probeer het te verdringen,' zei hij, en hij begon meteen over iets anders. Misschien was het wel precies wat ze nu nodig hadden: een avondje naast elkaar in het theater, zonder dat ze het konden hebben over wat er was gebeurd.

33

D E KEUKEN WAS BEDOLVEN ONDER een zee van slingers
en serpentines. Stephanie had Finn opgedragen om de hal
te versieren voor de veertigste verjaardag van zijn vader, en
hij had die taak zeer serieus opgevat. De afgelopen twee avonden waren Cassie en hij bezig geweest een spandoek te maken met daarop:
'Hoera voor Papa (James)' en een foto van James met een stethoscoop
om zijn nek en dieren om zich heen die allemaal op de een of andere
bloederige manier aan hun einde kwamen. Er was heel veel bloed te
zien, en er waren een hoop afgehakte pootjes en je zag zelfs een panda
die zich aan een hek had gespietst, en zijn tong hing uit zijn bek. Finn
had Cassie tegen zijn moeder horen zeggen dat het haar deed denken
aan een schilderij van de Eerste Wereldoorlog dat ze wel eens in de
National Gallery had zien hangen. Hij was apetrots.

Wel baalde hij ervan dat hij de laatste tijd 's avonds zo vaak met
Cassie opgescheept zat. Niet dat hij haar niet leuk vond. Voor een
oppas was zij best goed. Om te beginnen kon je met haar lachen, en
soms, als ze zich vooroverboog om hem een nachtzoen te geven, kon
hij zo in haar bloes kijken. Dat fascineerde hem, ook al wist hij niet
precies waarom. Bovendien mocht hij altijd langer opblijven van haar,
en ze hielp hem met dingen, zoals dit spandoek en zijn huiswerk.
Maar het was niet zoals met zijn moeder. Jammer genoeg moest die
tegenwoordig steeds tot laat op haar werk zijn.

Hij had al wekenlang zijn zakgeld opgespaard (vijfenzeventig pence
per week) om iets moois voor zijn vaders verjaardag te kopen, en hij
had besloten dat het een thermoskan moest worden, voor in de auto.
Want papa moest steeds heel lang in de auto zitten, en Finn dacht
dat het wel fijn zou zijn als hij warme koffie mee kon nemen voor
onderweg. Hij had er eentje zien staan in de winkel van het benzine-

station verderop in de straat, waar papa soms ging tanken, op zondag. Mama had beloofd dat ze na school een keer met hem mee zou gaan om hem te kopen. Hij hoopte eigenlijk dat ze vandaag nog konden gaan, voordat papa terugkwam van het platteland. Hij had haar er twee keer aan herinnerd.

Stephanie lag in bed, wetend dat ze op moest staan om Finns ontbijt te maken, maar ze was uitgeput. Ze was niet gewend om 's avonds uit te gaan. Maandagavond, na het theater, waren Michael en zij in dezelfde taxi naar huis gereden, en hadden afscheid genomen met een kuise zoen. Gisteravond waren ze een hapje gaan eten in the Oxo Tower, en toen hadden ze gewandeld langs de Theems, totdat ze doorkregen dat dat misschien toch niet zo'n goed plan was, aangezien het er wemelde van de dubieus uitziende jongens en zwervers. Toen waren ze maar in een taxi gesprongen, lachend, omdat ze blij waren daar weg te zijn, en Michael had zijn arm om haar heen geslagen en die daar de hele rit laten liggen. De kus was dit keer iets gepassioneerder, al zorgden ze er wel voor dat de taxichauffeur, die af en toe naar hen keek via zijn achteruitkijkspiegel, niets in de gaten had.

'Kon ik je maar vragen om bij me te blijven,' had Michael gezegd toen hij uitstapte.

'De volgende keer dat je me ziet ben ik officieel single,' had Stephanie gezegd, en voor het eerst begon de realiteit echt tot haar door te dringen. Zij en James gingen uit elkaar. Dit weekend zou het gebeuren. In haar hoofd was hun relatie al zo dood dat het bijna een anticlimax leek. Wat haar betrof was het al weken geleden over. Nu moesten Katie en zij alleen de zaken nog afhandelen zoals afgesproken, en dat was het. Dan zou haar leven opnieuw beginnen.

Krankzinnig dat ze zo had zitten piekeren of ze James nu wel of geen verjaardagscadeau zou geven. Zijn feestje was zaterdag, hij verwachtte een cadeau, maar ze zou elk dubbeltje moeten omdraaien als ze straks uit elkaar waren. Het voelde verkeerd om honderden ponden aan hem uit te geven als ze hem de volgende dag vertelde dat ze bij hem wegging. Uiteindelijk had ze besloten dat ze hem zou wijsmaken dat ze een vakantie had geboekt. Ze kon het net zo extravagant maken als ze wilde, want die vakantie zou natuurlijk nooit doorgaan.

Ze dwong zichzelf om op te staan. Ze hoorde Finn beneden scharrelen, en haar hart kromp ineen toen ze eraan dacht dat ze hem zou moeten vertellen dat zijn vader ergens anders ging wonen. 'Het is niet mijn schuld,' zei ze tegen zichzelf. 'Niets hiervan is mijn schuld.'

Finn zat over de keukentafel gebogen te werken aan zijn spandoek.

'Het wordt schitterend,' zei Stephanie tegen hem, en ze knuffelde hem net iets te stevig, zodat hij zich loswurmde. 'Papa is er vast heel erg blij mee.'

Ongelofelijk dat James straks voor de allerlaatste keer thuis zou komen. Stephanie had besloten dat het wel zo eerlijk zou zijn dat zij met Finn in het huis bleef wonen totdat alles was geregeld. Ze wist zeker dat James, hoe onredelijk hij op allerlei andere terreinen ook was, wel in zou zien dat dat het beste was, omdat zijn zoon er dan het minst onder zou lijden. Was het allemaal maar voorbij. Het was een belachelijk plan, vond ze. Ze had zelfs overwogen om zondag helemaal niet te gaan. Katie vertelde maar in haar eentje dat ze het allemaal wist. Maar Katie had haar gisteravond gebeld – voor het eerst sinds wat een eeuwigheid leek – en ze leek zo zeker te weten dat dit de juiste aanpak was, en ze klonk zo… nou ja… zoveel gelukkiger dan Stephanie haar ooit had gehoord, en ook zoveel zekerder van zichzelf, dat Stephanie merkte dat ze Katies stemming spiegelde en dat ze toch de laatste details doornamen. Zoals waar ze zou blijven slapen, en hoe laat ze precies zou verschijnen.

Dit was het plan: Stephanie zou zondagmiddag met de trein naar Lincoln komen, een paar uur nadat James met de auto was vertrokken, helemaal trots en blij en gelukkig na zijn leuke feestje, de avond ervoor, waar hij zich zo geliefd en belangrijk had gevoeld tussen zijn gezin en zijn vrienden. Ze zou logeren in hetzelfde hotel waar zijn ouders nog pas een paar weken eerder waren geweest. Dan zou ze een tijdje op haar kamer blijven, en zorgen dat ze er zo betoverend en begeerlijk mogelijk uitzag.

Precies om halftien zou ze een taxi nemen naar het dorpshuis in Lower Shippingham. Katie had gepland om rond tien uur James zijn taart te geven, en ze had afgesproken dat ze Stephanie zou sms'en – die in de pub naast de zaal wachtte – om te laten weten wanneer het zou gebeuren. Terwijl Katie een speech hield waarin ze zou zeggen hoe geweldig James was, en dat hij zo'n grandioze partner en vriend was, zou Stephanie de zaal binnen lopen. Zodra Katie haar zag, was het plan dat ze een heel speciale gast zou aankondigen, iemand die een unieke plaats innam in James' hart. Dan zou ze naar Stephanie kijken en James, die zich opgewonden zou afvragen wie dat kon zijn, zou ook naar Stephanie kijken, net als de gasten – van wie sommigen haar nog kenden. 'Ja,' zou Katie dan zeggen, 'het is zijn vrouw. Nee, u hoort het goed, ik zei "zijn vrouw", en dus niet zijn ex-vrouw.' Dan zou James totaal in shock zijn. 'Hij woont namelijk nog gewoon bij haar in Londen, de helft van de week,' zou Katie vervolgen. 'Hier is zij dus, mijn vriendin en nog altijd James' echtgenote, Stephanie.' Stephanie zou naar haar toe lopen, en ze zouden elkaar glimlachend omhelzen. Chaos alom natuurlijk, en James die een hartverzakking kreeg. Hoe het daarna precies zou verlopen wisten ze niet zeker. Maar dan was het gebeurd: James was ontmaskerd als een leugenaar en een bedrieger, en Stephanie en Katie konden door met hun leven.

Het klonk allemaal zo simpel.

Het koude zweet brak Stephanie uit. Kon ze hier wel echt mee doorgaan? Ze pakte de telefoon en toetste het nummer van Katie terwijl ze naar de zitkamer liep, zodat Finn haar niet zou horen.

'Dus je weet zeker dat we het doen?' vroeg ze toen Katie opnam.

'Ja, natuurlijk gaan we het doen,' zei Katie zelfverzekerd. 'Hou nou op met piekeren.'

James zat om kwart voor een op de snelweg. Hij wilde naar Londen, naar Stephanie en Finn. Hij wilde terug naar wat hij zag als zijn echte leven. Vanochtend vroeg had hij een afspraak gehad met de mensen van de belastingdienst, en die behandelden hem eerder als een stout schooljongetje dan als een crimineel, maar desalniettemin was het een vernederende ervaring geweest. Ze gingen nu uitrekenen hoeveel achterstallige belasting hij verschuldigd was, dus dat zou wel een vette rekening worden, met rente erbij. Simon en Malcolm waren geen van beiden op de praktijk die ochtend, want ze gingen kijken naar hun nieuwe onderkomen – een gigantische omgebouwde schuur, die ze kennelijk voor een schijntje konden kopen van Sally's neef Kieron, een plaatselijke melkveehouder. Judy, de assistente, had James vanochtend verteld dat Sally voor hen aan de slag zou gaan als receptioniste en dat zij, Judy, overigens ook op hun aanbod inging en voor hen zou gaan werken.

James had de praktijk achtergelaten in de onkundige handen van een uitzendkracht, die hij vroeg om eventuele cliënten te vragen die middag terug te komen, omdat ze dan kans hadden een van de dierenartsen aan te treffen. Hij wist best dat hij eigenlijk zou moeten blijven, en dat hij het zinkende schip waartoe zijn geliefde praktijk was verworden alleen nog maar kon redden als hij al zijn energie erin stak. En dat hij tegelijkertijd een charmeoffensief zou moeten beginnen om de mensen weer voor zich te winnen, zodat hij klanten zou houden. Maar hij had er geen zin meer in. Niet nu, in elk geval. Hij wilde alleen nog maar naar huis.

Onderweg stopte hij maar één keer, bij een benzinestation, waar hij naar de wc ging, en een flesje water kocht. Om vijf voor vier draaide hij Belsize Avenue op, luid meezingend met een banaal liedje op de radio. Hij controleerde zijn telefoon voor hij uit de auto stapte. Geen berichtjes van Katie. Hij had wel gemerkt dat ze hem geen eindeloze berichtjes met 'mis je nu al' stuurde, zoals ze tot een paar weken geleden altijd had gedaan als hij 's woensdags wegging. Hij stopte de telefoon weer in zijn zak, haalde zijn koffer van de achterbank en liep het pad op.

Stephanie en Finn schrokken allebei op toen hij binnenkwam, en probeerden giechelend om iets onder de keukentafel te verstoppen. James glimlachte. Hij wist heus wel dat ze een verrassing aan het maken waren voor zijn verjaardag. Hij deed net alsof hij probeerde te kijken wat het was, en Finn gilde hysterisch en probeerde hem tegen te houden. James keek lachend over Finns schouder en zag dat Stephanie hem peinzend, zelfs een beetje bedroefd, aankeek.

'Gaat het?' vroeg hij.

Stephanie glimlachte. 'Ja hoor,' zei ze.

34

D E GROTE DAG WAS DAAR. Nou ja, de eerste – net iets
minder grote – dag van twee grote dagen. Pauline en John
waren overgekomen uit Cheltenham en gingen meteen aan
de slag. Ze hielpen met opruimen en met het uitpakken van de glazen
die Stephanie had gehuurd bij de slijter. Finn had onder luid applaus
zijn spandoek onthuld, hoewel ze het allemaal heimelijk verontrustend
vonden en zich zorgen maakten of hij misschien psychopathische
neigingen had. Het ding hing inmiddels trots in de gang, tussen zijn
zelfgemaakte slingers en een paar trossen ballonnen. In de rest van het
huis was de versiering wat volwassener gehouden, en bestond voornamelijk uit rode geurkaarsen en rode tafelkleedjes met hier en daar
een exotisch bloemstukje. De Japanse koks zouden klokslag halfzes
komen om hun voorbereidingen te treffen en Finn had de opdracht
gekregen ervoor te zorgen dat Sebastian in een van de slaapkamers
opgesloten bleef, weg bij de verleidingen van een keuken vol rauwe
vis. Hopelijk zouden de gasten om halfacht arriveren.

Stephanie probeerde om opgewonden te doen, terwijl ze onder dat
masker misselijk was van alles. James gedroeg zich irritant aanhankelijk,
en bleef haar knuffelen zodra hij maar even de kans kreeg. Ze voelde
dat ze slap hing in zijn omhelzing, en het kostte haar al haar wilskracht
om hem niet van zich af te duwen. Hij leek het niet eens te merken.
Integendeel, hij was vreemd opgetogen en liep de hele tijd te zingen.
Het werkte haar onnoemelijk op de zenuwen. Gek, hoe ze zich nu
voelde: niet echt boos meer, alleen nog maar geïrriteerd. Ze wilde
hem weg hebben, zodat zij eindelijk verder kon met haar leven. Dat
ze hem ooit aantrekkelijk had gevonden was haar nu een raadsel.

Rond kwart over zes ging ze in bad. Dat deed ze expres op het
laatste nippertje, zodat ze geen tijd had om te liggen peinzen over

wat ze zou gaan doen. Ze trok een strak donkerrood jurkje aan, dat eigenlijk zou vloeken bij haar haar, maar dat toch niet deed, en een paar sandaaltjes met loeihoge hakken. Die kon ze altijd nog uittrekken als haar voeten te veel pijn zouden doen. Tegen de tijd dat ze haar make-up had aangebracht en weer beneden was, had ze nog maar een paar minuten om een laatste keer te controleren of alles perfect was.

'Wow, je ziet er waanzinnig mooi uit,' zei James toen ze de keuken in liep, en ze dwong zichzelf te glimlachen. Pauline, die zo te zien al iets te veel had gedronken, stak een glas champagne naar haar uit. Ze wist wel dat ze het eigenlijk niet zou moeten doen, omdat het belangrijk was dat ze het hoofd koel hield, maar ze had het gewoon nodig. Dus bedankte ze haar schoonmoeder en dronk het glas in één teug leeg.

Er werd aangebeld. Stephanie keek op haar horloge: vijf voor halfacht. Dat zouden Natasha en haar man Martin wel zijn, die met tegenzin had beloofd vroeg te komen om geestelijke ondersteuning te bieden – niet dat Martin wist van het plannetje van Stephanie en Natasha. Hij wist niet eens van het dubbelleven van James. Als hij het had geweten, was hij waarschijnlijk nooit gekomen.

James liep op hen af en kuste Natasha op haar wang. Stephanie zag haar vriendin letterlijk walgen. Ze duwde Martin een glas champagne in de hand, greep Natasha bij de hand en trok haar met zich mee. 'Sorry, Martin, ik moet haar een minuutje van je lenen.'

'En, hoe voel je je?' vroeg Natasha fluisterend toen ze in de slaapkamer waren.

'Misselijk, doodsbang… maar het is ook wel weer spannend. Was het allemaal maar voorbij.'

'Hij ziet er anders volkomen ontspannen en gelukkig uit,' zei Natasha venijnig.

'Nou,' zei Stephanie, 'hij doet de laatste tijd een beetje typisch.'

'Misschien wel omdat Katie het hem moeilijk maakt. Wat kan jou dat schelen, hij krijgt alleen zijn verdiende loon. Je moet voor ogen houden waarom dit nodig was.'

'Waar *was* dit ook alweer voor nodig?' vroeg Stephanie, en Natasha sloeg haar ogen ten hemel.

'Voor jouw gevoel van eigenwaarde, om hem te laten lijden, om er onder jouw voorwaarden een einde aan te maken. En zo kan ik nog wel even doorgaan…'

'Nou, toe dan?'

Natasha dacht erover na. 'Oké, meer kan ik niet verzinnen, maar dat zijn toch al genoeg redenen?'

Stephanie legde haar hoofd in haar handen. 'Ja, ja, maar ik vind het allemaal zo... zinloos.'

'Je bedoelt, sinds je Michael hebt? Hoe is het daar trouwens mee?'

Stephanie voelde dat ze bloosde. 'Prima. Maar laten we het vooral niet over hem hebben,'

'Hij heeft anders wel een lekker kontje,' zei Natasha. 'En ik kan het weten. Dat was het eerste wat me aan hem opviel toen ik jullie zo zag liggen.'

'Oké, ik ga.' Stephanie stond op.

Natasha moest lachen. 'Het punt is, Steph, dat het allemaal heel leuk en aardig is, Michael en jij, maar je moet het grotere geheel niet uit het oog verliezen. Het is hartstikke leuk, en je voelt je vast veel beter, en het heeft je wat afleiding geboden van wat James je allemaal heeft geflikt, en dat is enorm. Dit is dit spannende fase waardoor jij je nog steeds begeerlijk voelt en dat soort dingen meer. Maar zodra je door die fase heen bent, is het nodig dat je je zelfvertrouwen uit jezelf kunt halen, in je eentje. Dan moet je niet het gevoel hebben dat jij een of andere muts bent die een jaar lang door haar vent is besodemieterd, en die hem daar nog mee heeft laten wegkomen ook. Dan moet je niet het gevoel hebben dat jij het soort vrouw bent over wie mannen maar een beetje heen mogen lopen, zo'n vrouw die alles pikt.'

Stephanie glimlachte verdrietig. 'Jij moet echt een zelfhulpboek schrijven. Ik zou het meteen kopen.'

'Maar ik heb wel gelijk, en dat weet je.'

'Ja, dat weet ik ook wel. Maar ik heb nu de energie niet eens meer om hem te haten.'

'En wat zegt Katie?' Natasha kon nog steeds niet wennen aan het idee dat Stephanie Katie helemaal niets verweet.

'Die ziet het heel anders, dat mag duidelijk zijn. Zij vindt zelfs dat we nog niet ver genoeg gaan.'

Natasha sloeg een arm om Stephanie heen. 'Nog twee dagen. Niet eens. Dan is het allemaal voorbij.'

Toen ze weer beneden kwamen, waren er nog meer gasten gearriveerd. Pauline en John deelden glazen champagne uit op een basis van een voor jou en een voor mij, zodat ze nu al wankel op hun benen stonden. Finn rende opgewonden van het ene groepje mensen naar het andere, en was veel te luidruchtig en veel te aanwezig. Maar Stephanie had besloten dat ze hem nog een tijdje zijn gang liet gaan voor de onvermijdelijke tranen zouden komen als ze hem naar bed bracht. Ze keek om zich heen om te zien waar James was, en zag dat hij stond te kletsen met een van zijn collega's. Hij glimlachte naar haar, en zwaaide, en zij draaide zich om en begon te praten met de eerste de beste die ze kon vinden. Zo raakte ze verzeild in een enorm saai en langdurig gesprek over het leerplan van de school met de vader van een van Finns vriendjes. Na een paar minuten knikken en kijken alsof het haar echt boeide, maakte ze zich uit de voeten en zette ze de iPod in het docking station en liet een van de vele playlists die James voor de gelegenheid had gemaakt, zachtjes afspelen. Klassiek vioolspel vulde de kamer. Later, toen iedereen wat meer op dreef was, zou ze de compilatie van popliedjes uit de jaren tachtig laten horen. Dan zou het volume ook flink toenemen, in de hoop dat iemand zou gaan dansen. Waarschijnlijk Pauline, als die nog meer dronk, dacht Stephanie vol genegenheid.

Ze ging even kijken bij de Japanse koks, die in de eetkamer een paar van de gasten vermaakten met hun snijtechnieken. 'Vijf minuten?' vroeg ze een van hen, om te vragen wanneer ze begonnen met het echte rollen van hun *futomaki* en het maken van kleine pakketjes rijst voor hun *nigiri*. Hij knikte, en zei iets tegen zijn collega's in het Japans. Het plan was dat ze theatraal op een gong zouden slaan als ze klaar waren om uit te serveren. De mensen konden dan naar binnen gaan en vragen wat ze wilden hebben, of gewoon verschillende dingen uitproberen.

Het was een prachtige meiavond. De tuindeuren stonden open en Stephanie zag dat een aantal groepjes vrienden naar buiten was gelopen. Finn zat nu naast Davids kooi en gaf aan iedereen die het maar horen wilde college over hoe je een cavia moet verzorgen. Stephanie glimlachte; hij nam zijn verantwoordelijkheden zo serieus. Er waren wel iets van veertig gasten, dacht ze, en toen realiseerde ze zich dat zij de gastvrouw was, en dat ze ervoor moest zorgen dat ze het allemaal naar hun zin hadden. Dus liep ze weer terug naar de zitkamer en maakte hier en daar een praatje. Zo te zien zat de stemming er overal goed in; niemand zag er verloren uit.

Voor ze wist wat er gebeurde, voelde ze een arm om zich heen glijden en stond James naast haar. Hij gaf haar een kus op haar hoofd en ze voelde zich verstijven en moest zich dwingen om te ontspannen. 'Vind je het gezellig?' vroeg ze.

'Het is super. We mogen blij zijn met zulke leuke vrienden.'

'Hm,' zei Stephanie, die niet precies wist wat ze anders moest zeggen. James keek haar indringend aan. Zij ontweek zijn blik en dacht panisch na over een ander onderwerp dat ze aan kon snijden.

'Finn heeft ook plezier, zo te zien…' begon ze, maar toen James haar in de rede viel, maakte ze haar zin niet af.

'Kom even mee naar boven. Ik moet met je praten.' Hij keek haar recht in de ogen, wat haar een extreem ongemakkelijk gevoel gaf.

'We hebben gasten, James,' zei Stephanie, want ze wilde er een luchtige draai aan geven. 'Wat zullen die niet denken als wij naar boven verdwijnen?'

James liet niet los. 'Dit kan niet wachten. Ik moet met je praten. Alsjeblieft, Steph.' Zijn stem klonk vreemd. Wanhopig bijna.

Stephanie keek om zich heen, op zoek naar Natasha. Hier had hun plan niet in voorzien. Ze probeerde hem van zich af te schudden, maar hij hield vast. Uiteindelijk gaf ze het op: 'Ik hoop dat je hier een heel goede reden voor hebt,' zei ze terwijl hij haar voorging, de trap op, met haar slappe hand in de zijne.

Toen ze in de slaapkamer stonden en de deur stevig achter zich dicht hadden getrokken, sloeg James zijn armen om haar heen en trok haar naar zich toe. Stephanie wilde zich losmaken, en lachte gemaakt. 'Dit kan toch nu niet? We zitten midden in een feestje. Kom, we gaan terug.'

Toen deed James iets raars. James barstte in tranen uit.

Hij was niet van plan geweest het haar te vertellen. De hele week deed hij al zijn best om alles in zijn hoofd op een rijtje te krijgen, om te beslissen wat hij nu eigenlijk wilde. En nu wist hij het. Hij wist zonder enige twijfel dat hij Stephanie en Finn wilde. Dat Katie een vergissing was geweest – een vergissing van een jaar. Hij had alles op het spel gezet wat er echt toe deed voor hem, alleen maar omdat hij het Stephanie kwalijk nam dat zij een baan wilde, dat zag hij nu wel in. Het was allemaal alleen maar het gevolg van zijn jaloezie en zijn… ijdelheid. Maar nu had hij een besluit genomen. Hij zou Katie zeggen dat het voorbij was, hij zou wat er nog over was van de praktijk in Lower Shippingham sluiten en hij zou tegen Stephanie en Finn zeggen dat hij hen veel te erg miste, dat hij egocentrisch was geweest, en dat hij had besloten dat het beter was om fulltime in Londen te komen wonen – een stad die hij haatte, ook al had hij zich voorgenomen daar niet steeds over te beginnen – zodat hij altijd bij hen kon zijn. Hij zou haar niet het gevoel geven dat ze daar dankbaar voor moest zijn, of dat hij zich enorm opofferde voor haar. Nee, dat was de oude James. Deze James zou zijn best doen voor zijn gezin. Hij zou hen op de eerste plaats zetten en proberen goed te maken wat hij hun had aangedaan. Hij zou zijn schuldgevoel in stilte dragen, en hij zou Stephanie er niet mee opzadelen.

Maar het was hem vanavond toch allemaal te veel geworden. Nu hij zag met hoeveel zorg en liefde Stephanie dit feest had georganiseerd, en hoe opgewonden zij en Finn het huis hadden opgeruimd en versierd, werd hij overspoeld door een golf van liefde voor hen allebei. Hoe had hij ze zo lang kunnen bedriegen? Hij probeerde de neiging om alles op te biechten te onderdrukken, maar de drang was te sterk. Hij wist dat het helemaal fout kon lopen, maar hij kon niet anders: hij moest proberen om met een schone lei te beginnen, en dat kon alleen als hij echt helemaal eerlijk was.

Voor het eerst in zijn leven wilde hij de waarheid vertellen, wat de consequenties ook mochten zijn. Hij probeerde zichzelf tegen te houden, want hij wist eigenlijk wel dat er alleen maar ellende van kon komen, maar toen hij Stephanie zag lachen met zijn ouders, en toen zijn vrienden hem schouderklopjes en knuffels gaven, wist hij dat hij niet meer terug kon. Hij voelde een wezenloze kalmte terwijl hij Stephanie bij haar arm pakte en tegen haar zei dat hij met haar wilde praten. Nu ging het gebeuren. Hij deed een stap en sprong in het diepe.

'Steph, ik moet je iets vertellen,' zei hij tussen de tranen door die over zijn wangen liepen. Stephanie keek hem uitdrukkingsloos aan.

'O, god, ik weet niet waar ik moet beginnen, dus zeg ik het maar gewoon. Ik heb een ander gehad.' Hij haalde diep adem, en wachtte op een reactie. 'Eigenlijk is het nog veel erger. Ik heb met haar samengewoond, in Lower Shippingham. Al meer dan een jaar. Het spijt me zo ontzettend, Stephanie. Zeg nou toch iets, alsjeblieft.'

Dit liep totaal niet zoals hij het had gedacht. Hij dacht dat Stephanie ofwel zou gaan schreeuwen dat ze hem haatte, of dat ze haar armen om hem heen sloeg en zou zeggen dat het allemaal wel goed kwam. Die tweede uitkomst was zijn meest geliefde fantasie geweest in de aanloop naar deze bekentenis. Vergeef me, Stephanie, want ik heb gezondigd. En dan zou zij hem vergiffenis schenken. Maar ook al had hij gehuild, en ook al had hij haar de hele waarheid verteld, woord voor woord, zij stond daar maar te staan, en ze zei niets, totdat hij vroeg: 'Heb je gehoord wat ik zei?' Ze knikte, en toch vertelde hij het allemaal nog een keer.

'Ik was er helemaal niet op uit. En het had ook niets te maken met mijn gevoelens voor jou en Finn. Je moet me geloven, Steph, ik vind het echt verschrikkelijk. Ik zou alles willen doen om het terug te draaien, helaas kan dat niet. Maar ik ga er een eind aan maken, dat beloof ik. Ik wil alles doen om...'

Uiteindelijk wist hij niet meer wat hij moest zeggen, en hij stortte zich tegen haar aan, op zoek naar troost. Stephanie had een paar klopjes op zijn rug gegeven, zoals ze een hond zou aaien, maar toen duwde ze hem van zich af. Ze stond daar zonder te bewegen – doodstil. Toen zei ze ijskoud: 'Ik wist het toch al. Ik wist het al eeuwen.'

Stephanie voelde zich lamgeslagen. Eigenlijk had ze medelijden met hem. Hij was ook zo zielig. Hij huilde en smeekte en wilde dat ze reageerde. Hij wilde horen dat het allemaal goed zou komen, maar ze kon het niet opbrengen hem te troosten. Ze vroeg zich af waardoor hij nu toch over de brug was gekomen, en zo alles op het spel had gezet. Ze probeerde zich in te denken hoe ze zich had gevoeld als ze het nu echt voor het eerst te horen had gekregen. Als dit weken geleden was gebeurd, voor ze dat sms'je had gelezen. Maar ze was niet meer dezelfde. Ze verdacht hem er heel even van dat hij misschien achter hun plannetje was gekomen, en dat hij daar op deze manier een stokje voor wilde steken, maar ze kende hem goed genoeg om te zien dat dit oprechte emoties waren. Er was iets met James gebeurd waardoor hij de behoefte voelde om alles op te biechten. En hoewel ze een grote afstand tot hem voelde, en tot dit hele spelletje, zag ze wel dat dit voor hem een enorme stap was, en dat er heel veel moed voor nodig was. Hij leek zo wanhopig, en hij keek haar zo indringend aan, en hij wilde zo graag dat ze zou zeggen dat het wel weer goed zou komen, dat ze hem uit zijn lijden moest verlossen. Toch kon ze hem kwalijk de waarheid vertellen; dat ze had samengespannen met zijn maîtresse om zijn leven tot een hel te maken.

'Het spijt me, James. Ik denk dat we uit elkaar moeten. Ik wilde alleen wachten tot na je verjaardag voor ik erover zou beginnen… Finn was ook zo enthousiast en…'

Ze kreeg geen kans om haar zin af te maken, want James slaakte een jankende kreet en greep haar bij haar armen, en smeekte haar om het nog een kans te geven. 'Ik ben veranderd,' zei hij. 'Ik weet ook niet hoe ik je dat kan bewijzen, en ik weet ook niet hoe ik het weer goed kan maken, maar ik zweer je dat ik dat zal proberen. Alsjeblieft. Laat het alsjeblieft niet op deze manier kapotgaan.'

Ze schudde hem voorzichtig van zich af. 'Het kan niet anders. Het spijt me, James, echt waar. Ik heb er een tijdje over na kunnen denken, en ik weet dat het echt het beste is als wij uit elkaar gaan. Je kunt me niet meer op andere gedachten brengen.'

James leek lamgeslagen. Wat hij ook had verwacht na zijn grote biecht, deze kalme conclusie dat het allemaal voorbij was had hij nooit verwacht.

'Hoe ben je er dan achter gekomen?' vroeg hij uiteindelijk.

Stephanie dacht erover hem te vertellen dat zij Katie had ontmoet, en dat ze elkaar regelmatig hadden gesproken aan de telefoon, en dat het onverwachte bezoekje van zijn ouders laatst ook bij hun plan hoorde. Het was vast leuk, dacht ze, om zijn gezicht te zien als het hem duidelijk werd waarom zijn leven de afgelopen tijd zo'n puinhoop was geworden. Toch vond ze dat ze het niet kon maken, nu hij zo overduidelijk een gebroken man was. 'Gewoon,' zei ze. 'Jij was niet zo discreet als je kennelijk dacht.'

'Het spijt me zo,' zei hij nog eens. 'Het spijt me zo verschrikkelijk. Ik ga Katie morgen vertellen dat het voorbij is. Kunnen we er alsjeblieft, alsjeblieft nog eens over praten? Sluit je alsjeblieft niet voor me af.'

O, shit, dacht Stephanie. Katie.

Na tien minuten waarin James was blijven huilen en nog meer details over zijn bedrog uit de doeken had gedaan, alsof zij hem wel moest vergeven als hij haar met dat soort informatie zou belasten, wist Stephanie hem ervan te overtuigen dat ze nu toch echt naar beneden moest, naar de gasten. 'We hebben het er later wel over,' zei ze terwijl ze wegliep. 'Hoewel ik eerlijk gezegd niet denk dat we nog veel te bespreken hebben.'

James had haar verteld dat Katie de volgende dag ook een feest voor hem had georganiseerd – hoewel zij daar natuurlijk allang van op de hoogte was. Hij was van plan om niet te gaan, zei hij. Hij was zelfs van plan om Katie nooit meer te zien.

'Doe niet zo belachelijk,' hoorde Stephanie zichzelf zeggen. 'Je kunt niet zomaar weglopen van de hele situatie. Je hebt ook nog een zaak, daar.'

James had haar verward aangekeken: hij had er kennelijk op gerekend dat hij Stephanie een plezier deed met zijn belofte om nooit meer contact met Katie te hebben. Jezusmina, dacht Stephanie, hij denkt echt dat het allemaal nog goed kan komen.

'Ga anders met me mee,' zei hij. 'Dan zul je zien dat ik de waarheid spreek, en dat het echt allemaal voorbij is. Dan laten we zien dat we een front zijn, samen, en dan gaan we daarna door naar de kliniek, halen daar mijn spullen op en dan rijden we meteen weer terug naar Londen.'

'James, als jij het uit wil maken met Katie, dan is dat jouw zaak. Voor mij hoef je dat niet te doen. Ik heb je al gezegd dat het over is tussen ons, oké?'

James kon absoluut niet mee naar beneden om zijn gasten onder ogen te komen, dus toen Stephanie zich eindelijk had losgemaakt deed ze snel een rondje om te zeggen dat hij zich helemaal niet lekker voelde en dat hij even was gaan liggen. Een paar mensen wierpen een achterdochtige blik op de Japanse koks en zetten vlug hun bordjes neer, terwijl ze over hun buik wreven en aan hun voorhoofd voelden om te zien of ze soms ook koortsig waren. Toen ze het eenmaal aan genoeg mensen had verteld, pakte Stephanie de telefoon, liep naar een stil plekje in de tuin en belde Katie op.

'Hoe gaat het?' gilde Katie.

Stephanie vertelde haar het hele verhaal, zonder de wat minder vriendelijke dingen die James over haar had verteld om Stephanie een plezier te doen.

'Denk je dat hij ons doorhad?' vroeg Katie toen ze uitverteld was.

'Nee, absoluut niet. Daarom is het ook zo raar allemaal… hij meent het oprecht.'

'Shit,' zei Katie. 'En ik had me zo verheugd op morgenavond.'

Stephanie vertelde dat James van plan was om morgenochtend vroeg naar haar toe te rijden om een einde te maken aan hun relatie. 'Dus dat was het dan,' zei ze. 'Wat ga je nu doen? Ga je het feest afzeggen?'

'Welnee,' zei Katie lachend. 'Ik vertel gewoon aan iedereen dat het feest bedoeld is om mijn vrijheid te vieren.'

'Jij bent ook veranderd,' zei Stephanie, en ze dacht terug aan de lieve, wat naïeve vrouw die ze weken geleden voor het eerst had leren kennen.

'Dit is mijn nieuwe ik,' zei Katie. 'De nieuwe, verbeterde, niemand-flikt-mij-ietsversie.'

Stephanie lachte, ook al was ze er niet zeker van dat deze nieuwe versie van Katie ook echt een verbetering was. 'Laat me maar weten hoe het was, goed?'

'Natuurlijk.'

Toen ze zich weer bij haar vrienden en familie voegde, vroeg Stephanie zich af of ze nu een aankondiging moest doen: 'Hartelijk dank voor jullie komst. James en ik willen jullie graag vertellen dat we uit elkaar gaan. Het bleek dat hij een leugenachtige vreemdganger was, maar ik weet zeker dat we hem desalniettemin allemaal van harte feliciteren met zijn verjaardag.' Ze besloot om het er maar bij te laten. Iedereen had het zo gezellig, en bovendien was het waarschijnlijk voor het laatst dat ze allemaal samen waren. Morgen zou ze beginnen de waarheid door te laten schemeren. Afgezien daarvan moest ze het eerst nog aan Finn vertellen.

35

U ITEINDELIJK MOESTEN STEPHANIE EN JAMES na het feest toch samen in een bed slapen, omdat Pauline en John in de logeerkamer lagen en omdat een van hun vrienden op de bank in de zitkamer in slaap was gevallen. Dat Stephanie weer terugkwam naar de slaapkamer zag James als teken dat er enige dooi was ingetreden, en zij was de halve nacht bezig geweest om zijn huilerige avances af te wimpelen.

Op zondagochtend maakte hij er een enorme show van dat hij vroeg op was gestaan en hij kondigde aan dat hij die avond voor het eten weer terug zou zijn uit Lincolnshire. Stephanie vroeg of hij wilde gaan zitten, en zei nog maar eens dat er echt geen enkele hoop meer voor hen was.

'Als jij vanavond weer in Londen bent, dan moet je maar ergens een logeeradres zoeken,' zei ze. 'Ik zal vast beginnen met het inpakken van je spullen.'

Bij het ontbijt was Finn nog helemaal vol van het feest, en Stephanie voelde oprecht medelijden met James, die manmoedig aan het gesprek probeerde mee te doen zonder iets aan zijn zoon te laten merken. Ze hadden afgesproken dat Stephanie het hem zou vertellen als James weg was, omdat zij dat kalmer en rationeler kon dan hij. De kans was namelijk groot dat hij zou instorten.

'Laat me weten waar je naartoe gaat,' had Stephanie tegen hem gezegd toen hij in de auto stapte, omdat ze duidelijk wilde onderstrepen dat hij niet meer thuis mocht komen,

'Lieveling, ik moet je iets vertellen,' zei ze tegen Finn zodra James weg was. Dan was het maar vast gebeurd. 'Papa en ik gaan... Nou ja, we hebben besloten dat we een poosje elk in een ander huis gaan wonen. Niet omdat we niet meer van elkaar houden, dat niet, maar gewoon, omdat grote mensen dat soort dingen nu eenmaal soms doen. Maar het betekent niet dat wij niet meer bij elkaar horen…'

Het klonk als een walgelijk cliché, maar Finn leek het te begrijpen. Hij keek haar kalm aan.

'En het betekent zeker niet dat we minder van jou houden. O, en je kunt papa zien wanneer je maar wilt, oké?'

'Oké.'

Ze wachtte tot hij nog iets anders zou zeggen, maar hij was alweer bezig met zijn PlayStation. Hij had zo veel vriendjes die bij een van hun ouders woonden, dacht ze verdrietig, dat het voor hem de normaalste zaak van de wereld was. Of hij deed net alsof het hem niet raakte, om haar een plezier te doen. Ze moest toch maar ergens advies inwinnen over hoe ze ervoor kon zorgen dat hij zijn gevoelens niet allemaal opkropte, want anders eindigde hij nog als een moordlustige, aan de crack verslaafde maniak.

Katie was het grootste deel van de nacht en van de ochtend bezig geweest om te bepalen hoe ze zou reageren als James haar straks ging vertellen dat hij het uit wilde maken. Ze had overwogen al zijn spullen te pakken en op de stoep te smijten, dan de slotenmaker te bellen om een noodslot op de deur te komen zetten en stiekem boven te gaan zitten kijken. Ook had ze overwogen zijn lievelingsmaaltje te koken (lamsbout met broccoli, doperwtjes met muntsaus en aardappeltjes uit de oven), haar mooiste jurk aan te trekken, strak in de make-up en alles, en dan toekijken hoe hij worstelde om de moed te vatten en haar het hele verhaal te vertellen. Ze had zelfs overwogen al haar ingehouden woede de vrije loop te laten en hem verrot te schelden zoals ze de afgelopen paar maanden in haar fantasie al zo vaak had gedaan. Uiteindelijk had ze bedacht dat totale onverschilligheid hem het ergst zou raken.

Dus toen hij om een uur voor haar deur parkeerde – Stephanie had haar om tien uur die ochtend al gebeld om te zeggen dat hij er aan kwam – zat ze in kleermakerszit op de bank met de krant. Ze was expres zo achteloos gaan zitten toen ze zijn auto de straat in hoorde komen, en ze deed haar best net te doen alsof dit een doodgewone zondagochtend was. Ze was wel benieuwd of James het in zich had om de hele waarheid te vertellen. Ze kon het zich bijna niet voorstellen en ze zou het hem eerlijk gezegd niet eens kwalijk nemen als hij haar niet alles zou vertellen. Want waar zou hij ook moeten beginnen? 'Het spijt me dat ik per ongeluk niet heb verteld dat ik nog steeds bij mijn vrouw was. O, had ik dan gezegd dat ik gescheiden was? Echt? Goh, dan weet ik niet wat me bezielde.'

Haar hart had duidelijk niet opgelet toen haar hoofd haar opdroeg net te doen alsof het haar niets kon schelen, want het ging als een dolle tekeer nu James uit zijn auto stapte. Ze zag dat hij, uiteraard, geen bagage bij zich had – hij was immers niet van plan te blijven. Ze dwong zichzelf naar de krant te staren die ze in haar ene hand had, terwijl ze Stanley aaide met haar andere hand, om kalm te worden. Toen James binnenkwam zag hij eruit alsof hij de hele nacht had ge-huild, wat natuurlijk ook zo was, want Stephanie had verteld dat ze een paar keer had moeten zeggen dat hij zachtjes moest doen, omdat Finn er anders nog van wakker werd. Zijn haar stond recht overeind, en hij had een verwilderde blik in zijn ogen. Als ze niet al precies had geweten wat hij haar ging vertellen, zou ze gedacht hebben dat er iemand dood was. Hij stond in de deuropening, en wachtte op een reactie.

'Wat ben je vroeg,' zei ze. Stanley, die immers niet beter wist, kwam kwispelend op hem af, want hij was blij om het baasje weer te zien.

'Ik moet met je praten,' zei hij dramatisch. 'Ik moet je iets vertel-len.'

Katie wist dat hij wilde dat ze hem zou helpen. Dat het de bedoeling was dat ze hem angstig aankeek en zou vragen wat er dan was, om het melodrama compleet te maken. Maar daar had ze geen trek in.

'Oké,' zei ze kalm.

Hij plofte in de leunstoel tegenover haar. Hij zag eruit alsof hij nog een potje wilde janken, dacht ze, en dat irriteerde haar. Schiet op, man, wilde ze zeggen.

'Het zit zo…' begon hij, en toen zweeg hij weer – dat deed hij voor het effect, dacht ze.

'Oké, ik ga het gewoon zeggen. De waarheid is dat ik nog steeds getrouwd ben met Stephanie. We wonen nog gewoon bij elkaar als ik in Londen ben, en zij had hier allemaal geen idee van. Van jou en mij. Ik heb al die tijd tegen je gelogen – tegen jullie allebei, dus – en het spijt me. Het spijt me echt.'

Katie was even helemaal uit het veld geslagen doordat hij volkomen eerlijk tegen haar leek te zijn. Ze moest zichzelf eraan herinneren neutraal te blijven kijken.

James keek haar aan om te zien hoe ze reageerde. Toen er geen reactie bleek te komen, haalde hij diep adem en zei: 'Ik heb me gerealiseerd dat ik een enorme fout heb gemaakt. Ik weet niet hoe ik je dit moet zeggen zonder wreed te klinken, maar ik weet nu dat ik bij mijn gezin wil zijn – ook al willen zij mij op dit moment helemaal niet. Maar ik ga ervoor vechten om ze terug te krijgen. Het spijt me, Katie, echt waar, maar ik moet doen wat ik kan om mijn huwelijk te redden. Dit is dus de laatste keer dat wij elkaar zien…'

Ook al wist ze wat er ging komen, ze werd toch razend om dat laatste. Hij gooide haar zomaar aan de kant. Het maakte niet uit dat zij hem ook helemaal niet meer wilde, het was toch kwetsend dat hij haar zo gemakkelijk dumpte, zonder zelfs nog maar iets te zeggen over de tijd dat ze samen waren geweest, behalve dan dat die tijd dus een 'enorme fout' was. Wat een hufter.

Ze haalde diep adem om haar snelle pols tot bedaren te krijgen, en ze sprak langzaam om zeker te zijn dat haar stem vast en kalm klonk. 'Goed,' zei ze. 'Ik ga nu lopen met Stanley. Als ik terugkom wil ik dat jij al je troep hebt gepakt en dat je hier weg bent. Ik geef je een uur. En laat je sleutel achter, graag.'

James, uitgeput na zijn lange redevoering, wist niet wat hij hoorde. 'Is dat alles wat je hier op te zeggen hebt?'

Katie forceerde een glimlachje. Daar zou hij mooi van opkijken. 'Veel succes,' zei ze opgewekt. Toen ze bij de voordeur was zwaaide ze nog even zonder om te kijken. 'Dag, hoor!'

Zodra ze om de hoek was, uit het zicht van haar huisje, liet Katie haar opgewekte houding varen. Ze haatte hem. Oké, het pleitte voor hem dat hij uiteindelijk toch de waarheid had verteld, maar het feit dat hij haar gevoelens niet eens had willen sparen deed haar koken van woede. Hij had zulke enorme oogkleppen op, dat hij niets anders meer zag dan Stephanie en zichzelf. Het kon hem helemaal niets schelen of hij Katie misschien pijn zou doen, en dat hij haar leven stukmaakte. Wist hij veel? Haar schreeuw van frustratie echode over het lege weiland. Denk maar niet dat hij zo gemakkelijk van haar af zou komen.

Toen ze weer thuiskwam, vermoeid na een eindeloze wandeling door het natte gras, waren al zijn sporen uitgewist. Ze vroeg zich af of hij meteen door zou rijden naar Londen, of dat hij eerst nog probeerde zijn zaken hier netjes af te wikkelen. Ze schudde haar hoofd, alsof ze de gedachte van zich af wilde zetten. Dit had verder niets meer met haar te maken, en bovendien moest ze zich gaan klaarmaken voor een feestje.

Er was maar weinig wat hij nu mee wilde nemen. Hij propte zo veel mogelijk instrumenten in zijn auto – die kon hij later mooi verkopen – en wat persoonlijke dingetjes en zakelijke bankafschriften en andere papieren die hij dacht nodig te hebben in de toekomst. Hij had al zijn patiëntendossiers al in dozen gedaan en reed twee keer op en neer naar het huis van Simon, om ze daar op de stoep te zetten. Hij kon het niet aan om mensen onder ogen te komen. Hij legde een briefje boven op de stapel, met de simpele mededeling: Ik heb besloten om te stoppen met de zaak. Hier zijn al mijn dossiers. J.

Katies reactie vond hij zowel verbluffend als teleurstellend. Hij had haar niet meer pijn willen doen dan noodzakelijk, en hij wist dat hij eigenlijk dankbaar moest zijn dat ze er niet erg van onder de indruk leek, maar hij vond het nou ook weer geen fijne gedachte dat ze helemaal geen diepe gevoelens voor hem leek te hebben. Want als dat zo was, wat had het afgelopen jaar dan überhaupt voor zin gehad? Het was niet zozeer dat zijn ego gebutst was, maar hij voelde zich zo onnozel. Hij had alles op het spel gezet – en misschien zelfs verloren – voor iemand die hem zo achteloos veel succes kon wensen en een eind met de hond ging wandelen als hij haar net had verteld dat hun relatie voorbij was. Terwijl hij altijd dacht dat Katie hem aanbad. Had hij dat dan helemaal verkeerd gezien?

Hij keek nog een keer om zich heen. Hij zou een verhuisbedrijf bellen om de rest van de spullen af te voeren. De aanvraag voor de bouwvergunning was al op de bus, dus dat was afwachten. Stel nou dat hij die niet kreeg toegewezen, zou hij dan terug moeten komen om eigenhandig de boel te slopen? Maar goed, daar wilde hij zich nu nog niet te sappel over maken. Het belangrijkste was dat hij terug naar Londen moest, om te proberen daar de stukken bij elkaar te rapen.

36

ALS DE GASTEN NIET AL op de hoogte waren dat er iets aan de hand was voor ze die avond in het dorpshuis arriveerden, dan wisten ze het snel genoeg toen ze eenmaal binnen waren. Tussen twee haken boven de voordeur hing een spandoek waar duidelijk ooit 'Gefeliciteerd James' op had gestaan, maar waar iemand met een dikke zwarte stift 'Fuck You James' van had gemaakt, wat de dorpelingen die met kinderen waren gekomen nogal verontrustte.

De ruimte was prachtig versierd, maar er hing een gespannen sfeer. De mensen stonden in kluitjes te fluisteren wat er toch aan de hand kon zijn. Het nieuws dat James de praktijk had opgegeven had al de ronde gedaan, en het was duidelijk dat er van alles niet in orde was, maar Katie stond te lachen en ze zei tegen iedereen die ernaar vroeg dat ze alles later die avond zou uitleggen. Ze zag er echt snoezig uit in haar lange bloemetjesjurk en met haar haar weer teruggeverfd in haar eigen blonde kleur. Het danste in krullen rond haar schouders, en het leek alsof ze zo van een ansichtkaart uit de jaren zeventig was gestapt.

Rond negen uur haalde ze diep adem en nam haar eerste slok champagne. Ze snakte de hele avond al naar alcohol maar ze had zich ingehouden omdat ze wilde dat ze zich later elk detail zou kunnen herinneren van wat er nu zou gaan gebeuren. Maar nu sloeg ze snel een glas achterover en stapte het podiumpje op en ging voor de roodfluwelen gordijnen staan. Nog voor ze zich zorgen kon maken over hoe ze de aandacht van alle aanwezigen kon trekken, waren alle ogen al op haar gericht. De gespannen verwachting was voelbaar.

Katie slikte. Ze was nooit goed geweest in het toespreken van groepen mensen, ze speelde veel liever de rol van stille steun en toeverlaat dan dat ze in de spotlights stond. Maar ze had goed doordacht wat ze wilde zeggen en het was immers haar feestje. Ze twijfelde er niet aan dat de mensen op haar hand waren. Zachtjes schraapte ze haar keel.

'Ik neem aan dat jullie je allemaal afvragen wat er aan de hand is,' zei ze, en er werd zachtjes gemompeld in de zaal. Ze zag ze allemaal staan, en hoe ze haar vol verwachting aanstaarden: Sam en Geoff, Hugh, Alison, Simon, Malcolm en zelfs Owen. Ze had Sally en haar familie niet over kunnen halen om ook te komen, ook al had ze nog zo haar best gedaan. Wel herkende ze talloze klanten van James. Ook de man van Le Joli Poulet was er. Allemaal stonden ze haar aan te gapen en ze voelde dat ze bloosde. Vooruit met de geit, dacht ze.

'Ik weet zeker dat velen van jullie Stephanie nog wel kennen, de vrouw van James.' Ze zag de vragende blikken omslaan in verbazing. Wat had Stephanie hier in vredesnaam mee te maken?

'Zoals jullie weten zijn James en Stephanie anderhalf jaar geleden uit elkaar gegaan. Een paar maanden later kregen James en ik iets, en toen is hij bij mij ingetrokken. Sinds die tijd is hij de helft van de week bij mij geweest, en de andere helft werkte hij in zijn praktijk in Londen. Hij logeerde dan bij vrienden, en zag zijn zoontje Finn op zaterdag. Tenminste...' ze zweeg even voor het dramatische effect, '...dat dacht ik altijd.'

De stilte in de zaal was zo intens dat ze er duizelig van werd. Ze wachtte tot de woorden waren doorgedrongen.

'Een tijdje geleden ben ik er achter gekomen dat James en Stephanie helemaal niet waren gescheiden.'

Er klonk een collectief ingehouden adem.

'Sterker nog, voor zover Stephanie wist, waren zij nog gewoon gelukkig getrouwd.' Het gemompel zwol aan. Katie schoot bijna in de lach toen ze de gezichten in de zaal zag. Sommige mensen maanden tot stilte, want ze wilden de rest van het verhaal horen.

'Dus, ik kan naar waarheid zeggen dat ik geen idee had van Stephanie, en Stephanie had geen idee dat ik bestond. James had een dubbelleven. Van woensdag tot zondag was hij de liefhebbende vader en echtgenoot en de rest van de week was hij mijn zorgzame vriendje. Totdat Stephanie doorkreeg wat er aan de hand was, uiteraard. Toen heeft ze het ook aan mij verteld. Ze had hier vanavond ook willen zijn, trouwens, maar ze kon uiteindelijk toch niet komen.' Nog meer verwarring onder het publiek. Geweldig, dacht Katie. Ze hingen compleet aan haar lippen. Ze durfde nauwelijks van het podium af.

'Goed, om een lang verhaal kort te maken: James en ik hebben geen relatie meer. Ik heb hem gezegd dat hij zijn biezen moest pakken, en hij is weggegaan, terug naar Londen, voor zover ik weet. Ik kan het me niet voorstellen, want Stephanie heeft hem ook op de keien gezet. Het kan me niet eens schelen waar hij is, want ik ben niet van plan ooit nog een woord met hem te wisselen. Dan wens ik jullie verder nog een leuke avond. Het buffet gaat zo open. Laten we allemaal dronken worden.'

Iemand begon te applaudisseren, en een paar anderen deden mee, onzeker van wat de etiquette op dit gebied voorschreef. Toen Katie van het kleine podium af stapte kwam er een groepje mensen om haar heen staan die haar omhelsden en prezen vanwege haar moed. Ze verdiende veel beter, verzekerden ze haar. James was een ontzettende loser en hij was nooit meer welkom in Lower Shippingham. Katie genoot van de aandacht. Oké, het was niet bepaald de publiekelijke vernedering die ze met Stephanie voor James had gepland, maar het voelde bijna net zo lekker.

Rond elf uur, toen ze zich eindelijk kon losmaken van haar buren en hun bezorgdheid om haar, glipte ze even naar buiten om Stephanie te bellen. 'Ik heb het gedaan.'

'Mooi zo,' zei Stephanie en Katie kon horen dat ze glimlachte. 'Ik wil alles horen.'

Daarna werd het allemaal een beetje wazig. Katie kon zich alle vriendelijke woorden nog wel herinneren, en dat iedereen zich over haar wilde ontfermen, en drankjes voor haar haalde en haar aanmoedigde om de dansvloer op te gaan. Ze wist ook nog dat ze had gehuild toen iemand wel heel erg lief tegen haar deed – dat zal Simone wel zijn geweest, dacht ze, want die voelde zich natuurlijk schuldig dat zij had geprobeerd om James te verleiden. Wat ze zich niet meer kon herinneren, was dat ze met Owen mee naar huis was gegaan, en hoe en waarom ze uiteindelijk vrijwel naakt in zijn bed was beland.

De hotelkamer van James keek uit op de airconditioning buiten het restaurant. Het constante gedreun maakte het hem volkomen onmogelijk om televisie te kijken. Hij had wel geprobeerd om het raam dicht te doen, maar zijn hotel had niet de luxe van een eigen airco, en dus werd het al snel onverdraaglijk benauwd en moest hij de boel weer opengooien. Maar hij had het hotel ook uitgekozen vanwege de ligging, niet vanwege de faciliteiten. Het was op loopafstand van Stephanie, zodat het niet belachelijk was als hij haar af en toe tegen het lijf liep. Hij vond het belangrijk dat ze hem niet voor de volle honderd procent uit haar hoofd kon zetten.

Hij ging liggen op het smalle bed. Hij was uitgeput, maar hij kon niet slapen. Zijn hoofd duizelde door de gebeurtenissen van de afgelopen dagen. Hij had heus niet gedacht dat Stephanie hem zomaar zou vergeven nadat hij haar zijn geheim had verteld, en dat daarna alles weer normaal zou worden, maar haar reactie had hem totaal verbijsterd. Hoe kon zij nou weten wat hij haar had verteld? En hoelang wist ze het al? Hij probeerde na te gaan of haar gedrag ten opzichte van hem de afgelopen maanden was veranderd, en of hij een dag of een tijdstip kon bedenken dat er ineens iets was gebeurd, maar de waarheid was dat hij er niet op had gelet. En wat Katie betrof… James wreef in zijn ogen. Hij had geen idee wat er aan de hand was, behalve dan dat zijn leven met haar, zelfs zijn hele leven in Lincolnshire, voorbij was, en dat het hem niets kon schelen. Het gaf zelfs een goed gevoel dat hij dat ene hele deel van zijn leven in één klap kwijt was. Als straks zijn praktijk was verkocht, zou hij nooit meer terug hoeven denken aan Lower Shippingham en aan de mensen daar. Opgeruimd staat netjes.

Het klamme zweet brak hem uit bij de gedachte hoe hij dit allemaal zou overleven. Tot de verkoop van de praktijk iets op zou leveren, moest hij van zijn spaargeld leven, en een groot gedeelte daarvan werd al opgeslokt door de belastingmensen. Hij zou morgenochtend een makelaar bellen – misschien kon hij alvast verkopen zonder de bouwvergunning af te wachten. Hoewel hij zich ook niet kon voorstellen dat iemand zin had in dat soort ellende. Het hotel kostte hem vijfenzeventig pond per nacht, en voor dat geld was er niet eens een waterkoker of een flesje water. Hij kon beter uitkijken naar een appartement, hoewel het hem niet waarschijnlijk leek dat hij het zich met de Londense prijzen zou kunnen veroorloven om in zijn eentje te gaan wonen, en hij kon wel janken bij het idee dat hij een ruimte zou moeten delen, net als in zijn studietijd, met iemand die hij niet kende (en die vrijwel zeker tenminste tien jaar jonger zou zijn dan hij). Hij dacht aan Stephanie en aan hun gezellige huis, vlak om de hoek, en hij vroeg zich af of zij nu ook aan hem dacht.

Maar dat deed ze niet.

37

O P MAANDAGOCHTEND WERD STEPHANIE WAKKER. Na haar gesprek met Katie had ze vrij goed geslapen. Het was voorbij. Ze was blij dat de publieke vernedering die ze voor hem in petto hadden, James bespaard was gebleven. Het was gek dat hij had besloten om het haar toch allemaal te vertellen. Best moedig ook. Helemaal niks voor hem.

Finn was een beetje huilerig toen hij zich klaarmaakte om naar school te gaan, alsof het nieuws dat Stephanie hem de vorige dag had verteld nu pas tot hem doordrong. Ze kocht hem om door te beloven dat ze een vriendinnetje zouden kopen voor David, en dat leek te werken. O jee, dacht ze, we zijn nog geen twee dagen uit elkaar en ik probeer mijn kind nu al af te kopen. Maar hij liep blij de school in, dus het leek het waard te zijn, ook al kreeg Stephanie een visioen waarin ze in een soort ark van Noach moest wonen, alleen om haar zoon tevreden te houden.

Nadat ze Finn had afgezet ging ze terug naar huis om, eufemistisch uitgedrukt, 'thuis te werken'. Het was wat stilgevallen na de BAFTA-uitreiking, zoals altijd, maar in de roddelbladen stonden flatteuze foto's van Meredith en Mandee, met even flatteuze commentaren, dus dat zou zeker nieuwe klanten opleveren. Ze hing een halfuur met Natasha aan de telefoon om haar bij te praten, en ze bladerde lusteloos door een stapel tijdschriften om inspiratie op te doen. Daarna dacht ze aan de komende avond.

Ze zou Michael om zeven uur zien in Nobu, en ook al wist hij het nog niet, Stephanie had besloten dat dit de avond was waarop ze een volgende stap gingen zetten in hun relatie. Ze had geregeld dat Finn bij Arun Simpson ging slapen, want, zo had ze tegen de moeder van Arun gezegd, het was goed voor hem om wat afleiding te hebben van het verdriet thuis. Aruns moeder, Carol, zelf ook een alleenstaande moeder, wilde haar graag van dienst zijn.

Stephanie was van plan om Michael bij het voorgerecht te vertellen dat haar huwelijk nu officieel voorbij was, en om ervoor te zorgen dat ze hem tegen de tijd dat ze hun hoofdgerecht op hadden zou hebben verleid om haar mee naar huis te nemen. Eerlijk gezegd dacht ze niet dat daar veel overredingskracht voor nodig was. Achteraf was ze blij en opgelucht dat Natasha's onderbreking ertoe had geleid dat ze nog geen seks hadden gehad – tenminste, niet echt. Ze wilde dat hun verhouding helemaal open en eerlijk was, zonder gedachten die stiekem aan haar vraten over dat het was begonnen voor ze tegen James had gezegd dat hun huwelijk voorbij was.

Toen ze tegen zessen aan haar make-up begon, was ze een beetje misselijk. Had ze hier eigenlijk wel zo'n zin in? Nog los van het feit of het moreel juist was om dit nu te doen, wist ze niet of ze het aankon om zich uit te kleden voor een vreemde vent, na al die jaren. Goed, hij had haar dan wel zo goed als bloot gezien, de vorige keer, maar toch nog net niet helemaal. Ze bloosde toen ze eraan terugdacht dat ze zich niet eerst fatsoenlijk had uitgekleed, als twee tieners die het even vlug deden in het park. Ach, nou ja, dacht ze, als het hem niet bevalt hoe ik eruitzie, dan is dat zijn probleem. Ze probeerde zich ervan te overtuigen dat ze dat echt zo zag, maar dat was natuurlijk niet waar.

Om tien over halfacht zette de taxi haar af op Park Lane. Michael zat in de bar met een bijna leeg glas witte wijn in zijn hand. 'Jenevermoed,' zei hij toen hij haar zag, en zij moest lachen.

Natuurlijk was hij ook gespannen. Hij was per slot van rekening vijftien jaar met dezelfde vrouw getrouwd geweest. Stephanie ontspande een beetje. 'Ik denk dat ik er ook maar snel eentje moet bestellen,' zei ze.

Katie werd wakker met een droge mond en een enigszins vage herinnering aan wat er de vorige avond was gebeurd. Terwijl ze haar best deed om haar ogen open te doen, rook ze een luchtje dat haar niet bekend voorkwam. Niet onaangenaam. het was gewoon anders dan de leliegeur in haar eigen slaapkamer. Iemand kreunde zachtjes naast haar, en ineens was ze klaarwakker. Ze dwong zichzelf om zich heen te kijken. Owen lag op zijn rug, met zijn armen en benen breeduit over het bed en, ook al sliep hij nog, ze zou zweren dat er een klein glimlachje om zijn mond speelde. Dat kon toch niet waar zijn? Ze keek onder de lakens: ze had haar ondergoed nog aan. Dat was in elk geval een goed teken. O, god. Ze had geen idee wat er allemaal was gebeurd.

Heel voorzichtig stapte ze uit bed, om hem niet wakker te maken. Ze zou het al niet aankunnen nu met hem te moeten praten, laat staan om te doen wat hij verder nog verwachtte. Ze moest maken dat ze wegkwam. Owen mompelde zachtjes en rolde op zijn zij, zich volmaakt onbewust van Katie, die geschokt naar hem stond te kijken. Ze hield zich muisstil, met ingehouden adem, maar hij sliep door als een tevreden baby. Katie voelde woede in zich opwellen. Hoe kon hij zomaar doorslapen na wat er was gebeurd? Niet dat ze wist wat dat was, uiteraard, maar ze had wel zo haar vermoedens. Hij had er misbruik van gemaakt dat ze dronken was, en emotioneel. Ze kon zich niet eens meer herinneren hoe laat ze van het feest wegging, en of ze nog afscheid had genomen van de gasten. Ze zag de rest van haar kleren op een stoel liggen, en ze trok die zo snel mogelijk aan. Ze zocht naar haar schoenen, maar kon die nergens vinden. Jammer dan, die zou ze dan maar achterlaten.

Buiten was het gras nat van de dauw. Ze had geen idee hoe laat het nu was en met een blik op haar pols realiseerde ze zich dat ze haar horloge ook had laten liggen. Het was vast nog heel vroeg, dacht ze, maar toch wilde ze niet het risico lopen om iemand tegen te komen, en dus nam ze een omweg, helemaal door de weilanden. Ze liep op haar tenen, en ze trapte zo nu en dan in iets scherps, of stootte een teen tegen een boomwortel. Misselijk was ze, en ze had hoofdpijn. Het was al heel lang geleden dat ze voor het laatst zo'n kater had gehad, en ze was vergeten hoe ellendig je je daarbij voelde. Het enige waar ze nog zin in had was zich opsluiten in haar huisje en slapen tot het overging.

Toen ze haar sleutel in het slot stak hoorde ze Stanley zielig janken en ze besefte tot haar schande dat ze hem helemaal had vergeten. Ze trok de deur open, en hij trok een sprintje langs haar heen en stak zijn poot op tegen een boom. Ze voelde zich verschrikkelijk schuldig, want ze besefte dat hij zijn pootjes netjes over elkaar had gehouden om het niet in huis te hoeven doen, want hij wist dat dat niet mocht.

Ze aaide en knuffelde hem en ze probeerde niet over haar nek te gaan toen ze een blik van zijn lievelingsvoer openmaakte. Hij kwispelde uitgelaten en was het trauma van de vorige avond alweer helemaal vergeten.

Katie liep naar boven, trok haar kleren uit en stapte onder de douche, hoe moe ze ook was. Ze wilde elk mogelijk spoor van Owen van zich afspoelen.

Een paar uur later – hoeveel precies wist ze niet – schrok ze wakker van de deurbel. Stanley begon luid te blaffen, voor het geval de schrille bel zijn effect had gemist. Zonder nadenken strompelde ze naar beneden en deed de voordeur open. Op de stoep stonden haar schoenen, met haar horloge. Ze pakte ze vragend op en keek om zich heen om te controleren of Owen niet ineens uit de bosjes kwam springen. Maar er was geen spoor van hem te bekennen.

Dus kroop ze weer in bed, zette haar telefoon uit en bleef de rest van de dag liggen waar ze lag.

38

JAMES MOEST MOEITE DOEN OM zijn hoofd erbij te houden.
Hij wist dat hij op zoek moest naar betere woonruimte, maar
hij wist niet waar te beginnen. Hij had een minuut of twintig
zonder veel animo staan staren naar de advertenties in de etalage van
een makelaar, maar zelfs de allerkleinste appartementen waren nog
ver buiten zijn bereik. Hij begon spijt te krijgen dat hij zoveel van zijn
spullen had achtergelaten. Het zou goed zijn geweest als hij iets had
dat hij kon verkopen, ook al wist hij niet precies wat en aan wie. Hij
kocht een krant en zocht de advertenties waarin om een huisgenoot
werd gevraagd. Het was kennelijk de verkeerde dag.

Het raam van een kiosk, dacht hij, daar moest je kijken. Hij kon
niet bedenken waar ook weer een kiosk stond, maar hij dacht dat hij er
vast wel eentje tegen zou komen, als hij maar lang genoeg rondliep.

Zijn doelloze zwerven bracht hem onvermijdelijk steeds dichter
bij Belsize Avenue, en voor hij wist wat hij deed stond hij voor zijn
huis. Hij keek omhoog naar de ramen en vroeg zich af wat Stephanie en Finn nu aan het doen waren. Finn was zich uiteraard aan het
klaarmaken voor school, en Stephanie was waarschijnlijk al naar haar
werk, hoewel ze ook een paar dagen per week thuis werkte. Hij keek
op zijn horloge. Vijf voor halfnegen. Hij kon aanbellen en zeggen dat
hij toevallig voorbij kwam en dat hij nog kleren wilde meenemen.
Maar dan? Het had geen zin om haar nog een keer te vragen of ze
hem terug wilde. Het was nu bijna twee dagen geleden sinds ze hem
zonder pardon aan de kant had gezet, dus zou ze heus nog niet van
gedachten zijn veranderd. Hij draaide zich bedroefd om. Wat hij nodig
had, was een strategie.

Terwijl hij de hoek omsloeg in de richting van Haverstock Hill, en
hij zijn missie om te letten op bordjes met 'kamer te huur' alweer bijna

was vergeten, kwam hem een taxi tegemoet rijden. Achterin zat een vrouw die verdacht veel op Stephanie leek. Ze staarde uit het raam, naar de andere kant van de weg. James keek nog eens goed. Het leek erop dat ze naar huis ging. Om vijf voor halfnegen 's ochtends? Het was veel te vroeg om Finn al naar school te hebben gebracht. Hij liep langzaam terug, de straat in. Ja hoor, de taxi stopte voor zijn huis en Stephanie stapte uit. James liep de tuin in van een van hun buren en gluurde naar haar vanachter een boom, zodat ze hem niet zou zien. Stephanie zag eruit alsof ze een avondje uitging – kokerrok, hoge hakken, en dat Chaneljasje waar ze zo gek op was. Als je hem zou vragen haar gezichtuitdrukking te omschrijven, dan zou hij zeggen dat ze glimlachte. Bijna zelfvoldaan. Toen pas begreep hij het: ze kwam nu pas thuis van de vorige avond. Stephanie was de hele nacht niet thuis geweest.

Stephanie was die ochtend vroeg wakker geworden. Ze had eigenlijk nauwelijks geslapen, want ze werd telkens wakker als Michael zich omdraaide of mompelde in zijn slaap. Niet dat hij nou zo rusteloos of luidruchtig was, maar het was de onbekendheid met zijn gewoel en zijn geluidjes. Hetzelfde gold ongetwijfeld ook voor hem. Ze waren rond hetzelfde tijdstip wakker geworden, om halfzes, en slaperig hadden ze nog een keer gevreeën. Dit keer was het wat lomer, minder bezeten en veel minder een show dan gisteravond. Dat was wel een beetje ongemakkelijk geweest, maar toch normaal als je het voor het eerst met iemand deed? Ze had iets moeten faken, want anders waren ze nu nog bezig. Maar verder was het best fijn. Prettig. Niet wereldschokkend, maar gewoon prettig.

Na afloop vanmorgen kon Stephanie de slaap niet meer vatten, en dus was ze opgestaan en had een bad voor zichzelf gemaakt. Daarna deed ze haar best om zich thuis te voelen in het vreemde appartement: ze scharrelde rond in zijn keukenkastjes op zoek naar thee en brood. Eigenlijk wilde ze gewoon naar huis, om daar nog een beetje te ontspannen voor ze weer aan het werk moest, maar ze wilde geen statement afgeven door weg te gaan voordat Michael zijn bed uit was.

Ze had geen idee of hij een ochtendmens was of juist niet. Er waren wel duizend dingen die ze niet van hem wist, maar wat ze wel wist was dat de gebeurtenissen van de afgelopen twaalf uur erg goed waren voor haar gevoel van eigenwaarde. Ze besloot dat ze tot acht uur zou wachten, en als hij dan nog niet op was, liet ze wel een briefje voor hem achter.

Ze dronk drie bekers thee, waardoor ze een beetje licht in het hoofd werd, en ze probeerde te bedenken wat ze in dat briefje zou zetten. Ze kon moeilijk alleen maar opschrijven: Ben naar mijn werk, veel liefs, Stephanie. Dan zou hij denken dat er iets mis was. Maar ze wilde ook weer niet al te ongebreideld te werk gaan (Ben in bad geweest, en heb toen thee gemaakt, en toast.), of geestig (Nou, ik heb je kastjes eens bekeken, maar ik zie wel dat ik een enorme fout heb gemaakt. We moeten elkaar maar nooit meer zien.) of sexy (Waar ik echt opgewonden van werd was toen je... Nee! Daar wilde ze niet eens aan denken.). Het leek wel alsof dat briefje het belangrijkste was dat ze ooit in haar leven zou schrijven. Alsof Michaels herinnering aan hun nacht samen zou worden bepaald door de indruk die dat stomme papiertje op hem zou maken.

Ze kreeg er koppijn van. Ze vroeg zich net af of Natasha al wakker zou zijn en of ze die kon bellen voor advies, toen ze Michael in de badkamer bezig hoorde. Als een haas liep ze naar het fornuis en probeerde zichzelf te bekijken in het roestvrijstalen oppervlak. Toen hij eenmaal de kamer binnen liep, zat zij aan tafel met de krant, quasi-nonchalant.

'Goeiemorgen,' zei hij, en hij glimlachte op een manier die haar hart deed bonzen in haar oren. Hij liep naar haar toe, sloeg zijn armen om haar heen en gaf haar een kus op haar hoofd. 'Ik was bang dat je al weg was.'

'Ik wilde eigenlijk net een briefje schrijven,' zei ze. 'Maar ik wist niet wat ik er precies in moest zetten.'

'Nou, ik ben blij dat je er nog bent. Heb je tijd om weer even mee naar bed te komen?' vroeg hij, en hij kuste haar nog voor ze de kans kreeg om ja te zeggen.

Nadat ze naar huis was gegaan om zich te verkleden, bracht ze de rest van de ochtend door met een stapel samplekledingstukken van Frost French. Samen met Natasha bekeek ze de monsters en besprak ze de details van de vorige avond. Natasha had een nauwelijks te stillen honger naar de bijzonderheden van andermans relaties. Ze beweerde altijd dat ze op die manier alles uit de tweede hand meebeleefde, en dat ze daardoor gelukkig bleef in haar eigen langdurige en monogame relatie. Stephanie wist best dat Natasha en haar Martin in werkelijkheid geen enkele input van buitenaf nodig hadden om stevig aan elkaar vast te blijven zitten. Ze had haar vriendin altijd al benijd om haar blijkbaar idyllische relatie.

Ze had Michael verteld dat ze hem een paar avonden niet kon zien omdat ze zich schuldig voelde naar Finn toe en omdat ze niet al te driftig misbruik wilde maken van de ouders van vriendjes, en ze de hulp van Cassie niet vaker dan nodig wilde inroepen. James zou zonder meer op willen passen als ze hem dat zou vragen, maar ze had geen idee waar James sinds zondagavond uithing, of waar hij zou gaan wonen, en ze had helemaal geen zin om hem te bellen. En het was veel en veel te vroeg om haar zoon te laten kennismaken met haar nieuwe vriend. Michael had begrip getoond. Ze hadden een afspraakje voor de lunch, morgenmiddag, want dat was de enige dag waarvan ze allebei zeker wisten dat ze rond die tijd vrij konden maken. En dan vrijdagavond weer.

'Dat is prima,' zei Natasha toen ze het haar vertelde. 'Dan blijft hij zijn best doen voor je.'

'Zeg, hoe voel je je nu eigenlijk over James?' vroeg ze een paar minuten later.

'Zal ik je eens wat zeggen?' zei Stephanie. 'Ik heb eigenlijk geen idee. Ik denk dat ik opgelucht ben dat het allemaal achter de rug is.'

'Als je maar niet vergeet dat Michael je overgangsman is,' zei Natasha, alsof ze zich herinnerde dat zij altijd degene was die de wijze woorden sprak. 'Hij is voor de leuk. Maar neem het vooral niet te serieus.'

'Ik ken die man net vijf minuten, Tash,' zei Stephanie, in de hoop dat wat ze nu ging zeggen waar was. 'Ik heb hem alleen maar voor de lol.'

Het was ongeveer twaalf uur toen haar mobieltje overging en ze zag dat het Katie was. Ze had eigenlijk niet gedacht dat ze die zo snel alweer zou spreken – ze had eigenlijk niet gedacht dat ze die ooit nog zou spreken, zelfs. Ineens leek het hele gedoe zo ontzettend lang geleden. Ze had echt het gevoel dat haar leven opnieuw was begonnen, en ze wist dat ze niet al te lang bij het verleden wilde stilstaan. Niet dat ze Katie niet mocht, want ze vond haar best aardig, maar ze hadden op James na helemaal niets met elkaar gemeen. Aarzelend nam ze op: 'Hallo, Katie.'

'Dus…' vroeg Katie verwachtingsvol. 'Hoe gaat het nu?'

Stephanie dacht heel even dat ze het over Michael had, en ze had bijna gezegd: 'Nou, we zijn eindelijk met elkaar het bed in gedoken', maar toen herinnerde ze zich dat ze Katie nooit in vertrouwen had genomen over haar nieuwe relatie. Dus zei ze maar: 'O, gewoon, best. Hij is weg. Ik weet niet waar hij uithangt.'

'Ik hoop ergens waar het afschuwelijk is,' zei Katie lachend. 'Het hele dorp heeft het over niks anders meer. Ik heb zoveel boekingen – echt niet te geloven. Omdat ze allemaal het hele verhaal willen horen, neem ik aan. Ik ben doodop.'

'Heel fijn voor je,' zei Stephanie, maar was ze wel zo'n beetje uitgepraat.

'En hoe heeft Finn erop gereageerd?'

'O, je weet wel, dat kan alle kanten op. Ik denk dat het voor hem pas weer normaal wordt als we een bezoekregeling hebben afgesproken met James, en dat soort dingen.'

'Sam McNeil vertelde dat hij die bouwvergunning vrijwel zeker niet krijgt. Ze zei het niet met zoveel woorden, maar ik denk dat ze er persoonlijk een stokje voor gaat steken.'

'Jeetje, echt?' vroeg Stephanie oprecht geschokt. 'Misschien kun jij haar nog overhalen. Ik bedoel, wat heeft het voor zin om hier nu nog mee door te gaan?'

'Natuurlijk heeft dat zin!' zei Katie. 'Ik heb er echt lol in.' Ze zweeg even, en lachte nog een keer. 'Geintje. Ik zal eens zien wat ik eraan kan doen. Iedereen is zo aardig voor me, Stephanie. Ik heb nooit geweten dat ik hier zoveel vrienden heb.'

'Geweldig,' zei Stephanie. 'Echt fijn voor je.' Maar ze voelde nattigheid. Want ze had het idee dat het voor Katie nog helemaal niet voorbij was.

39

Het was james' eerste werkdag nadat zijn leven in de soep was gelopen. Hij was te laat voor het spreekuur omdat hij geen wekker had en het hotel vergeten was hem te wekken, zoals hij de vorige avond had afgesproken. Rond vijf uur die nacht was hij eindelijk in slaap gevallen, en vanaf dat moment had hij koortsachtig liggen woelen tot hij om tien voor halftien wakker werd van een toeterende auto. Hij wist eerst helemaal niet waar hij was, en hij was even bang dat hij na een morsig rendez-vous bij een vreemde vrouw in bed was beland, tot hij begreep dat de werkelijkheid nog veel en veel erger was.

Hij was van plan naar zijn werk te lopen om geld uit te sparen, maar nu hij zo laat was moest hij wel met de taxi die hij zich niet kon veroorloven en die vast kwam te staan in het verkeer, zodat hij nog later was. Om kwart over tien kwam hij hijgend en zwetend aan in Dierenkliniek Abbey Road. De afgelopen jaren was James wel eens blij geweest dat hij niet zelf de baas was van de Londense praktijk. Hier was hij in elk geval niet verantwoordelijk voor het aannemen en ontslaan van personeel en voor de boekhouding. Maar vandaag was hij daar helemaal niet zo blij mee.

'Harry spuwt vuur,' zei Jackie, de receptioniste, tegen hem zodra hij binnenkwam. 'Ik heb nog geprobeerd om je te bellen om te zien waar je uithing.'

James zag in zijn gedachten zijn mobieltje liggen, op het tafeltje naast het bed in het huis waar hij niet meer woonde, waar hij het per ongeluk had laten liggen. Geweldig.

'Ik heb Stephanie gebeld en die zei dat ze geen idee had waar je was.' James voelde wel dat ze hem aankeek alsof ze doorhad dat er iets aan de knikker was, en dus probeerde hij zo neutraal mogelijk te kijken. 'Is alles in orde?' vroeg Jackie.

'Waar is Harry nu dan?' vroeg James, haar vraag negerend. Harry, de eigenaar van Dierenkliniek Abbey Road, stond bekend om zijn korte lontje en hij vond het nodig om James steeds maar weer in te peperen dat hij, Harry, de baas was hier in Londen, ook al was James nog zo'n goede dierenarts en had hij zelfs een eigen plattelandspraktijk.

'Hij is bezig een splinter uit Barney McDonalds pootje te verwijderen. Barney stond eigenlijk bij jou ingeroosterd om kwart voor tien,' zei ze onheilspellend, 'en Harry heeft ook jouw afspraken van negen uur, kwart over negen en halftien al waargenomen.'

'Nou, ik ben er nu. Stuur de afspraak van tien uur maar door.'

Jackie keek in de agenda. 'Alexander Hartington is aan de beurt,' zei ze, wijzend op een bleke man van middelbare leeftijd met een grote rode kater. Wie van de twee Alexander was viel niet te zeggen. James gebaarde naar de man dat hij mocht meelopen. Dit was geen goede start van de dag. Hij was eigenlijk van plan om Harry te vragen of hij misschien meer voor hem kon werken – het liefst vijf dagen per week – maar dat leek nu niet echt een goed idee. Als Harry eenmaal in zo'n humeur was ging dat de hele ochtend niet meer over.

Tegen de lunch was hij uitgeput. Door zijn slaapgebrek en de achterstand met afspraken had hij geen tijd voor een snel kopje koffie tussen de patiënten door en leek alles samen te spannen om ervoor te zorgen dat hij het gevoel had dat hij het einde van de dag niet zou halen. Toen zijn afspraak van kwart voor een weg was en hij in zijn stoel kon hangen en misschien wel een halfuurtje dacht te kunnen tukken voor hij zijn broodje naar binnen zou werken en de volgende patiënt zou afhandelen, ging zijn telefoon. Hij dacht erover om niet op te nemen, maar hij wist dat Jackie anders bij hem binnen zou lopen om hem alsnog door te verbinden met wie er ook maar aan de lijn was.

'Stephanie voor je,' zei ze toen hij uiteindelijk opnam, en zijn hart stond bijna stil. 'Oké, verbind maar door,' zei hij met, naar hij hoopte, een normale stem, maar Jackie was al weg. Ze wachtte nooit af of hij al dan niet zin had in het telefoontje.

'James,' zei Stephanie met een zakelijke stem.

'Hoi, Steph. Hoe gaat het?' Misschien belde ze wel om te vragen hoe het met hem ging. Misschien maakte ze zich wel zorgen om hem.

'Ik vroeg me alleen af of jij Finn morgenavond kunt nemen. Cassie kan niet komen oppassen.'

James dacht aan zijn vrouw in haar uitgaanskleding, die thuiskwam om halfnegen 's ochtends. 'Hoezo? Waar ben jij dan?'

'Dat lijkt me niet echt jouw zaak, James,' antwoordde Stephanie. 'Kan je nou, of niet?'

Ze heeft iemand, dacht hij, en even vergetend dat hij het afgelopen jaar zelfs twee levens had geleid en dat deze pot geen enkel recht had om de ketel te verwijten zwart te zien, vroeg hij: 'Wie is het?'

Stephanie lachte. Eigenlijk was het eerder een soort snuiven, dacht James. 'Jij bent echt ongelofelijk.'

James moest zich beheersen om niets te zeggen.

'Waar zal ik hem afzetten?' vroeg Stephanie.

'Ik zit in het Chalk Farm Travel Motel in Camden,' zei James. 'Breng hem daar maar naartoe.'

'Zit je daar? Je denkt toch niet dat ik Finn daar naartoe laat gaan. Wat ga je dan met hem doen? Kakkerlakken verzamelen?'

'Ik wil ook best naar jullie komen,' zei hij hoopvol. Als hij daar zou zijn, dan was Stephanie vast niet zo brutaal om de hele nacht weg te blijven.'

Maar zonder aarzelen zei ze: 'Dat is best een goed idee, eigenlijk. Het is voor Finn ook veel minder gek. Ik ben rond twaalf uur 's nachts weer thuis. Ik ga een hapje eten met Natasha.'

Oké, dacht hij, misschien overdrijf ik wel. Misschien kwam ze toen ik haar die ochtend zag ook wel bij Natasha vandaan. Dat kon toch best? En trouwens, het gaat je inderdaad niet aan, dacht hij bij zichzelf. Jij hebt het recht niet om haar dat soort vragen te stellen.

'Met wie ga je echt?' vroeg hij voor hij er erg in had.

'Dat zijn jouw zaken niet meer,' zei Stephanie doodleuk. 'Ik zie je morgen. Als je er om een uur of zes kunt zijn, graag.'

Toevallig was het geen leugen, van dat eten met Natasha vrijdagavond. Ze probeerde zo eerlijk mogelijk te zijn tegen James zonder hem nu al over Michael te vertellen. Wat ze niet wilde, was in een situatie verzeild raken waarin ze hem verslag moest doen over elk afspraakje en elke flirt die ze had. Het was zijn zaak ook echt niet meer: ze waren gescheiden. Michael had de volgende dag een klus in East End, en dus konden ze elkaar pas om acht uur weer zien. Dan hadden ze ruim drie kostbare uren samen – ze wilde niet meteen alweer een hele nacht van huis zijn. Dat kon ze Finn niet aandoen. Dus had Natasha aangeboden om een hapje met haar te gaan eten, na het werk. Dan hoefde ze zelf ook lekker een keertje niet te koken voor haar kinderen. Stephanie zou daarna doorgaan naar Michael. Het was niet ideaal, maar zo was het nu eenmaal voor een werkende moeder die er een vriendje op na wilde houden.

Zij en Michael waren van plan om naar een concert te gaan. Iets jazzachtigs, dacht Stephanie, ook al werd ze daar bepaald niet opgewonden van. Ze was veel liever naar Michaels huis gegaan, zodat ze samen konden zijn. Het voelde een beetje als een verspilde avond, om in een zweterige bar te gaan zitten luisteren naar muziek waar ze niet van hield. Maar de muzikanten waren vrienden van Michael, en hij had beloofd dat hij zou komen kijken.

Toen James die vrijdag thuiskwam, zag hij eruit alsof hij zich bij de wastafel had gewassen, wat ook zo was, aangezien hij naar een goedkopere kamer was verhuisd in het Chalk Farm Travel Motel – eentje waarbij je de badkamer met nog drie andere kamers moest delen. En die badkamer was permanent bezet, leek het wel, zodat James gedwongen was om het piepkleine wastafeltje in de hoek van zijn kamer te gebruiken om zowel zichzelf als zijn kleding te wassen. Hij wist niet wat hij liever wilde: dat zijn vrouw hem op zijn best zag, of dat ze medelijden met hem kreeg. En aangezien het onder de huidige omstandigheden niet mogelijk was om een goede indruk te maken, zelfs niet al had zijn leven ervan afgehangen, moest hij wel voor het medelijden gaan. Het zou de eerste keer zijn dat hij en Stephanie weer oog in oog stonden nadat zij hem eruit had gegooid. Wat voor afspraakje ze ook zou hebben: zij zou er tiptop uitzien, dat wist hij. Hij had het recht niet om jaloers te zijn. Als ze inderdaad nu al een ander had, hoe onwaarschijnlijk dat ook leek, dan zou hij dat moeten accepteren en proberen om zijn eigen leven weer op te pakken. Maar hij wilde dat hij nog een kans kreeg – een kans om zijn vrouw terug te winnen. Dat het niet te laat was, omdat ze haar hart al aan een ander had verloren. Hij probeerde te bedenken wie dat dan kon zijn. Het moest iemand zijn die ze al kende. O, god, het was toch niet een van zijn vrienden? Misschien zelfs wel iemand die op het feestje was? James werd al ziek bij de gedachte.

Finn deed open en James zou zweren dat de uitdrukking op het gezicht van zijn zoon omsloeg van blij naar een soort angst toen hij de halve zwerver die wel iets weg had van zijn vader op de stoep zag staan. Had ik me maar geschoren, dacht James. Wie kon nou weten dat je in een week tijd zo'n baard kon krijgen? Toen Finn eenmaal zag dat dit toch echt zijn vader was, liet hij zich knuffelen. Maar al snel maakte hij zich los en zei: 'Je ruikt gek.'

'Jij anders ook,' antwoordde James, en Finn moest lachen.

James keek om zich heen, op zoek naar Stephanie, terwijl Finn hem meesleepte naar de keuken. Stephanie was nergens te bekennen. Hij hoopte dat ze misschien nog even een goed gesprek konden hebben voor ze weg moest. Hij luisterde naar Finn die hem vertelde over zijn week ('Sebastian had gekotst op het tapijt en het was helemaal bruin, met in het midden een dikke klont, net een dooie muis.'), en hij hield zijn oren gespitst voor eventuele voetstappen op de trap. Terwijl de minuten voorbij gleden realiseerde hij zich dat ze probeerde om zo min mogelijk tijd met hem door te hoeven brengen.

'Waar is mam?' vroeg hij aan Finn toen die even stilviel in zijn verhaal.

'Boven,' zei Finn. 'Ze gaat uit.'

'O,' zei James. Hij probeerde nonchalant te klinken, want hij wist dat het absoluut fout was om als vader je kind bij je persoonlijke drama's te betrekken. 'Met wie dan?'

Gelukkig had Finn helemaal niet door dat hij werd gebruikt, dus haalde hij argeloos zijn schouders op en zei: 'Kweenie.'

Om ongeveer zes uur hoorde hij haar naar beneden komen en hij zette zich schrap. Voor hij er erg in had was ze al weg, nadat ze hem had gezegd dat ze de taxichauffeur zou vragen om hem mee te nemen naar het Travel Motel als zij weer terugkwam. Op die manier zouden ze geen moment hebben voor een gesprek. Toen ze hem zag was ze enigszins geschrokken, maar ze zei niets over zijn haveloze uiterlijk. Ze gaf Finn een kus en was verdwenen. Ze zag er echt ontzettend goed uit, was hem opgevallen. Een spijkerbroek met hoge hakken, altijd al zijn favoriete combinatie, en een strak, lichtblauw truitje. Hij zakte moedeloos in een stoel toen hij de voordeur achter haar dicht hoorde slaan.

Een uur of zes later, nadat hij Finn langer had laten opblijven dan mocht, omdat hij niet in zijn eentje wilde zitten, lag James te soezen op de bank toen hij de voordeur hoorde. Hij ging rechtop zitten en keek wazig om zich heen.

'De taxi staat buiten te wachten,' zei Stephanie toen ze de kamer binnen kwam.

James wreef in zijn ogen. 'Was het gezellig?'

'Ja hoor.'

Er leek niet echt een opening te zijn voor een gesprek, en dus zei hij maar: 'Nou, dan ga ik maar weer, en hij stond op. Stephanie stond een beetje wankel op haar benen, alsof ze een glaasje te veel had gedronken.

'Bel maar als je wilt dat ik kom oppassen, hoor,' zei hij. 'Ik wil graag zo vaak bij Finn zijn als maar kan.'

'Het zou fijn zijn als je er de volgende keer iets frisser uitziet,' zei Stephanie. 'Het lijkt me niet goed voor hem jou zo te zien.'

Met dat medelijden viel het dus wel mee, dacht James toen hij wegging.

40

IN LOWER SHIPPINGHAM VOELDE KATIE zich nog altijd een
soort beroemdheid. In een dorp wordt elk nieuwtje tot enorme
proporties opgeblazen, dus dit verhaal hield de gemoederen wekenlang bezig. Bijna iedereen had wel op de een of andere manier met
James te maken gehad, al was het maar omdat de buren met hun zieke
hamster bij hem waren geweest. Maar de algemene consensus luidde
nu dat iedereen altijd al had gedacht dat hij 'een beetje vreemd' was.
Dat waren overigens dezelfde mensen die, als je hun een paar weken
geleden naar hun mening over James had gevraagd, zouden hebben
gezegd dat hij heel aardig, behulpzaam en betrouwbaar was. Katie
genoot van haar status als bedrogen geliefde ('Hoe kon hij haar dat
aandoen? Uitgerekend haar? Die kwetsbare lieverd?'). Oude dametjes
kwamen in de dorpswinkel naar haar toe om te zeggen dat ze blij moest
zijn dat ze van hem af was en dat er ergens een man voor haar was die
haar op handen zou dragen, want dat verdiende ze.

Zakelijk liep het nog steeds storm, zowel omdat mensen haar graag
een handje wilden helpen ('Ze heeft afleiding nodig, dat arme schaap.')
als omdat ze dolgraag haar kant van het verhaal wilden horen ('En wist
je dat hij ook Simone Knightly wilde verleiden? Alsof twee vrouwen
nog niet genoeg was!'). Simone had Katie overigens met genoegen een
nogal ernstig herschreven versie van het verhaal verteld van de avond
waarop zij zich dronken op James had gestort. In deze versie was zij
veel meer slachtoffer en James de boosdoener. Ze vertelde Katie dat
Richard woest was en had gedreigd dat hij James in elkaar zou slaan
als hij het waagde om ooit zijn gezicht nog te laten zien in Lower
Shippingham.

Sam McNeil had Katie laten weten dat de gemeente inderdaad had
besloten om James de uitbouw te laten slopen. Maar ze hadden geen

adres van hem, dus was er alle kans dat hij het pas zou vernemen als de deadline al verstreken was, en in dat geval wachtte hem ook nog een flinke boete. 'Zo onverantwoordelijk,' zei ze, 'om te vertrekken zonder iemand te laten weten waar je te bereiken bent.'

Katie had nog geprobeerd onder Sams vleugels vandaan te blijven, maar Sam leek vastbesloten om haar te bemoederen, en bleef aandringen dat Katie langs moest komen voor een borrel of een etentje. Zolang zij nog bezig was om het vuurtje over die vergunning op te stoken vond Katie dat prima, maar nu wilde ze graag weg onder die verstikkende deken van Sams vriendschap. Het was tijd dat ze eens wat lol ging maken. Daarvoor had ze nieuwe vrienden nodig.

Ze had Sally O'Connell, de receptioniste van James, nooit echt leren kennen maar ze had besloten dat ze dat maar eens recht moest zetten. Sally was immers ook slecht behandeld door James, dus hadden ze iets gemeen, en misschien was ze wel een goed wapen. En dus toog ze op een ochtend gewapend met een zak zelfgebakken koekjes en haar allerwarmste glimlach naar Sally's huis en klopte daar aan voor een hernieuwde kennismaking. 'Ik vind dat je hem echt terug moet pakken,' zei ze toen ze met een kopje thee en een van haar koekjes aan tafel zat in de keuken van Sally's ouders. 'Je bent wettelijk beschermd tegen dit soort dingen. Je kunt niet zomaar iemand op staande voet ontslaan, wat ze ook gedaan hebben volgens jou.'

'Ik heb helemaal niks misdaan,' zei Sally defensief.

Dat wist Katie natuurlijk maar al te goed, maar dat kon ze nu niet zeggen. 'Zelfs al had je het wel gedaan…'

'Maar ik heb het niet gedaan,' zei Sally nog eens, en Katie dacht dat ze op het punt stond om in huilen uit te barsten.

Ze gooide het over een andere boeg: 'Dat weet ik wel. Wat ik bedoel is dat James jou nooit had mogen ontslaan, zelfs als hij van plan was om jou overal de schuld van te geven. Er zijn namelijk *procedures* en daar had hij zich aan moeten houden.' Ze had geen idee of er inderdaad procedures waren en waar die uit bestonden, maar ze wist zeker dat James in de problemen zou komen als Sally bezwaar aantekende. 'Dan krijgt hij een officiële waarschuwing, en dat soort dingen. Ik zou maar eens naar een wetswinkel gaan als ik jou was.'

Sally nam een slok thee. 'Ik weet niet,' zei ze. 'Ik begin volgende week bij Simon en Malcolm. Het lijkt me zo zinloos.'

Katie had wel eens gelezen dat de jeugd van tegenwoordig zo apathisch was, en dat ze bijna nergens meer door te motiveren waren. Ze wilden alleen de hele dag op de bank zitten, of gamen. Ze keek eens om zich heen. Zo te zien kon Sally's familie zich geen games veroorloven, laat staan zo'n ding om die op af te spelen. 'Maar misschien is hij je wel geld verschuldigd,' zei ze. 'Ik durf te wedden dat ze hem kunnen dwingen jou een soort compensatie te betalen.' Ze zou toch zweren dat Sally nu opveerde.

'Wat moet ik daar dan precies voor doen?' vroeg Sally terwijl ze de kopjes nog eens volschonk.

Het enige vuiltje aan Katies lucht was Owen. Het was haar gelukt hem te ontlopen sinds de avond van het feest – dat wil zeggen, de ochtend na de avond van het feest – maar ze werd nog steeds niet goed van het idee dat hij misschien wel misbruik had gemaakt van haar kwetsbare staat. Ze was van plan om van nu af aan volledig de touwtjes in handen te hebben in haar relaties met mannen. Ze zou nooit meer thuis op hen zitten wachten, en ze zou nooit meer hun lievelingsmaaltjes koken. De eerstvolgende keer dat ze weer een man had zou hij naar haar pijpen moeten dansen, en schikte hij zijn leven naar dat van haar.

Lower Shippingham was een klein dorp, en de kans dat je er iemand kon ontlopen was niet zo heel groot. Het was dan ook onvermijdelijk dat ze een paar weken na het feest Owen tegen het lijf liep toen hij de biologische winkel uit liep die zij net in wilde gaan. Hij glimlachte toen hij haar zag. Katie dacht erover om net te doen alsof ze hem niet zag, maar dat leek haar wat extreem, aangezien hij pal voor haar neus stond. Dus begroette ze hem, zo vlak mogelijk.

'Hoe gaat het?' vroeg Owen hartelijk.

'Prima.' Katie wilde langs hem naar binnen lopen. Owen, die nu een beetje verward keek, vond ze, stapte niet opzij, zoals ze had verwacht. 'Mag ik erdoor?' vroeg ze.

'Gaat alles wel goed?' vroeg Owen. 'Heb ik soms iets misdaan?'

Katie snoof. 'Wat denk je zelf?'

'Ik heb eerlijk gezegd geen idee, Katie, maar ik krijg de indruk dat je nogal kwaad op me bent.'

Katie merkte dat er al twee klanten in de winkel naar hen stonden te kijken, omdat ze voelden dat er een drama in de lucht hing. Ze pakte Owen bij de arm en nam hem mee naar buiten. 'Nou, nu je het vraagt, nee, het gaat niet goed, en ja, ik ben inderdaad nogal kwaad op je. Doe nu maar niet net alsof jij niet weet waarom.'

'Ik heb echt geen idee, maar je kunt het me vast wel uitleggen,' zei Owen gepikeerd.

'Dus je kunt je niet herinneren dat je mij je bed in hebt gelokt na het feestje van James?'

'Het enige wat ik me kan herinneren is dat ik je in bed heb *gestopt*, als je dat soms bedoelt.'

'Toen ben je er zelf ook ingekropen.'

'Waar moest ik anders slapen dan? Jezus, wat heb jij, zeg?'

Katie aarzelde. Dit was niet zo eenvoudig als ze zich had voorgesteld. 'En je vond het wel een goed plan om eerst al mijn kleren uit te doen?'

Owen keek om zich heen om te controleren of er niemand mee stond te luisteren. Toen fluisterde hij boos: 'Nee, jij hebt *zelf* je kleren uitgetrokken. Niet alles – want ik kon er nog net een stokje voor steken voor je ook je ondergoed uittrok. Wat is er nou, Katie? Schaam je je soms omdat je met mij in een bed hebt gelegen? Is dat het? Schaam je je omdat je met mij naar bed wilde? Want ik wilde jou alleen maar helpen, toevallig. Ik had liever niet dat je bleef rondzwerven, gezien de staat waarin je verkeerde.'

Katie wist niet wat ze moest zeggen. Dus zij had hem een oneerbaar voorstel gedaan? Jezus, dat was pas vernederend. Toch wist ze nog steeds niet wat er precies tussen hen was gebeurd. 'Dus… jij hebt niet… wij hebben niet…?'

'Natuurlijk niet. Jij was straalbezopen, mens. Jemig, je hebt wel echt een heel lage dunk van me.'

'O, shit, Owen, het spijt me. Ik dacht gewoon…' Ze maakte haar zin niet af, want ze wist niet hoe.

'Wat dacht jij, dat ik zo wanhopig ben dat ik seks met jou wil, ook al ben jij half comateus? Nou, bedankt.'

'Ik kon me gewoon niks meer herinneren, daarom. Toen ik wakker werd en jij daar ook lag, nou ja…'

'Laat maar,' zei hij, en hij liep weg. 'Jij vindt het gewoon logisch dat ik misbruik van jou zou hebben gemaakt omdat ik zo'n loser ben.'

'Jezus, het spijt me echt,' riep ze hem na. En toen zag ze Sam McNeil in de deuropening van de winkel staan, vanwaar ze het hele schouwspel had gadegeslagen.

'Is er iets?' vroeg Katie agressief, en Sam deed net alsof ze al die tijd de tomaten had staan bestuderen.

Katie draaide zich om en beende heftig blozend weg. Hoe kon zij nou weten dat Owen de enige man op aarde was die zich in die situatie zo onberispelijk had weten te gedragen?

41

JAMES HAD DE HOOP OP een appartement opgegeven. Alles
was veel te duur, te veel of gewoon te deprimerend. Bovendien
accepteerde het Travel Motel zijn creditcard nog steeds, en dus
kon hij zijn kop in het zand houden wat zijn financiële situatie betrof. Harry kon hem wel een extra dag gebruiken, en hij had nog
wat spaargeld. Hopelijk kon hij het daar een poosje mee uitzingen.
Hoelang precies wilde hij liever niet weten. Hij had zijn auto al voor
een belachelijk lage prijs verkocht, omdat ze daar al twee keer hadden
ingebroken, bij Stephanie voor het huis. Nu hing hij aan de telefoon
met een makelaar in Lincoln en probeerde hij die uit te leggen waarom
het zo aantrekkelijk was om een gebouw te verkopen met een enorme
uitbouw, die afgebroken moest worden.

'Ik kan daar niks op verdienen,' zei de man. 'Ik bedoel, ik neem
aan dat ik het als renovatieproject zou kunnen aanbieden, maar dan
hebben we het over, wat zal ik zeggen, vijftig procent van de reële
waarde van het pand.'

James dacht aan zijn schitterende praktijkruimte, die hij nog geen
vier maanden geleden opnieuw had ingericht, hij kon wel janken.
'Wat is het alternatief?' vroeg hij, tamelijk boos op de makelaar ook
al wist hij niet waarom. Die kon er uiteindelijk niets aan doen.

'Het alternatief is dat u zelf de uitbouw sloopt, en dat we het dan
pas te koop zetten. Dan kan ik er een veel betere prijs voor vragen.'

'Goed,' zei James, maar hij vond het helemaal niet goed. 'U hoort
nog van me.'

Het enige wat hij zeker wist, was dat hij niet zelf naar Lower Shippingham kon gaan om zijn zaken op orde te krijgen. Hij was nu
ongetwijfeld een paria in het dorp, en hij was veel te laf om het risico
te lopen Katie ooit nog eens tegen te komen. Sally en Simone zag hij

liever ook nooit meer. Hij probeerde te bedenken of er iemand was die hij vertrouwde om het werk voor hem op te knappen zonder zijn supervisie. Maar de enige aannemer die hij kende – namelijk degene die de uitbouw ook had gemaakt – was Sally O'Connells vriendje Johnny, en op de een of andere manier leek het hem niet zo'n goed idee om die daar nu bij te halen. Hij zou de gok moeten wagen met een van de grotere aannemers in Lincoln, hoewel Joost mocht weten hoeveel hem dat ging kosten.

Hij wist dat het hoog tijd was dat hij eens een volwassen gesprek had met Stephanie over wat er nu moest gebeuren, maar hij was veel te bang dat zij zou beginnen over het regelen van de scheiding. Bovendien wilde ze nog steeds niet met hem alleen zijn. Telkens als hij Finn kwam halen of langskwam om een avondje bij hem te zijn, was Cassie er ook. Die ging altijd gelijk met Stephanie weg. En als Stephanie thuiskwam, zorgde ze er altijd voor dat de taxi nog buiten stond om hem af te voeren naar het Travel Motel. Hij wist dat ze iemand had. Dat was overduidelijk. En hij vermoedde dat er ook avonden waren, als Cassie of Natasha op Finn paste, dat ze helemaal niet thuiskwam. Na haar opmerking die eerste avond, deed hij echt zijn best om er fatsoenlijk uit te zien, maar hij wist niet zeker of ze dat wel had gemerkt.

Hij wilde het goed regelen voor haar. Natuurlijk zou hij haar niet proberen over te halen om hun huis te verkopen, zodat ze allebei kleiner konden wonen. Hij was de schuldige partij, en dus was hij degene die de offers moest brengen, bovendien wilde hij dat voor Finn alles zo veel mogelijk bij het oude zou blijven. Maar toch was hij als de dood dat hij zelf met lege handen zou komen te staan. Dat als hij zijn praktijk zou hebben verkocht voor een fractie van de werkelijke waarde, zijn creditcardrekeningen zo hoog zouden zijn dat al het geld in één klap opgeslokt zou worden en dat hij geen plek zou hebben om te wonen, en geen spaargeld meer om zichzelf te redden.

Hij was goddomme dierenarts, en hij had niet al die jaren gestudeerd alleen omdat hij werk kon doen dat hij leuk vond, maar ook zodat hij flink kon verdienen. Op termijn kon hij misschien hier in de stad weer voor zichzelf beginnen, hoewel hij natuurlijk wel een startkapitaal nodig zou hebben. Hij was al hier en daar aan het informeren bij andere praktijken om te zien of ze hem daar een dagje konden gebruiken, maar niemand had interesse.

Hij kon natuurlijk ook iets heel anders doen op de dagen dat hij niet aan de slag kon als dierenarts, maar wat? Hij kon niets anders. Hij moest ook af en toe vrij zijn, zodat hij Steph in de gaten kon blijven houden. Tegenwoordig hing hij wel eens rond voor het huis – gelukkig was dit Londen, dus zijn oude buren keken nergens van op – en dan zag hij haar thuiskomen en weer weggaan, en probeerde hij te bedenken met wie ze dan had afgesproken, als ze inderdaad een ander had. De afgelopen drie weken – los van de vier avonden dat hij zelf bij Finn was geweest – was ze ten minste drie keer op stap geweest. Gelukkig was er een bosje bijna recht tegenover het huis, waar hij met zijn broodjes en zijn flesje water zat te wachten tot ze weer thuiskwam. Hij had nog geen man bij haar in de buurt gezien, en dat gaf hem hoop. Als hij nuchter nadacht, wist hij natuurlijk best dat er een andere man was, maar zolang hij daar nog geen bewijs van had gezien, kon hij zichzelf blijven wijsmaken dat ze gewoon een avondje had zitten borrelen met vriendinnen. Hij had er wel eens over gedacht haar te achtervolgen – om een taxi staande te houden en dan die klassieke filmzin te zeggen tegen de chauffeur: 'Volg die taxi!' – maar hij wist dat hij weliswaar een sneue figuur was geworden, maar *zo* sneu was hij nou ook weer niet. Als ze iemand tegen was gekomen die ze leuk vond, dan zou ze die uiteindelijk heus wel mee naar huis nemen. In de tussentijd moest hij proberen haar te laten inzien wat ze kwijtraakte. (Wat was dat eigenlijk? dacht hij. Een zielige, ongeschoren kerel die in het Travel Motel woonde en die zijn witte bonen in tomatensaus zo uit het blik at, omdat hij geen plek had om te komen, en geen geld had voor afhaalmaaltijden. Erger nog, een man die had bewezen dat je hem niet kon vertrouwen en die het niet waard was om emotioneel in te investeren.)

Hij besloot te gaan wandelen. De vier muren van zijn kamer in het Travel Motel kwamen op hem af, en hij had schoon genoeg van de televisie. Hij belde Stephanie en sprak in dat hij Finn van school zou halen. Hij had geen idee of zij nu aan het werk was, hoewel ze het altijd druk scheen te hebben als hij haar sprak, maar dat kon natuurlijk ook een excuus zijn om weer snel op te kunnen hangen. Daarna belde hij Cassie, die wel opnam, en haar vertelde hij hetzelfde. Zo te horen vond ze het heerlijk om een middagje vrij te hebben, zoals hij van tevoren wel had gedacht.

Hij sjokte Chalk Farm Road op richting Belsize Park, en pufte een beetje van de inspannende klim. Toen de straten groener werden en de kans dat hij werd overvallen kleiner was, voelde hij zich meteen een stuk meer thuis. Hij kon zich tegenwoordig moeilijk voorstellen waarom hij het hier eigenlijk altijd zo had gehaat. Het leek een oase van rust vergeleken met de omgeving van het Travel Motel. Hij was een minuut of vijf te vroeg bij het hek van de school, en onzeker stond hij daar tussen de jonge moeders en de nog veel jongere au pairs. Nog maar een paar weken geleden zou hij dit als een geweldige kans hebben gezien, als jachtterrein waar hij het feit dat hij genoeg om zijn zoon gaf om hem op te komen halen als aanknopingspunt voor een flirt had kunnen gebruiken. Maar nu interesseerde dat soort dingen hem totaal niet meer. Er was nog maar één vrouw op wie hij indruk wilde maken.

Toen Finn zijn vader bij het hek zag staan keek hij blij. Meteen dacht hij eraan dat zijn vrienden in de buurt waren, en hij zette een iets chagrijniger gezicht op, want dat was veel volwassener. Hij zei: 'Wat doe *jij* hier?'

James schoot in de lach en weerstond de verleiding om zijn zoon door zijn haar te woelen. In plaats daarvan klopte hij hem even op zijn rug. 'Ik heb Cassie vanmiddag vrijgegeven,' zei hij. 'Ik dacht dat we Davids hok maar eens goed moesten uitmesten.'

En toen zei Finn iets waardoor James' hart bleef stilstaan: 'Wil mama dat jij ook kennismaakt met Michael?'

Michael. Zo heette hij dus. James was bang dat hij de instantnoedels die hij als lunch had genuttigd zou uitkotsen in de heg. In zijn hoofd liep hij iedereen af die hij kende, vrienden, vaders van Finns klasgenootjes, mensen van Stephanies werk over wie ze wel eens had gesproken, maar hij kon zich geen enkele Michael herinneren. Hij haalde een keer diep adem. 'Wie is dat, die Michael?'

Finn, die zich totaal niet bewust was van wat hij bij zijn vader had losgemaakt, zei doodleuk: 'O, dat is mama's nieuwe vriend. Hij komt vanavond langs, zodat ik hem kan leren kennen.'

'Aha. Hoe laat?' James probeerde het losjes te vragen, maar dat lukte niet helemaal.

'Weet ik niet,' zei Finn, die genoeg had van dit onderwerp. 'Ik denk als mama thuiskomt.'

O, rampzalig. Nu hij Cassie vrij had gegeven, moest hij bij Finn blijven tot Stephanie thuiskwam. Aan de andere kant was dit precies waar hij op had zitten wachten – weten met wie Stephanie een relatie had. Weten wie zijn concurrent was. 'Hoe laat denk je dat mama thuiskomt?' vroeg hij. 'Komt hij met haar mee uit het werk? Werken ze soms samen? Wat doet hij eigenlijk voor werk?'

'Waarom stel je me zoveel vragen?' zei Finn verongelijkt. 'Vind jij het dan niet leuk dat mama een nieuwe vriend heeft?'

'Nee, niet echt,' zei James doodongelukkig, maar hij had meteen spijt van die uitspraak.

'Mama zei anders dat jij ook een vriendin hebt.'

'Dat is niet zo. Eerst wel, maar nu absoluut niet meer. Het was heel dom van me, om een vriendin te hebben.'

'Is dat niet goed dan, om een vriendin te hebben?' wilde Finn weten. James wist niet of hij dat nou als grap bedoelde of niet.

'Wel als je ook al een vrouw hebt.'

'Ja, hèhè,' zei Finn terwijl hij met zijn ogen rolde. 'Dat weet iedereen.'

42

S INDS ZE DE INGESPROKEN BOODSCHAP van James had
gehoord, en dus wist dat hij Finn uit school ging halen, had
Stephanie hem steeds maar weer geprobeerd terug te bellen.
Vandaag niet. Ze vond het prima als Finn zijn vader zag, alleen niet
uitgerekend vanmiddag. Het had haar al heel wat slapeloze nachten
gekost voor ze besloot dat Michael voldoende de moeite waard was
om haar zoon te leren kennen. En daarna volgden een paar dagen vol
spanning voordat ze het kon opbrengen om dit voor te stellen aan
zowel Finn als Michael. Toen ze een paar weken deze nieuwe relatie
had, liet ze Michaels naam af en toe vallen, in huis. Ze had geen idee
of dit de goede manier was om je kind te laten weten dat je een nieuwe
partner had zonder hem voor eeuwig met een trauma op te zadelen,
maar ze had geen flauw benul hoe het anders moest. En het leek haar
geen goed idee om met Finn te gaan zitten en een grootse aankondiging te doen, want dan maakte je het alleen maar veel zwaarder, en
het was tenslotte nog helemaal niet zo'n serieuze relatie.

Finn was opmerkelijk relaxed onder het hele gebeuren, wat haar
wel wat zorgen baarde, want misschien begreep hij niet helemaal
wat voor soort relatie zij en Michael hadden. Dus had ze op een dag,
toen ze vissticks voor hem stond te bakken, daar was hij gek op, zo
nonchalant mogelijk gezegd: 'Je weet toch wel dat Michael eigenlijk
mijn vriendje is, hè?'

Finn had zijn ogen ten hemel geslagen en gezegd: 'Jij bent veel
te oud voor een vriendje', wat haar nu niet bepaald een beter gevoel
gaf.

Toen, twee dagen later, zei hij zomaar ineens: 'Aruns moeder heeft
ook een vriendje.'

Ze wachtte of hij met nog meer informatie zou komen, en toen dat niet gebeurde, was het enige wat ze als antwoord kon verzinnen: 'O ja? Echt waar?'

'Net als jij,' zei hij toen, en vervolgens was hij met Sebastian gaan spelen en dat was dat.

Michael was een iets lastiger verhaal. Niet omdat ze dacht dat hij niet in Finn geïnteresseerd zou zijn – hij vroeg altijd naar hem, en hij had nog niet één keer gegaapt als ze weer een verhaal vertelde over iets schattigs wat Finn had gedaan, waarvan ze ergens best wist dat het alleen leuk was voor een ouder – maar omdat de vraag of hij haar zoon wilde ontmoeten meteen de vraag inhield of hij serieuze bedoelingen met haar had. Het leek nog maar een stap verwijderd van de vraag of hij bij haar in wilde trekken.

Uiteindelijk kwam hij zelf met het voorstel. Ze waren bij de opening van een galerie in Shoreditch, en wisten zich weer eens omringd met een zwikje zelfbenoemde beau monde uit de buurt. Stephanie was eigenlijk doodmoe van al die cultuur die ze de laatste tijd had moeten opsnuiven. Ze waren naar tentoonstellingen geweest en concerten en vernissages, en dat alles binnen een straal van een kilometer rond Hoxton Square. Overal waar ze kwamen waren steeds dezelfde mensen.

Stephanie had zich nooit zo op haar plaats gevoeld bij die hele Hoxtonkliek. Ze vonden zich zo ontzettend *cool*. Michaels vrienden waren bijna allemaal kunstenaar of muzikant. De ene helft moest overdag gewoon werken, ergens op een administratie of zo, terwijl de andere helft teerde op het oude geld van de familie. Ze wisten haar altijd het gevoel te geven dat ze er niet bij hoorde, ook al was dat helemaal niet hun bedoeling. Met hun obscure zinspelingen en hun slonzige chic van wat kan mij het schelen, wat ze uren voor de spiegel had gekost, dat wist ze wel zeker. Ze voelde zich altijd overdressed, en overmatig gestyled en gewoon veel te… gewoon. Ze waren stuk voor stuk reuze aardig tegen haar, en ze deden ook echt hun best haar erbij te betrekken, maar soms verlangde ze naar een gesprek over iets doodnormaals, zoals wat er op tv was of over een film die ze had gezien, en dan niet zo'n arthouseding.

Maar goed, twee van die vrienden hadden hun kinderen meegenomen naar zo'n tentoonstelling; een jongen van zes en een meisje van acht. Ze waren allebei extreem voorlijk en ze zaten met hun ouders te delibereren over de betekenis achter de schilderijen op een manier waardoor Stephanie zin had om ze te slaan. Of misschien wilde ze de ouders wel een tik verkopen, dat wist ze niet precies. Michael vertelde hun dat Stephanie ook een zoontje had en ergens in het daaropvolgende gesprek zei hij dat hij het leuk zou vinden om Finn te ontmoeten, en dat hij er erge spijt van had dat hij zelf nooit kinderen had gekregen. Pia, zijn vrouw, wilde ze nooit hebben. Nee, natuurlijk niet, zeiden de vrienden veelbetekenend. Maar Stephanie had geen idee hoe de vork in de steel zat.

Later had ze hem gevraagd wat hij daar precies mee bedoelde, en toen vertelde hij dat Pia fotomodel was en zich alleen maar bezighield met het behoud van haar figuur. Nu had Stephanie nog twee extra redenen om zich onzeker te voelen. Ten eerste was zijn vrouw dus model geweest, een vrouw die haar geld verdiende met haar fysieke perfectie, en daar zou elke normale vrouw zich al niet helemaal lekker bij voelen, maar ten tweede lag in dit verhaal de suggestie besloten – en oké, die suggestie kwam van Pia, niet van Michael – dat een vrouw misvormd raakt door een zwangerschap. Ze kon zich nog net inhouden om die paranoia met Michael te delen, wetend dat er niets zo onaantrekkelijk was als de behoefte om gerustgesteld te worden over je eigen aantrekkelijkheid. In plaats daarvan bracht ze het gesprek op hoe leuk en bevredigend het was om een kind groot te brengen en dat de fysieke offers die je daar eventueel voor moest brengen dat meer dan waard waren. Toen ze klaar was met haar speech had ze wel een beetje medelijden met Michael, want ze had het allemaal wat zwaar aangezet en het was natuurlijk niet zijn schuld dat zijn vrouw geen kind wilde. Op dat moment leek het ineens de normaalste zaak van de wereld Michael te vragen of hij het leuk vond om Finn te leren kennen, en hij was daar gretig op ingegaan.

Het plan was dat Michael aan het eind van de dag naar kantoor kwam, en dat ze samen naar haar huis zouden gaan. Dan konden Michael en Finn lekker bonden, terwijl zij de keuken in zou duiken voor het avondeten en dan zou Finn na het eten zonder morren naar bed gaan, zodat ze nog wat konden genieten van elkaars gezelschap. Maar nu had het voicemailtje van James compleet roet in het eten gegooid.

Stephanie had vier berichtjes voor hem ingesproken tegen de tijd dat Michael kwam om haar op te halen. Hij had zijn telefoon dus uit, waarschijnlijk om te voorkomen dat zij hem zou bellen en hem zou opdragen om Finn bij Arun af te zetten of naar Cassie te brengen. Bij haar thuis werd niet opgenomen, waardoor ze vermoedde dat ze eerst naar het park waren gegaan. Ze had Cassie ook geprobeerd te bellen, uiteraard. Ze vond het vreselijk om haar dit onverwachte middagje vrij af te pakken, maar als ze zou uitleggen wat er precies aan de hand was, en als ze haar een hele dag vrij in het vooruitzicht zou stellen, zou Cassie dat zeker begrijpen. Helaas was zij kennelijk ook bang voor zo'n telefoontje, en bleef ze dus onbereikbaar. Nu moest Stephanie besluiten of ze Michael zou vertellen dat ze andere plannen had gemaakt, waarmee ze Finn teleurstelde, of dat ze door de zure appel heen zou bijten en haar nieuwe vriendje meteen maar zowel aan haar zoontje als aan haar ex zou voorstellen. Uiteindelijk vertelde ze Michael maar gewoon precies wat er loos was, en hij nam de beslissing voor haar: ze waren volwassen mensen, Stephanie en James waren uit elkaar, en wat kon het voor kwaad als ze allemaal tegelijkertijd in dezelfde kamer zaten?

Toen hun taxi Belsize Avenue op reed was Stephanie misselijk. Ze had geen idee hoe James zou reageren nu ze een man bij zich had, maar dat hij het niet gemakkelijk op zou vatten, dat stond wel vast. Ergens vond ze het goed voor hem dat hij kon zien dat zij verderging met haar leven – en dat ze heus wel een andere man kon krijgen, en nog een knappe, succesvolle ook – maar wat ze vooral wilde was dat dit een positieve ervaring zou worden voor Finn.

Nog voor ze haar sleutel in het slot had, vloog de deur open, en daar stond James met een big smile op zijn gezicht en een uitgestoken hand naar Michael. Finn had hem waarschijnlijk verteld wat er aan de hand was, dacht ze dankbaar.

'Jij bent Michael,' zei James terwijl hij Michaels arm mannelijk op en neer pompte. 'Leuk om je te eens te zien. Hi, Steph, had je mijn boodschap gekregen?'

'Ja,' zei ze aarzelend. 'Ik heb nog geprobeerd je terug te bellen.'

James deed een stap achteruit, zodat ze naar binnen konden. Het leek er niet op dat hij van plan was meteen weer op te stappen.

'Finn zit in de keuken, Michael,' zei hij. 'Hij vindt het hartstikke leuk om je te ontmoeten.'

'Aha,' zei Michael achter James aan lopend.

Mijn god, dit was toch echt niet te geloven? James deed net alsof hij hier nog heer en meester was, wat natuurlijk voor een deel ook zo was, maar toch. Michael keek haar vragend aan, en zij trok een gezicht waarmee ze wilde zeggen: 'Ik heb geen idee wat ik nu moet doen!'

Finn zat vol verwachting aan de keukentafel. James maakte een zwaaiend gebaar in zijn richting, alsof zijn zoon een topattractie was: 'Finn, dit is nou Michael, Michael, dit is Finn.'

'Hallo Finn,' zei Michael, en hij stak zijn hand uit. Finn, die nog nooit officieel aan iemand was voorgesteld, staarde hem argwanend aan, zodat Michaels arm zinloos in de lucht bleef hangen. Finn zag er brandschoon uit. Trouwens, James zag er ook al zo keurig uit.

'Geef Michael eens netjes een hand,' zei James, en Finn gaf Michael een slap handje. Hij had net een boterham met kaas en marmite op, en Stephanie zag dat Michael ongezien (tenminste, dat hoopte hij) zijn hand afveegde aan zijn hippe legerbroek toen Finn weer losliet. Ze wist dat Michael nog niet veel ervaring had met kleine kinderen, en ze had met hem te doen. Hij deed echt zijn best om een gesprek aan te knopen met haar zoon. Het zou ook zoveel gemakkelijker zijn als James zou oprotten en hen met rust liet, maar ze wist precies hoe hij was: hij zou dit voor hen allemaal verzieken door in de keuken te blijven zitten, en door Finn volkomen in beslag te nemen, en speldenprikken uit te delen naar Michael en op te scheppen over hoe geweldig en succesvol hij was, hoewel ze niet meer zo zeker wist of dat tegenwoordig nog zo was.

Ze wist eigenlijk helemaal niet waar James momenteel van leefde. Ze bedacht dat ze binnenkort maar eens met hem moest praten over de financiën. Het probleem was alleen dat ze het niet trok om langer dan strikt noodzakelijk alleen met hem te zijn, en ze konden zo'n soort gesprek toch moeilijk hebben met Finn in de buurt. Hoe dan ook, hij zou ongetwijfeld aan het opscheppen slaan, want dat deed hij nu eenmaal altijd. Ging het niet over zijn werk, dan pochte hij wel over hoe ongehoord goed hij was op de golfbaan. Of misschien wel over zijn vermogen om er tegelijkertijd twee vrouwen op na te houden.

Deze gedachtegang stopte onmiddellijk toen ze zag dat James opstond van tafel, waar hij tegenover Finn en Michael had gezeten. 'Nou,' zei hij joviaal, 'dan zal ik jullie maar alleen laten, zodat jullie elkaar kunnen leren kennen.'

Hij stak zijn hand uit, zodat Michaels arm nog een keer flink werd gepompt.

'Het was leuk je te ontmoeten, Michael,' zei James nog maar een keer. 'Ik neem aan dat het niet de laatste keer zal zijn dat wij elkaar zien. Finn, gedraag je. Steph, tot gauw. Ik kom er wel uit.'

En weg was hij. Zomaar.

'Ik dacht dat jij zei dat hij zo lastig was?' vroeg Michael later, toen ze met een glas wijn op de bank zaten en Finn in bed lag.

'Dat klopt. Ik weet ook niet wat dit allemaal voorstelde.'

Uiteindelijk was de avond een groot succes geworden. Michael, die helemaal niet van beesten hield, had toegekeken toen Finn David in het afgesloten gedeelte van zijn hok stopte, en het was hem gelukt daar geboeid bij te kijken. Toen hadden ze nog een balletje getrapt, hoewel Michaels opmerkingen over dat Leeds United een nieuwe man op de linkervleugel nodig had, Finn boven de pet gingen. Hij moest er zelfs een beetje van gapen.

Ongetwijfeld dankzij de stemming waarin zijn vader leek te verkeren, was Finn op zijn braafst; hij was beleefd en had niet de hele tijd met zijn mond vol wortels het hoogste woord gevoerd. Hij was plichtsgetrouw om halfnegen naar bed vertrokken, en hij zei nog: 'Het was leuk om je te ontmoeten', precies zoals James had gezegd, en was daarna op zijn kamertje gebleven.

Stephanie kroop tegen Michael aan. Voor een avond waarop je je nieuwe vriend moest voorstellen aan je zoon en je bijna ex-echtgenoot was dit helemaal niet zo'n slechte avond.

43

HET HAD WEL IETS LOUTERENDS om met een sloophamer in de weer te zijn, vond James. Iets mannelijks, ook al
voelde het alsof hij elk moment een hartstilstand zou krijgen.
De muren van de uitbouw waren veel steviger dat hij had gedacht.
Echt pech dat hij nou net een aannemer had ingehuurd die wel echt
duurzaam kon bouwen. De sloophamer maakte nauwelijks een deuk
in de constructie en hij zweette nu al genoeg voor vier mannen.

James was de vorige avond laat in Lower Shippingham aangekomen
Hij had overnacht in het appartement boven de praktijk. Toen hij
wegging bij Stephanie was hij nogal een emotioneel wrak (zoals hij
het nu zag). Hij was er doodziek van dat Michael echt zo'n standaard
knappe gozer was, en zo griezelig trendy – James was nooit geïnteresseerd geweest in mode, en als hij het wel was, dan nog zou hij geen
idee hebben waar hij moest beginnen om er trendy uit te zien. Toch
leek het hem een kwaliteit waar Stephanie met haar liefde voor mode
wel in geïnteresseerd zou zijn – en dat hij een baan had die niet alleen
indrukwekkend was, maar ook nog *cool*. Hoe kon hij ooit op tegen
zo'n man; iemand die totaal anders was dan hij? Hij besefte dat hij zich
diep vanbinnen, toen hij eenmaal onder ogen durfde zien dat Stephanie
inderdaad een andere man aan de haak had geslapen, had getroost met
de gedachte dat het misschien een dikzak was, of een kabouter, of een
boekhouder, of een systeemanalist. Misschien wel iemand met een
slechte adem – hoewel Michael dat natuurlijk ook best kon hebben:
hij had niet zo dicht bij hem gestaan, dus kon hij het niet weten. Toch
leek hij daar het type niet voor. Dat Michael artistiek was, dat raakte
hem nog het meest. James was voor geen centimeter kunstzinnig.

Aan de andere kant was hij ook heel blij dat hij zich zo goed had
gedragen – Steph was zichtbaar onder de indruk geweest. Hij wist dat

ze hem dankbaar was dat hij zo… wat? Volwassen was geweest? Dat ze zou denken dat hij een heel stuk verder was. Gevoelsmatig had hij willen blijven plakken. Hij had die twee niet alleen willen laten. Hij vond dat hij het opgaf als hij hen samen liet zijn. Maar zijn ratio, dat waar hij zelf de meeste waarde aan hechtte, stond erop dat hij zich volwassen gedroeg.

Als hij Stephanie ooit weer voor zich wilde winnen – en dat voelde momenteel als behoorlijk onwaarschijnlijk – dan moest hij haar tonen dat Michael niet de man voor haar was. Dat betekende uiteraard dat hij het niet onaanzienlijke risico liep dat ze uiteindelijk zou inzien dat Michael *wel* de man voor haar was, maar dat was dan niet anders. Toen hij de voordeur achter zich dichttrok en vocht tegen de neiging om de hele avond in de bosjes te zitten gluren naar hen, was hij ongelofelijk trots op zichzelf. Het enige wat hij nu nog kon doen, was zorgen dat hij zich goed gedroeg en dan maar hopen dat zij hem op een dag weer terug wilde. Verder had hij het niet in eigen hand.

Opgebeurd door deze gedachte had hij besloten dat hij de koe bij de hoorns moest vatten, en dat hij zijn leven weer op orde moest zien te krijgen. Hij was meteen op de trein gestapt en naar Lincoln gereisd. Onderweg dacht hij aan Jack Shirley, een jongen wiens kat hij ooit weer tot leven had gebracht na een val uit een boom. Jack had de kat opgeraapt en was ermee naar de praktijk gerend. Hij was een murmelend wrak. Toen de kat opknapte had Jack hem in tranen bekend dat hij, als arme student, de rekening niet kon betalen. Hij had aangeboden om een deel van zijn schuld af te betalen door te werken voor James, maar die was geraakt door de liefde die de jongen voor zijn huisdier voelde, en had daarom geen gebruikgemaakt van zijn aanbod. Jack was zo dankbaar dat hij per se wilde dat James zijn telefoonnummer bewaarde voor het geval hij zijn hulp later nog eens kon gebruiken, maar James was dat meteen vergeten. Nu was Jack hier om hem te helpen, en dat deed hij graag. Bovendien had hij zijn broer Sean, die toevallig bij hem logeerde, meegenomen. James was dolblij, want de offerte die hij van officiële slopers had gekregen bedroeg tweeduizend pond.

James had het volgende plan. Het zou hem twee dagen kosten om de uitbouw te slopen en de oorspronkelijke buitenmuur te metselen. Daarbij ging hij er uiteraard wel van uit dat die dagen om zeven uur 's ochtends begonnen en om tien uur 's avonds eindigden. Hij had flink wat instantnoedels en blikjes cola light ingeslagen en hij was absoluut niet van plan om zich op straat te wagen in Lower Shippingham als dat niet strikt noodzakelijk was. Op de derde ochtend zou hij teruggaan naar Londen, en dan kon de plaatselijke aannemer de praktijk te koop zetten. Zodra die was verkocht, kon James in Londen een klein appartementje kopen in de buurt van Finn en zijn werk, en dan kon zijn langzame klim uit het dal beginnen.

Met hulp van Jack en Sean had hij de elektriciteit enigszins achteloos afgekoppeld. Het waren leuke jongens, ze werkten hard, en ze waren grappig en allebei net iets te geïnteresseerd in meisjes en motoren en bier om in de pub iets mee te krijgen van het geroddel over hoe James uit de gratie was. Hun gesprekken gingen voornamelijk over hun stapavondjes en werden gelardeerd met informatie over bandjes waar hij nog nooit van had gehoord, en over waar je het snelst zat van werd – kopstootjes of wodkashots. Het was heel ontspannend om te luisteren naar hun geouwehoer over niks. Het deed hem denken aan hoe zijn eigen leven eruitzag toen hij zo oud was als zij: ongecompliceerd, en vol mogelijkheden. Hij wilde ze vertellen dat ze er geen puinzooi van moesten maken, dat ze goed moesten nadenken bij wat ze deden, en dat ze op waarde moest schatten wat ze hadden, maar hij wist dat ze dan zouden denken dat hij een saaie ouwe vent was die hun de les wilde lezen, en ze zouden er niets van onthouden. Dat was het probleem. Je kon alleen leren van je eigen ervaringen. De fouten van een ander hadden niks met jou te maken. Je moest zelf op je bek gaan.

Tegen de lunch hadden ze een van de muren grotendeels neergehaald, en James stuurde de jongens naar de pub om snel wat te gaan eten, terwijl hij water kookte voor zijn noedels met kipsmaak. Hij keek om zich heen in het piepkleine keukentje, vlak naast de receptie. Gek dat hij hier zoveel jaar van zijn leven had gesleten. Hij vond het geweldig om zijn eigen praktijk te hebben. Hij dacht altijd dat dat kwam door het aanzien dat het hem gaf, en dat hij hiermee werd gezien als belangrijk lid van de gemeenschap, maar nu pas zag hij dat wat hij echt leuk had gevonden, was baas te zijn van zijn eigen kleine koninkrijkje. En de vrijheid van voor jezelf te werken, en de kameraadschap binnen het kleine team dat je zelf zorgvuldig had samengesteld.

Behalve Sally. Sally was overduidelijk een grote fout geweest. En eerlijk gezegd bleken Simon en Malcolm ook niet helemaal het einde te zijn. Het was spannend om te bedenken dat hij op een dag helemaal opnieuw zou kunnen beginnen, en dat hij het dit keer rustig aan zou doen, zodat hij precies de goede keuzes zou maken. Hij besloot dat hij het als een uitdaging zou zien. Een nieuw begin.

Hij stopte wat spulletjes in dozen die hij de eerste keer nog niet had meegenomen. Die konden bij het grofvuil. Toen ging hij zitten wachten op de jongens. Dat duurde vijfendertig minuten, en toen ze terugkwamen had Sean een glas bier voor hem bij zich. Om kwart over zeven die avond was de hele uitbouw weg en hadden ze het puin in de bestelbus van de vader van de jongens geladen. Met zijn drieën reden ze naar de sloop. James was doodop. Hij was veel te oud voor dit soort fysieke werk.

Jack bracht hem terug naar de praktijk. James zwaaide hen uit nadat hij met tegenzin hun uitnodiging om mee te gaan naar de Fox and Hounds had afgeslagen. Hij had hier niets te doen – er was geen radio en geen tv in het appartement, zelfs geen blikje bier – dus ging hij meteen op het onopgemaakte bed liggen, en viel vrijwel onmiddellijk in slaap.

De volgende morgen werd hij om zes uur wakker. Hij was stijf en had overal spierpijn, maar hij wilde graag door met de klus. Hij had nog een uurtje voor de jongens kwamen, dus waagde hij het erop en ging een eindje joggen door de velden buiten het dorp. Hij zorgde ervoor dat hij bij de huizen vandaan zou blijven, ook al kon hij zich niet voorstellen dat er nu al iemand op was, op de boeren na. Hij nam een koude douche – want hij was vergeten om de elektriciteit weer aan te zetten – en hij dronk een blikje cola light en ging zitten wachten. Jack en Sean kwamen klokslag zeven uur aan, gapend en zich uitstrekkend, en vol verhalen over de vorige avond, al het bier dat ze hadden gedronken en de jonge dochter van de plaatselijke politieagent.

Dit keer waren ze om halfzes al klaar, en los van een veelzeggende voetafdruk in de fundering, was het net alsof de uitbouw er nooit had gestaan. Tenminste, zo ongeveer. Maar beter dan dit kon hij het toch niet krijgen, dacht James, zonder dat hij een fortuin moest uitgeven aan vaklui.

Weer viel hij in slaap zodra zijn hoofd de plek raakte waar een kussen hoorde te liggen. En weer werd hij om zes uur wakker, ging een rondje hardlopen, nam een douche, en ging zitten wachten op de makelaar die om negen uur zou komen.

Om tien over halfnegen werd er hard aangeklopt en James, onder de indruk van de gretigheid van de makelaar, deed open. Daar stond Richard. James schrok van de uitdrukking op Richards gezicht, want het was wel duidelijk dat hij hier niet was voor een gezellig kopje thee met de buurman. Richard was toch nooit zo dik met Katie? En hadden ze niet ooit een dronken gesprek gehad over dat het onmogelijk was om monogaam te blijven? Hij kon zich niet indenken dat Richard hier was om namens haar verhaal te halen. Maar misschien interpreteerde hij die uitdrukking op Richards gezicht wel helemaal verkeerd, en dus dwong hij zich tot een warme glimlach: 'Hé, man,' zei hij. 'Leuk om je...'

De zin bleef in de lucht hangen terwijl een vuist – die van Richard – contact maakte met zijn gezicht. James viel achterover tegen de muur en gleed op de grond terwijl hij naar de wang greep waar de vuist op was geland.

'Godverdomme, wat heb ik gedaan?'

'Dat zou jij niet weten,' zei Richard, zodat James nog steeds geen idee had. James dacht erover om hem terug te meppen, maar Richard was een centimeter of tien langer dan hij en hij kwam regelmatig in de sportschool. Hij besloot op de grond te blijven zitten. Een man die al op de grond lag sloeg je niet zo gemakkelijk, toch?

Hij wreef over zijn wang. Het deed ongelofelijk veel pijn. 'Wat er tussen Katie en mij is gebeurd, dat is iets tussen Katie en mij. En Stephanie, uiteraard. Het heeft niks te maken met jou en je macho-achtige gevoel voor rechtvaardigheid.'

Richard lachte zo'n eng lachje dat je wel in griezelige films hoort, vlak voordat ze iemands tong er uitrukken, of zo. 'Dit gaat helemaal niet om Katie. Dit gaat om mijn vrouw.'

O, god, dacht James. Simone. 'Wat kan ik eraan doen dat zij zich boven op me stort?' zei hij, en hij wist dat hij de lul was.

'Dat *zij* zich bovenop *jou* stortte?' snoof Richard. 'Alsof zij ooit zo wanhopig zou zijn.'

James haalde diep adem. Hij zou hoe dan ook in elkaar geramd worden, dus hij kon nu twee dingen doen: of de waarheid vertellen en dan misschien twijfel zaaien bij Richard over de staat van zijn huwelijk, of liegen, zodat Richard en Simone aaneengesmeed werden door hun haat voor hem. De hervormde James, de aardige James, koos voor het laatste. Wat had hij eraan als hij zou bijdragen aan een breuk tussen Richard en Simone?

'Oké,' zei hij, en hij zette zich schrap voor het pak slag dat zou volgen. 'Het spijt me, Richard. Ik was dronken. Dat is geen excuus, dat weet ik. Mijn poging om Simone te versieren is een van de dieptepunten in mijn leven. Tenslotte ben – was – jij mijn vriend. Ik weet ook niet waar ik toen met mijn hoofd was.'

Richard deed een stap in zijn richting en James voelde zich ineenkrimpen tegen de muur. Hij had dit verdiend – niet vanwege Simone, uiteraard, maar om hoe hij Stephanie en Katie had behandeld. Het maakte niet uit dat hij nu gestraft werd voor de verkeerde misdaad. Wat maakte het uit dat je voor de verkeerde moord werd opgepakt als je toch al een moordenaar was? Hij moest hoe dan ook achter de tralies. Op een gekke manier voelde hij zich een beetje beter over zichzelf als hij het pak slaag onderging. Hij voelde zich meer een vent.

Heel even aarzelde Richard en James dacht dat hij er misschien toch nog goed van af zou komen, maar precies in die korte tijd realiseerde hij zich dat hij helemaal geen zin had om in elkaar gebeukt te worden, ook al zou hem dat nog zo'n heilig gevoel geven. Richard, die duidelijk nog nooit met iemand had gevochten, haalde zijn arm naar achteren en zwaaide toen zijn samengebalde vuist traag en onhandig in James' richting. James, die de stomp al van een kilometer afstand zag aankomen – en die gelukkig wel eens een keertje tweede was geworden bij zijn plaatselijke boksclub, vroeger – sprong instinctief op en sloeg zijn eigen vuist direct op Richards haviksneus, waardoor het bloed over zijn gebruinde gezicht droop en hij eruitzag alsof hij een geplette aardbei midden op zijn gezicht had zitten. Om het geluid waarmee dit vergezeld ging, als een geluidseffect in een goedkope kungfufilm, moest hij nog bijna lachen. Het was ook zo'n cliché. Richard viel achterover en zakte op de grond, meer als techniek om klappen te vermijden dan van de kracht van de slag. Want James had hem flink geraakt, maar nu ook weer niet *zo* hard. James was absoluut niet van plan om nog een keer uit te halen. Dit was gewoon te zot, en bovendien zou hij dit gevecht zelf nooit zijn aangegaan.

James stak zijn hand uit en trok Richard omhoog. Hij greep zijn hand en schudde hem alsof hij wilde zeggen dat hun gevecht voorbij was.

'Ik zeg het maar even: er is nooit iets gebeurd tussen Simone en mij, wat zij je ook heeft wijsgemaakt. Dan weet je dat.'

Richard wreef over de zijkant van zijn gezicht. 'Waarom zou ze zoiets verzinnen?' vroeg hij, want zijn woede was kennelijk nog niet gedoofd.

'Ik heb geen idee,' antwoordde James. 'Waarom vraag je dat niet aan haar?'

Er klonk een kuchje en James keek om. En man in een veel te groot pak, die best wel eens van het makelaarskantoor kon zijn, stond op de stoep en bekeek de scène die hij aantrof nogal gespannen. 'We waren wat aan het sparren,' zei James, wijzend naar Richard die in zijn bruine pak klaar was om naar kantoor te gaan, en er dus niet bepaald uitzag als iemand die een potje had getraind. 'We waren iets te enthousiast. U weet wel hoe die dingen gaan.'

De jongen van de makelaardij, die zich voorstelde als Tony, knikte alsof dit een volkomen normale uitleg was, ook al bleek uit zijn wijd opengesperde ogen dat hij er geen woord van geloofde.

Het bleek dat het pand zonder uitbouw vijfentwintigduizend pond minder waard was dan met, en tienduizend minder dan wanneer die uitbouw door vaklui was omgehaald, dus deze hele actie van James was verspilde moeite geweest. Maar toen hij vertrok kon het James al niets meer schelen. 'Zet maar een paar plantenbakken op dat stuk betonnen vloer, en noem het een terras,' had hij tegen de verbluffte makelaar gezegd met een gebaar naar de betonnen rechthoek die bedoeld was als tuin.

'Ja, dat kan ik natuurlijk doen,' zei de jongen van de makelaardij, die niet ouder kon zijn dan een jaar of zeventien.

'Oké, en hoe sneller je dit verkoopt, hoe beter,' zei James. 'Ik heb het geld nodig, dus ik wil ervan af.'

44

KATIE GING TEGENWOORDIG VROEG WANDELEN met Stanley, en ze liep dan langs de bushalte waar Owen stond te wachten op de bus die hem naar het ziekenhuis in Lincoln bracht. Als hij al verbaasd was haar daar te zien, dan liet hij dat niet merken, en hij bromde: 'Hallo' in antwoord op haar vrolijk 'Hi!' en liep dan zo snel mogelijk naar de bus. Het was om gek van te worden. Ze vond deels dat hij blij moest zijn dat iemand als zij zoveel aandacht aan hem besteedde, terwijl ze hem ook bij de schouders wilde pakken om hem door elkaar te rammelen en te gillen: 'Wat is er mis met mij?'

Het irriteerde haar dat het haar iets kon schelen. Die man was een loser, dat wist toch iedereen. Ze wist dat dit de klassieke reactie was op een afwijzing. Het was een cliché maar het was toch de stuitende waarheid dat zodra iemand deed alsof hij geen interesse in je had, jij juist dacht dat je hem misschien toch wel leuk vond. Iemand bij wie je normaal gesproken nog geen twee tellen stil zou staan, kreeg ineens een aura van begerenswaardigheid. Als ze hem objectief bekeek was hij nog steeds niet bepaald knap, maar het feit dat hij voor haar had gezorgd, gaf hem toch iets heel aantrekkelijks. Hij was een goede man – ook al kon hij wel een opknapbeurt gebruiken om er op zijn minst een beetje representatief bij te lopen – en goede mannen waren zeldzaam, zoals ze had ervaren. Als ze ooit weer aan een relatie begon, dan zou ze niet weer de fout begaan om voor een knappe, succesvolle man te gaan. Ze zou op zoek gaan naar iemand die aardig was, en zorgzaam. Iemand die haar even goed zou behandelen als zij hem, althans, dat hoopte ze. En ze vermoedde dat Owen wel eens zo iemand zou kunnen zijn.

Maar deze ochtend werd ze afgeleid van haar missie door de aanblik van een wel heel bekend uitziende man die met een rood hoofd door het weiland rende, aan de rand van het dorp. Ze bleef stokstijf staan. James was terug. Ze kon niet geloven dat hij het lef had om weer op te duiken. En zo snel. Ze graaide in haar zak naar haar mobieltje maar besefte dat het pas tien voor halfzeven was, en daarmee een beetje te vroeg om Stephanie te bellen.

Ze had al een poosje niets meer van haar gehoord. De enige keren dat ze haar wel aan de lijn had gehad na de grote avond, waren de keren dat zijzelf had gebeld. Ze wist dat Stephanie vond dat ze een beetje te ver was gegaan maar James verdiende niet beter. En het gaf haar een goed gevoel. Ze had altijd al sterk geloofd in karma. Als zij niet had ingegrepen, dan was hem wel iets anders overkomen: dan had hij zijn been gebroken, of was hij een winnend staatslot kwijtgeraakt, of had hij misschien wel een aanrijding gekregen op de A1. Hij moest haar in feite dankbaar zijn. Hij had wel dood kunnen zijn als zij er niet voor had gezorgd dat hij op een andere manier zijn verdiende loon had gekregen.

James was te ver weg en leek te zeer verzonken in zijn eigen gedachten om haar op te merken, en daar was ze blij om: ze had hem toch niets meer te zeggen. Stanley trok aan zijn riem en stak zijn neus in de lucht om bevestiging te zoeken van zijn vermoeden dat daar, aan de andere kant van het weiland, inderdaad zijn voormalige baasje rende. Katie was bang dat hij zou blaffen of zou losbreken en blij achter hem aan zou hollen, omdat hij niet begreep waarom hij niet enthousiast mocht zijn, en ze trok hem in de richting van haar huis. Ze zou Owen deze ochtend maar niet stalken. Misschien vroeg hij zich wel af waar ze was.

Op Belsize Avenue waren de ochtenden in zoverre veranderd, dat Michael er nu ook vaak was met zijn glutenvrije toast en zijn biologische marmelade die hij at terwijl Stephanie Finn in zijn schooluniform probeerde te hijsen. Hij bleef drie of vier keer per week logeren, en ook al wist hij nog steeds niet precies hoe hij met een jongetje van zeven moest communiceren, hij en Finn begonnen een beetje aan elkaars aanwezigheid te wennen. Ze wist dat Michael eigenlijk liever wat vaker zou uitgaan met haar, en ze wist ook dat ze Finn als excuus gebruikte, maar ze had nu wel genoeg jazzcombo's en moeilijke kunst gezien. Meer kon ze niet aan in elk geval. Ze wist niet of ze nog een gesprek over de Franse film met Michaels vrienden zou trekken zonder dat ze ineens zou vragen: 'Zeg, hebben jullie *Ratatouille* wel eens gezien? Dat is pas een topfilm.' Ze had erover gedacht om dit eens bij hem aan te kaarten, en om voor te stellen dat ze misschien met zijn tweetjes ergens een borrel gingen drinken, of dat ze naar een normale film zouden gaan. Maar het viel niet mee om iemand te vertellen dat je zijn vrienden niet leuk vond en dat je niet echt dezelfde interesses had als hij. Vooral niet als die iemand je geliefde was. Ze had het gevoel dat Michael het eerder als belediging zou zien dan als iets grappigs. Dus meed ze het onderwerp en bewaarde ze eerlijkheid voor later.

Op de avonden dat ze thuisbleven pakten ze samen enorm uit in de keuken en luisterden ze naar muziek – gelukkig, dacht Stephanie, had ze helemaal geen jazz in huis, en dus moesten ze het doen met wat ze allebei wel aardig vonden. Norah Jones, en Seth Lakeman, dus – en zaten ze samen op de bank te kletsen. In tegenstelling tot James was Michael altijd geïnteresseerd in wat ze allemaal meemaakte op een dag. In een nog veel scherpere tegenstelling met haar bijna-ex, begreep hij precies waar haar baan om draaide en vond hij het helemaal niet onbelangrijk wat ze deed. Michael had zoveel passie voor zoveel verschillende dingen, en dus bleven ze meestal veel te lang op, zodat ze 's ochtends bijna haar bed niet uit kon komen en elke ochtend weer in blinde paniek eindigde omdat ze te laat opstond en ze alles nog moest regelen.

De laatste keer dat ze uit waren gegaan, drie avonden geleden, waren ze samen met Natasha en Martin naar Fifteen geweest. Stephanie had besloten dat het tijd was dat haar vriend en haar beste vriendin elkaar eens fatsoenlijk leerden kennen. Michael was niet helemaal op zijn gemak, want hij schaamde zich nog steeds voor die keer dat Natasha hen op kantoor betrapte. Stephanie had haar opgedragen dat ze lief moest zijn, maar Natasha had duidelijk al een glas wijn op voor ze van huis ging: 'Leuk om je ook eens te zien met je kleren aan,' zei ze toen Michael haar een hand gaf.

Stephanie barstte onwillekeurig in lachen uit, maar toen ze Michael aankeek, bleek die niet eens te glimlachen. 'Kom op, Michael,' zei ze, 'ik vind dat we er zo langzamerhand best om mogen lachen, hoor.'

'Ik zou het liever helemaal vergeten, eerlijk gezegd,' antwoordde hij. Hij klonk niet geïrriteerd, want Michael was altijd volkomen redelijk en beleefd, maar het klonk wel duidelijk als: 'Kunnen we het ergens anders over hebben, graag?' En dus redde Stephanie hem door het gesprek over een andere boeg te gooien,

De avond was verder goed verlopen, vond ze – ook al was het er een aantal keren fel aan toe gegaan toen ze de toestand in de wereld bespraken, en ook al kwam Michael een paar keer met verwijzingen naar obscure films waardoor Natasha en Martin volkomen stilvielen, als een stel konijnen in het licht van koplampen. Een keer was Stephanie hen te hulp geschoten door te vragen: 'Is dat niet die film met Juliette Binoche?' en Michael had haar aangekeken alsof ze een enorme domoor was. 'Nee,' had hij gezegd, 'jij hebt het nu over *Chocolat*. Maar dat speelde zich alleen maar af in Frankrijk, maar het was geen Franse film. Dat is nogal een groot verschil.' Dat wist zij ook wel, maar zij wilde de eer van haar vrienden redden.

Verder was het best gezellig. Natasha stak het nooit onder stoelen of banken als ze iemand niet mocht; dat ze nu naar Michael zat te glimlachen terwijl ze met hem sprak, was zonder meer een gunstig teken. Michael zei na afloop dat Stephanies vrienden 'leuk gezelschap' waren, en dat Martin 'verstand van zaken' had en dat hij een 'bedachtzaam type' was en zo geweldig dat hij bereid was voor een mager salaris op een zwarte school te werken. Hij bracht het allemaal als een groot compliment.

'Poeh,' zei zij toen. 'Het is namelijk echt heel belangrijk voor me dat je mijn vrienden ook leuk vindt.'

'Nou, ik vind ze leuk, hoor,' zei hij, en hij sloeg zijn armen om haar heen, wat ze heerlijk vond, omdat ze zich dan zo lekker veilig voelde. 'Ik vond het echt gezellig.'

Ze had James een paar keer gezien sinds die keer dat hij op haar en Michael had zitten wachten. Hij kwam graag langs voor Finn als dat mocht van haar, en omdat hij zich nog steeds keurig leek te gedragen zei ze meestal ja als hij het vroeg. Meestal bemoeide zij zich dan niet met hem – ze had nog steeds geen zin om meer tijd met hem door te brengen dan nodig – en dan hoorde ze Finn zich bescheuren van het lachen over een of ander dom grapje. Dat geluid bevestigde voor haar dat het goed was dat ze James liet komen. Sinds die eerste keer zorgde ze er altijd voor dat hij weer weg was voordat Michael kwam. Niet omdat ze bang was dat James iets raars zou doen, maar omdat het eerlijk gezegd een beetje… vreemd was om je ex en je nieuwe vriend tegelijk bij je in huis te hebben.

Haar telefoon ging over net toen ze uit de douche kwam. Ze wilde eigenlijk niet opnemen, maar toen ze zag dat het Katie was, werd ze toch nieuwsgierig. Ze hadden elkaar nu een paar weken niet gesproken. Stephanie was van plan geweest om Katie te bellen om te vragen of ze zich een beetje redde in haar eentje, maar als puntje bij paaltje kwam had ze er nooit zin in. Katie had een paar keer een boodschap ingesproken, maar ze wilde het nog steeds alleen maar hebben over James en dat het zo'n klootzak was, en of ze niet nog iets konden verzinnen om hem dwars te zitten. Stephanie had haar al weken geleden gezegd dat ze het allemaal achter zich moesten laten, en dat ze zich op de toekomst moesten richten, maar ze wist niet zeker of dat wel tot Katie was doorgedrongen. Nu ze Katies naam zag oplichten op haar telefoontje, had ze het gevoel dat ze haar niet langer kon negeren. Hopelijk kon ze het kort en luchtig houden.

'Hallo Katie.'

Katie viel met de deur in huis. 'Raad eens wat? Ik heb James net gezien.' Ze wachtte tot Stephanie verbijsterd zou reageren.

Maar dat deed Stephanie, die wel ongeveer wist wat James in Lower Shippingham aan het doen was, helemaal niet. 'Op de praktijk?' vroeg ze. 'Hij zei inderdaad dat hij daar naartoe ging om de zaken op orde te brengen voor de verkoop.'

Katie schrok. 'Dus je wist het, en je hebt me niet eens gewaarschuwd? Ik kreeg bijna een rolberoerte toen ik hem zag.'

'Ik heb er niet bij stilgestaan. Sorry. Hij blijft maar twee dagen en ik wist dat hij er alles aan zou doen om jou niet tegen het lijf te lopen. Om wie dan ook tegen het lijf te lopen, trouwens.'

'Wat is zijn vraagprijs?' wilde Katie weten. Ze vertelde Stephanie dat ze al een poosje van plan was om haar kleine huisje in te wisselen voor iets groters, zodat ze ook haar zakelijke activiteiten kon uitbreiden, want het liep nog steeds storm. Als ze een paar behandelkamers had, kon ze misschien iemand parttime in dienst nemen die de minder belangrijke klanten voor haar rekening kon nemen. En ze wilde ook wel eens iets groter wonen.

'Geen idee,' zei Stephanie. 'Hij wil er snel vanaf, denk ik. Hij heeft bijna geen geld meer.' Ze had meteen spijt toen ze dat had gezegd. Het was veel te persoonlijk, en ze gaf zo een wapen in handen aan iemand die daar zonder pardon gebruik van zou maken. 'Ik bedoel, al zijn geld zit nu in het huis, en ik ben niet van plan om te verhuizen.'

'Groot gelijk.' En toen vroeg Katie vriendelijk: 'Red jij het een beetje?'

'Ja, joh, prima,' zei Stephanie zonder verder uit te weiden. 'Verrassend goed zelfs. Ik ben al helemaal over hem heen.'

'Nou, ik ook,' zei Katie. 'Maar voor jou moet het toch veel zwaarder zijn. Jij hebt Finn ook nog.'

'Met Finn gaat het ook prima,' zei Stephanie. 'Met ons gaat alles goed.'

45

HET WAS TOT DUSVERRE EEN dag vol stress geweest. Bertie Sullivan, de geliefde mopshond van Charles Sullivan, wethouder in Westminster, had ademhalingsmoeilijkheden. Hij lag voor pampus op de operatietafel, zijn ogen rolden naar achter in hun kassen terwijl James probeerde te bedenken wat hij nu het beste kon doen. Het was in feite een standaardoperatie. Bertie had een abces bij een van zijn achterste kiezen, en die moest dus getrokken worden. James had het misschien al wel duizend keer gedaan, alles bij elkaar. Er was nog nooit iets misgegaan.

Maar deze ochtend was hij er niet bij geweest met zijn hoofd. Tony, de makelaar, had gebeld om te zeggen dat ze nu eindelijk toch een bod hadden gekregen op de praktijkruimte. Het was een verschrikkelijk laag bod, maar Tony zei dat het wel een eerlijk bod was, gegeven de staat van het pand. Hij adviseerde James dan ook het bod te accepteren, ook al omdat hij zo omhoogzat, financieel. Tony vertelde James dat het bod van ene Katie Cartwright kwam, een aardige dame met een uiterst gezonde bankrekening, dankzij haar bloeiende bedrijfje. 'Misschien ken je haar wel,' zei hij nog. 'Lower Shippingham is tenslotte maar een klein dorp.' Ze was heel knap – James zou het zich vast herinneren als hij haar wel eens had gezien. Hij zat er zelfs over te denken haar een keer mee uit te vragen, want ze had laten vallen dat ze nog geen vriend had. James had niet gereageerd. Als hij nu zou zeggen: 'O ja, ik heb nog met haar samengewoond', dan zou dat leiden tot een gesprek waar hij absoluut niet op zat te wachten.

Hij had tegen Tony gezegd dat hij er een paar uur over wilde nadenken. Het bod was zo laag dat hij er nauwelijks iets aan over zou houden om een nieuw leven mee te beginnen, maar aan de andere kant kon hij wel zijn schulden afbetalen en had hij een aanbetaling voor een appartementje in een niet al te dubieus deel van Londen. Ergens waar Finn op bezoek zou kunnen komen en waar hij kon blijven logeren, zelfs al zou James daar zijn eigen bed voor moeten opgeven en op de bank moest slapen. Hij ging echt weg uit het Chalk Farm Travel Motel, dat wist hij zeker. Hoe langer hij daar was, hoe meer hij veranderde in zo'n zielige alleenstaande kerel uit zo'n comedyserie. Hij voelde zich net een handelsreiziger uit de jaren zeventig, die leefde uit zijn koffer en die alleen maar afhaalvoer at en die elk dubbeltje moest omdraaien. En Stephanie zou er nooit het nut van inzien om hem terug te vragen als hij zo woonde. Dan had je nog de factor Katie. Als hij de praktijk voor een prikkie aan haar zou verkopen, had ze misschien het gevoel dat ze min of meer quitte stonden. Misschien voelde hij zich dan ook wat minder slecht over de manier waarop hij haar had behandeld.

Zo was hij bezig met het afwegen van de voor- en nadelen, en verzandde hij in zijn gebruikelijke mijmeringen over hoe hij zich toch had misdragen in het verleden. Ineens zag hij dat Bertie ergens in stikte. Hij prikte wat rond in de bek van de hond en zag een stuk watten, ver achter in Berties keel. De prop was daar ongetwijfeld terechtgekomen toen James stond te berekenen hoeveel hij aan de makelaar zou moeten betalen, en welke notaris in Lincoln het goedkoopst was. Amanda, de assistente, was even weggelopen om te kijken bij een andere patiënt terwijl hij bezig was met afhechten. Hij had dit immers al honderden keren gedaan, dus dat kon best. Hij dacht erover om haar erbij te roepen, maar besloot toch dat het gemakkelijker en sneller was als hij het zelf probeerde op te lossen dan om haar uit te leggen dat hij een prop watten in de keel van een hooggewaardeerde patiënt had laten vallen. Er was geen reden voor paniek, hij hoefde de prop er alleen maar uit te vissen. James voelde met zijn vingers en toen met een tangetje, en hij werd steeds zenuwachtiger. Voor hij zelfs maar kon overwegen of hij een noodingreep moest plegen en de luchtpijp open zou moeten snijden, werd Bertie helemaal slap. Zodra hij buiten bewustzijn leek, kon James het verdwaalde stuk watten er gemakkelijk uit halen. Hij liet het op de grond vallen. Toen Amanda weer binnenkwam, zag ze dat James bezig was om de hond van zuurstof te voorzien via een buisje. Terwijl het beest vijf minuten geleden nog prima gezond leek te zijn.

'Wat is er gebeurd?' Ze stormde op de operatietafel af om hem te helpen.

James draaide zich met tegenzin weg van Bertie. 'Ik heb geen idee. Een minuut geleden was er nog helemaal niets aan de hand.'

Hij kon het niet opbrengen om op te biechten wat er was gebeurd. Niet nu – niet nu hij zoveel andere dingen aan zijn hoofd had. Hij was al eerder patiënten kwijtgeraakt, heel vaak zelfs, om de meest uiteenlopende redenen, maar voor zover hij wist had hij er nog nooit eentje vermoord doordat hij er niet bij was met zijn hoofd. Oké, iedereen maakte wel eens een fout, maar hij kon natuurlijk nooit toegeven dat hij een zootje had gemaakt van een doodgewone ingreep omdat hij had zitten denken aan zijn privéleven en de puinhoop die hij daarvan had gemaakt. Als zijn geliefde hond straks dood was, zou het Charles Sullivan bepaald geen troost bieden te weten dat dat kwam doordat James had zitten peinzen of hij nou liever in Swiss Cottage wilde wonen of in Queen's Park. Hij kon dat maar beter nooit weten. Het zou beter zijn als ze suggereerden dat Bertie een onvermoede hartkwaal had of dat er iets met zijn longen was. Het zou beter zijn als Amanda kon getuigen dat James er werkelijk alles aan had gedaan om het leven van de hond te redden, dan dat ze hem verantwoordelijk hielden voor diens dood.

Toen James hem opbelde met het trieste nieuws, was Charles Sullivan ontzettend verdrietig, maar dankbaar voor wat James allemaal had gedaan om zijn huisdier in leven te houden. Hij weigerde om autopsie te laten plegen, wat eigenaren van huisdieren altijd weigerden. In plaats daarvan wilde hij Bertie graag komen halen, zodat hij hem kon begraven in het park. Toen hij op de kliniek aankwam, met rode ogen van het huilen, gaf hij James een manmoedige knuffel, en bedankte hem nogmaals. James voelde zich een vreselijke klootzak, en huilde oprecht toen hij Charles vertelde dat hij het echt vreselijk vond.

Het overkomt elke dierenarts wel eens, dood door menselijk falen, dat wist hij ook wel, maar zijn schuldgevoel werd hem bijna te veel. Hij dacht aan Finn en hoe die zich zou voelen als Sebastian iets zou overkomen, en hij probeerde maar niet te denken aan de tienjarige dochter van Charles, die hij bij zich had toen ze Bertie kwamen brengen. Toen hij om kwart over zes in Belsize Avenue aankwam voor zijn afspraak met Finn, voelde hij zich echt heel erg beroerd.

'Hé, manneke,' zei hij toen Finn de deur opendeed, helemaal blij omdat zijn vader met hem kwam spelen.

Stephanie was in de keuken en hing aan de telefoon met Natasha. Ze was eigenlijk van plan geweest om die avond haar kledingkasten uit te mesten – een stapel voor het goede doel, een stapel met dingen die ze al meer dan een jaar niet had gedragen, en een stapel met dingen die ze zeker wilde houden – om niet bij James in de buurt te hoeven zijn. Michael was aan het werk – hij moest de cast van een toneelstuk fotograferen vanwege de première – en nu James zich bezighield met Finn had ze eindelijk eens de kans om wat voor zichzelf te doen, een luxe die almaar schaarser werd de laatste tijd. Maar het was natuurlijk wel zo beleefd om haar man te begroeten voor ze naar boven vertrok.

'Hoe is het?' vroeg ze. Ze vond dat hij er niet zo best uitzag, maar een ander antwoord dan 'best, hoor' verwachtte ze niet. En ze zat eigenlijk ook niet op een ander antwoord te wachten.

'Behoorlijk klote, als ik eerlijk ben.'

Stephanie wierp een snelle blik in de richting van Finn.

'Sorry,' zei James. 'Ik bedoel, niet zo best. Ik heb een nare dag achter de rug.'

Nu had ze geen keus en moest ze wel gaan zitten om te luisteren naar wat er precies was gebeurd. Toen haar duidelijk werd dat het een verhaal was waar Finn nachtmerries van zou krijgen, stuurde ze hem naar buiten om David te borstelen, zodat hij aan James kon laten zien hoe goed hij hem verzorgde.

Finn zuchtte, want hij wist dat hij nu een goed verhaal misliep. 'Ik heb geen zin,' zei hij opstandig.

'Weet je wat?' zei James. 'Als jij nu zijn kooi eens goed uitmest, dan laat ik je straks zien hoe je hem in bad moet doen.'

'Cool!' riep Finn en hij rende de tuin in.

Stephanie bekeek James sceptisch. 'Hoor je een cavia wel in bad te doen?'

'Niet echt, nee, maar een keer kan geen kwaad.'

Tegen de tijd dat Finn klaar was, had James haar alles verteld: over zijn vechtpartij met Richard, over Katies bod op de praktijkruimte, over het effect van zijn financiële problemen op zijn concentratievermogen en over zijn aandeel in de voortijdige dood van Bertie. Stephanie onderdrukte de neiging om te zeggen: 'Nou, dat zijn allemaal dingen die je aan jezelf te wijten hebt.' Ze had eigenlijk best een beetje medelijden met hem.

'Als ik jou was zou ik pakken wat ik krijgen kon voor de praktijk. Als je echt in de problemen zit, kunnen we het misschien hebben over de verkoop van dit huis. Dan kopen we wel iets kleiners voor Finn en mij.' Ze meende het echt. Ze had hem genoeg gestraft.

Maar James wilde er niet van weten. 'Geen sprake van. Daarom vertelde ik het je niet… Ik bedoel, ik wil niet dat je denkt dat ik op je gemoed probeer te werken. Jij en Finn hebben niets misdaan. Jullie mogen hier niet weg, dat zou ik nooit willen. Maar ik moet zelf wel weer een huis, en zo. Dat is alles. Je hebt gelijk, het verkopen van de praktijk is een begin. Misschien kan ik daarna hier wat meer werk vinden, en uiteindelijk een eigen kliniek beginnen. Ik zal de makelaar zeggen dat ik het bod accepteer.'

Stephanie merkte dat hij het nog altijd moeilijk vond om Katies naam uit te spreken waar zij bij was. Alsof het haar nog iets kon schelen.

'Je vindt het toch niet erg dat ik het aan… haar… verkoop?' vroeg hij gespannen.

'Natuurlijk niet. Doe niet zo raar. Het lijkt me zelfs wel een goed idee. Je bent haar ook wel wat verschuldigd, James.'

Stiekem hoopte Stephanie dat Katie nu wel klaar was met haar wraak: dat ze blij was dat ze James een paar duizend pond lichter had gemaakt, en dat daarmee de kous af was. Hoewel ze het haar niet kwalijk kon nemen dat ze bloed wilde zien.

James legde zijn hand op haar arm en Stephanie verstijfde. Ze moest zich beheersen om haar arm niet meteen weg te trekken en hem van zich af te duwen.

'Bedankt, Steph, dat je zo… zo schappelijk bent, met alles. Ik verdien dat nergens aan.'

Stephanie gaf hem een ongemotiveerd klopje op zijn arm en hij haalde zijn hand weg, alsof hij wel wist dat het een ongewenst gebaar was. 'Het geeft niet,' zei ze. 'Ik heb er evenveel belang bij als jij, dat jij weer een fatsoenlijk huis krijgt. Voor Finn. Dan kunnen we tenminste echt verder, weet je wel.' Mijn god, hield hij maar op met die blik. Het was een kruising tussen de blik van een zielige puppy en die van een hoopvol kind. Ze stond op om wat fysieke afstand te creëren en toen kwam Finn goddank binnengerend, met David in zijn handen. Dat haalde hem in één klap uit zijn zelfmedelijden. Meteen was hij weer de vrolijke vader.

'Goed, het eerste wat je heel goed moet onthouden is dat een cavia maar één keer per jaar in bad mag.'

Stephanie schoot in de lach – ze hoopte eerlijk gezegd dat Finn over twaalf maanden alweer was vergeten dat cavia's überhaupt wel eens in bad gingen. Ze liet hen begaan, in de hoop dat David geen serieus trauma zou overhouden aan deze gebeurtenis. Daar zou James wel voor zorgen, want ze wist dat James, ook al vond hij dat zelf nu even niet, een goede vader was, en een goede dierenarts. Hij was alleen niet zo'n goede echtgenoot.

46

H ET WAS EEN TOTALE VERRASSING voor Katie dat James haar bod op de praktijk zo snel accepteerde. Ze had gedacht dat hij zou wachten tot hij er meer geld voor kon krijgen, of dat hij het bod zelfs meteen zou weigeren omdat hij niets meer met haar te maken wilde hebben. Ze kon niet wachten om dit aan Stephanie te vertellen.

'Geweldig,' zei Stephanie toen ze het te horen kreeg. 'Goed ge-daan.'

Stephanie klonk helemaal niet zo blij als Katie had verwacht, en toen drong het ineens tot haar door waarom niet. 'O, Stephanie, ik hoop niet dat je denkt dat ik dit doe om jou ook een financiële hak te zetten. Shit, dat bedenk ik me nu pas. Wil je dat ik mijn bod weer intrek? Want dat doe ik, hoor, als jij dat wil.' Ze was oprecht ontdaan over het feit dat ze niet eerder had bedacht dat als James een veel te lage prijs moest accepteren voor de praktijk, dat zijn weerslag zou hebben op Stephanie en haar alimentatieregeling. Ze wilde natuurlijk niet dat Stephanie nog meer voor haar kiezen zou krijgen.

'Daar gaat het niet om,' zei Stephanie. 'Daar was ik zelf nog niet op gekomen. Maar… ik weet niet… ik heb wel een beetje met hem te doen, nu…'

Katie gaf Stephanie geen kans om haar zin af te maken. 'Met hem? Na alles wat hij heeft gedaan? Kom op, zeg…'

Toen legde Stephanie uit hoe down hij was geweest toen ze hem voor het laatst zag, en dat hij nog steeds in een motel moest wonen, en ook een of ander verhaal over een hond, wat Katie, ook al hield ze erg van honden, nogal komisch voorkwam. Het leek haar allemaal behoorlijk onbelangrijk. Die man had geen terminale kanker, en hij zat niet te wachten op de elektrische stoel. Hij had gewoon een beetje last van zelfmedelijden omdat hij zichzelf behoorlijk in de vingers had gesneden. Stephanie vertelde dat het ging om de hond van een wethouder en Katie moest lachen en zei dat dat vast en zeker een nachtmerrie was voor James. Dat hij het mogelijk aan de stok kon krijgen met zo'n belangrijke figuur, maar Stephanie zei toen dat hij zich over dat soort dingen niet meer echt druk maakte: hij vond het vreselijk dat hij zo'n afschuwelijke fout had gemaakt en Charles Sullivan verkeerde in de veronderstelling dat Bertie een natuurlijke dood was gestorven.

'Jeetje,' hoorde Katie zichzelf zeggen, 'als ik er achter kwam dat ze zoiets hadden uitgevreten met Stanley zou ik helemaal uit mijn dak gaan.'

Zodra ze het verhaal over de hond aan Katie had verteld, wist Stephanie dat ze dat beter niet had kunnen doen. Er klonk enig enthousiasme door in Katies stem toen ze ophing, en Stephanie had het gevoel alsof ze Katie een geladen wapen in handen had gegeven. Ze dacht erover om Katie terug te bellen en te zeggen: 'Wat ik net zei kun je weer vergeten, want ik heb het uit mijn duim gezogen', of om haar zelfs recht voor zijn raap te zeggen dat ze nu geen gekke dingen meer moest doen, maar ze was bang dat ze daarmee alleen maar meer olie op het vuur zou gooien. Dus moest ze maar hopen dat de opwinding van haar nieuwe huis en de triomf daarvan Katies verlangen naar wraak enigszins zou dempen.

Die dag ging ze winkelen met Meredith voor de aanstaande soap awards. Meredith was genomineerd in de categorie Beste Actrice voor een wel heel hartverscheurende aflevering waarin ze hoorde dat de man met wie ze zou trouwen al ergens een vrouw met drie kinderen had, in een ander deel van het land. Haar concurrentes waren een actrice wier karakter was gestorven na een langgerekte strijd tegen kanker (het zag er lange tijd naar uit dat ze die strijd zou winnen, totdat de actrice een te hoge salariseis neerlegde bij de producers) en een andere actrice wier alter ego tot voor kort in de bak had gezeten wegens drugssmokkel. Meredith had Stephanie toevertrouwd dat de dood altijd won bij de prijsuitreikingen, omdat de jury wist dat dit de laatste kans was dat ze het talent van de acteur in kwestie konden bejubelen. Maar na haar triomf bij de BAFTA's was ze toch van plan om ze eens een poepie te laten ruiken in een outfit waar Stephanie helemaal de vrije hand in kreeg.

Ze zaten in Ronit Zilkha, waar Meredith in de paskamer stond en de ene na de andere omvangrijke creatie aanpaste terwijl Stephanie liep te ijsberen als een aanstaande vader buiten de kamer waar zijn vrouw aan het bevallen was. Ze zag ertegenop dat het bijna tijd was om te lunchen, en ze Meredith ongetwijfeld moest trakteren op een tweegangenlunch in Harvey Nichols. Ze was tegenwoordig best dol op Meredith – het was niet zo moeilijk om mild te denken over iemand die jouw instructies blind opvolgde – maar ze hadden niet echt veel te bepraten samen. Ze wilde liever alleen zijn om na te denken over de bom die Michael die ochtend had laten vallen.

Maar Meredith wilde er niet van horen, en om kwart voor twee zaten ze eindelijk aan hun voorgerecht van pompoensoep met sintjakobsschelpen terwijl Stephanie zich suf piekerde waar ze het nu toch eens over konden hebben. Gelukkig blaatte Meredith een poosje door over een of andere nieuwe verhaallijn waar ze bij betrokken was, en hoe oneerlijk het was dat een deel van de cast vrij was gemaakt zodat ze in lucratieve kerstvoorstellingen konden optreden terwijl anderen – onder wie zij – geen toestemming hadden gekregen. Stephanie veinsde medeleven met Meredith, die deze kerst maar vierduizend pond per week zou verdienen in plaats van tienduizend, maar dat viel haar niet mee. Toen droogde dat onderwerp op en Stephanie, die dolgraag de stilte wilde vullen, hoorde zichzelf ineens zeggen: 'Nou, mijn vriend wil ineens met me samenwonen.'

'Wow,' zei Meredith terwijl ze haar vork neerlegde. 'Daar is hij dan ook snel mee.'

'Ja, we hebben nu bijna drie maanden een relatie,' zei Stephanie. 'Is dat niet veel te snel? Ik denk dat het te snel is.' Waarom besprak ze dit in 's hemelsnaam met Meredith? Mevrouw Pot die in de kast bleef. Die in haar hele leven waarschijnlijk nog nooit een relatie had gehad.

'Dat hangt er helemaal van af. Ik ben wel eens na een week al bij iemand ingetrokken.'

Stephanie verslikte zich bijna. Ze weerstond de drang om de vraag te stellen die op haar lippen brandde.

Meredith ging verder: 'Dat was eerlijk gezegd nogal dom van me. Een maand later was ik weer weg.'

Stephanie lachte. 'Nou, daar heb ik wat aan.'

'Ik denk dat het te vroeg is als jij bang bent dat het te vroeg is.'

'Ja, dat denk ik ook.'

Als ze eerlijk was, wist ze helemaal niet wat ze ervan moest denken. Michael was er bij het ontbijt over begonnen alsof hij het had over een nieuw soort muesli of de beurskoersen. Zomaar ineens liet hij het vallen en toen zei hij dat hij bloedserieus was, en dat het belachelijk was om twee gescheiden huishoudens te hebben als ze zoveel tijd samen doorbrachten. En bovendien had hij serieuze bedoelingen met deze relatie, en hij wilde een sterkere basis creëren. Het zou het meest logisch zijn, vond hij, als hij zijn appartement zou verkopen en als zij dat ook wilde, kon hij zich inkopen in haar huis. Hij wist wel dat zij niet wilde verhuizen.

Stephanies eerste gedachte was Finn. Hij kon best opschieten met Michael, maar ze hadden niet veel gemeen en Michael zou nooit een vaderfiguur voor hem worden. Toen pas dacht ze eraan hoe zij zich eronder zou voelen, en wat ze voelde was niets. Ze had het vermoeden dat ze eigenlijk dolblij zou moeten zijn. Wat hij haar bood was een heel nieuw leven met een aardige, fatsoenlijke man die haar duidelijk op handen droeg. Het leek haar niet waarschijnlijk dat Michael ooit ergens een geheim leven zou hebben, en dat hij naar het platteland zou verdwijnen om daar een paar dagen in de week bij een andere arme vrouw te verblijven, die hij ook bedroog. Maar toch was er die angst die niet wegging, en die maar bleef hangen, ergens in de periferie van haar brein. Ze kon haar vinger er maar niet op leggen.

'Nou,' ging Meredith verder, 'je kunt twee dingen doen. Of je zegt hem dat je nog wilt wachten, of je stelt een proefperiode voor; ga je een paar weken samenwonen en dan beslis je daarna pas. Ik zou zeker niet beloven dat het permanent is voordat je heel zeker van je zaak bent.'

Stephanie zuchtte. 'Je hebt gelijk, dat weet ik wel. Maar als ik eerlijk ben, ben ik bang. Wat nu als ik nee zeg en hij het daarna nooit meer vraagt?' Waarom vertelde ze dit allemaal aan Meredith? Ze had echt geen idee.

Meredith snoof. 'Wat – en dan blijft alles bij het oude, dus alleen jij en Finn? Wat is daar zo erg aan? Kom op, Stephanie, ga me nou niet vertellen dat je zo'n vrouw bent die nog liever met een seriemoordenaar samenwoont dan dat ze alleen is!'

Stephanie schoot in de lach. 'Tuurlijk niet.'

'Als hij echt voor je gaat, dan wil hij over een halfjaar heus nog wel met je samenwonen. En zo niet, dan heb je meteen bewijs dat je gelijk had om nog te willen wachten, vind je ook niet?'

'Ja, dat klinkt logisch.' Stephanie wreef over haar ogen. 'Ik denk dat ik vooral niet begrijp waarom ik niet sta te springen van blijdschap. Ik bedoel, wie had een halfjaar geleden kunnen denken dat ik zo snel alweer iemand anders zou hebben? En dan ook nog zo'n knappe man, zo aardig en slim, dat die van mij houdt…' Ze maakte haar zin niet af, want ze wist niet wat ze verder moest zeggen.

'Maar?' vroeg Meredith met opgetrokken wenkbrauwen.

Stephanie keek haar onderzoekend aan.

Meredith vervolgde: 'Ik voelde dat er een "maar" aan zat te komen.'

'Maar… ik weet niet. Maar… hij is een beetje… hij is niet zo… Hij houdt van jazz en hij praat graag over arthousefilms. Al zijn vrienden zijn kunstenaar, of fotograaf, of muzikant. Tenminste, dat proberen ze. Niet dat daar iets mis mee is, maar ze nemen zichzelf zo ontzettend serieus. Hij ook.' Ze had geen idee of Meredith begreep waar ze het over had. Ze begreep het zelf nauwelijks. 'Ik denk dat dat mijn "maar" was – "Maar hij is een beetje te cool voor mij".'

Meredith knikte. 'Hij klinkt…'

'Saai? Hij is niet saai, hoor, echt niet, maar hij is zo verschrikkelijk… serieus.'

'Ik wilde eigenlijk zeggen dat hij interessant klinkt. Ik weet alleen niet of hij wel helemaal jouw type is, als je begrijpt wat ik bedoel. Ik hoop niet dat je dat aanmatigend vindt.'

Stephanie zuchtte. 'Ik zou soms wel eens willen dat hij alles eens iets luchtiger zou opvatten.'

'Nou, als je het advies wilt van een verbitterde ouwe vrijster die nog nooit met iemand heeft samengewoond, op die vier weken in 1989 na, dan zou ik het volgende willen zeggen…' Meredith, eens actrice, altijd actrice, zweeg even voor het effect. 'Doe niks. Er is helemaal geen haast bij. Je kunt niks verliezen door nog wat te wachten. Je slaapt hooguit af en toe wat minder.'

'Is dat het enige advies dat mensen altijd voor je hebben? Doe niks?'

'Nou ja, ik ben lui, van nature. Ik vind niks doen altijd de beste oplossing.'

Stephanie schonk haar een dankbare glimlach. 'Bedankt, Meredith, ik vind het echt fijn dat je wilde luisteren.'

'Ze heeft natuurlijk gelijk,' zei Natasha smalend. 'Hoewel ik niet helemaal begrijp waarom je die uitgedroogde ouwe bes om advies vraagt als je het ook gewoon tegen mij had kunnen zeggen.'

'Nou, ze zei precies hetzelfde wat jij altijd zegt, dus wat maakt het uit? Ik mag haar wel.'

'Sinds wanneer?'

'Sinds ze vindt dat ik een genie ben. Nee echt, ze is de laatste tijd hartstikke aardig.'

Natasha snoof. 'Straks neem je nog verkering met haar. Geen wonder dat ze probeert om jou en Michael uit elkaar te praten. Ze denkt gewoon dat ze nog wel kans bij je maakt.'

'Nou, nou, zo kan ie wel weer.'

'Zeg, vertel eens,' zei Natasha plotseling serieus. 'Wanneer heb je hem voor het laatst aan het lachen gekregen?'

'Hij lacht heus wel,' zei Stephanie verontwaardigd. 'Wat wil je nou? Ik dacht dat je hem leuk vond. Hij vindt jou toch ook leuk.'

'Ik vind hem ook wel leuk. Hij is slim en attent. Maar het is niet echt lachen geblazen met hem.'

'Ik vind het fijn bij hem. Hij is aardig en intelligent en hij gedraagt zich volwassen. En hij zal me nooit belazeren.'

'Geweldig. Ik begrijp echt wel waarom dat op dit moment het allerbelangrijkste lijkt, maar... dat wil nog niet zeggen dat je je meteen al moet vastleggen. Niet tot je er helemaal zeker van bent en dat ben je nu dus duidelijk niet.'

Stephanie zakte moedeloos op de bank. Ineens voelde ze zich heel ellendig. Overspoeld door een golf van zelfmedelijden barstte ze in tranen uit.

Natasha schrok zich rot. 'Zo bedoelde ik het toch helemaal niet! O, Steph toch, sorry!'

Stephanie huilde haast nooit, dus als ze het wel deed kwam alles wat ze sinds haar laatste huilbui had opgekropt er in één keer uit, en waren de tranen bijna niet meer te stoppen. Ze probeerde te zeggen dat het niks te maken had met wat Natasha net zei, maar het lukte haar niet om tegelijkertijd te praten en te huilen, en het huilen won. Ze schudde haar hoofd in de hoop dat Natasha zou begrijpen wat ze bedoelde. Of ze dat nu deed of niet, Natasha ging naast haar zitten en klopte haar hulpeloos op haar been. Stephanie begreep dat ze haar een ongemakkelijk gevoel gaf – in al die jaren dat ze bevriend waren had Natasha haar nog nooit zien huilen – maar ze kon niet meer stoppen. Ze wist niet eens waar ze nou precies om huilde. Ze wist alleen dat ze zich leeg en hopeloos voelde, alsof haar hele leven in elkaar was gestort.

'Het is goed voor je om het er allemaal uit te gooien,' zei Natasha. 'Je doet ook altijd veel te dapper. Dat is niet… normaal. Kijk naar jezelf. De meeste mensen zouden instorten na wat jou is overkomen, maar jij bent doorgegaan alsof er niets aan de hand was. Het is niet gezond.'

'Hoe bedoel je? Ik probeerde alleen maar de boel bij elkaar te houden. Ik dacht dat ik het goed deed.'

'Het is ook geen kritiek, Steph. Ik zeg alleen dat niemand zomaar door kan gaan na wat jij hebt meegemaakt zonder een keer in te storten. Het heeft bij jou wat langer geduurd. Maar het is juist goed. Als ik niet zo'n bloedhekel had aan al dat new-agegedoe dan zou ik iets zeggen als: "Je kunt pas gaan helen als je eerst de pijn helemaal hebt durven voelen". Maar zoiets zou je uit mijn mond nooit horen, dus ik zeg alleen dat al die dingen, zoals wraak nemen op James…'

'Wat jouw voorstel was.'

'Wat een goed voorstel was – en dat Michael een soort zelfbehoud was. Het heeft je geholpen om over het allerergste heen te komen. Het bood je afleiding. Door die dingen kon je het moment uitstellen waarop je echt onder ogen moest zien wat er allemaal is gebeurd, tot je sterk genoeg was om dat aan te kunnen. En nu je het allemaal uit je systeem hebt, kun je ook echt verder.'

'Mijn relatie met Michael is prima, oké?' schoot Stephanie in de verdediging. 'Ik weet best dat jij hem niet mag, maar dat is jouw probleem.' Ze negeerde Natasha's protesten. 'Jij hebt James ook al nooit gemogen, en nu vind je Michael niks.'

Ze had het nog niet gezegd of ze wist dat ze zich aanstelde. Natasha had gelijk dat ze op had moeten passen met James: ze zei die dingen toch alleen om Stephanies bestwil? En als Stephanie naar haar had geluisterd, zou ze inzien dat wat Natasha had gezegd over haar relatie met Michael ook klopte. Maar daar wilde ze nu niet over nadenken.

'Ik ga zeggen dat hij bij me mag komen wonen,' zei ze, een tikje opstandig. 'Hij heeft gelijk – we vormen een heel goed koppel.'

'Als je dat wilt, dan is dat natuurlijk uitstekend,' zei Natasha. 'Ik probeerde alleen maar te vragen of je zeker bent van je zaak. Als dit jou gelukkig maakt, ben ik blij voor je.' Ze stak haar armen uit voor een knuffel, maar daar paste Stephanie voor. Ze had er schoon genoeg van dat Natasha haar de wet voorschreef. Voor het gemak vergat ze dat zij Natasha juist altijd om raad vroeg, en dat zij degene was die haar midden in de nacht belde omdat ze het niet meer wist. Dat Natasha dan alles uit handen liet vallen om te luisteren naar haar geklaag over welk probleem dan ook.

Stephanie stond op en pakte haar jas. 'Ik moet weg,' zei ze afstandelijk, en ze vertrok zonder dag te zeggen.

47

D E ENIGE FOUT DIE JAMES ooit had gemaakt in zijn carrière – en de enige die er echt toe deed – was dat hij niet meteen eerlijk de schuld op zich had genomen toen het misging met Bertie. Charles Sullivan was dan misschien wel kwaad geworden, en hij was voortaan misschien naar een andere dierenarts gegaan met zijn overgebleven hond en zijn kat, maar hij zou in elk geval niet aan Harry hebben gevraagd om James te ontslaan. En in het hoogstonwaarschijnlijke geval dat hij dat wel zou hebben gedaan, zou Harry daar natuurlijk nooit op in zijn gegaan. Maar nu was Harry zo vooringenomen over James' geestelijke gezondheid dat toen hij dat telefoontje kreeg van de persoonlijk medewerker van Charles Sullivan en te horen kreeg dat Charles wist dat Bertie was overleden door de incompetentie van James – bewijsstuk A, de prop watten die in Berties keel was gevallen – hij James onmiddellijk bij zich riep om het uit te leggen.

'Het was een fout,' zei James meteen. Hij dacht, ten onechte natuurlijk, dat Amanda, de assistente, er achter was gekomen wat er was gebeurd en dat zij hem had aangegeven.

'Dus het klopt? Jij hebt inderdaad de dood van Charles Sullivans hond veroorzaakt, en dat heb je vervolgens onder het tapijt geschoven?'

'Het spijt me,' zei James. 'Maar je weet hoe dat gaat. Die dingen kunnen gebeuren.'

'Nee, nee, James,' zei Harry. 'Je begrijpt me verkeerd. Ik ben niet boos over wat er met Bertie is gebeurd, ik ben kwaad omdat je mij totaal voor schut hebt gezet. Ik ben kwaad omdat je mij in een situatie hebt gebracht waarin ik jou moest verdedigen zonder dat ik de feiten kende.'

James schuifelde van zijn ene voet op de andere. 'Het spijt me,' stamelde hij.

'Het gaat mij om het bedrog,' ging Harry verder, die nu lekker op dreef was. 'Dat ik voor het blok ben gezet en dat ik gedwongen werd om me eruit te bluffen zodat het tenminste niet leek alsof ik geen idee had wat er in mijn eigen praktijk speelde. Ik moest dus net doen alsof ik de zaak zelf al in onderzoek had. Je ziet zelf toch zeker ook wel in hoe onacceptabel dat is?'

'Het zal ook niet meer gebeuren,' mompelde James met de blik op zijn voeten.

'Nee, dat zal het zeker niet, James, want… het spijt me vreselijk, echt waar… maar ik ben bang dat ik je moet ontslaan.'

James keek nu voor het eerst op. Dit kon niet waar zijn. 'Alsjeblieft, Harry, doe dat niet.'

Harry praatte maar door: 'We kunnen dit officieel spelen, met alle publiciteit van dien, of jij gaat gewoon eind van de week weg. Het is aan jou om te beslissen wat je het beste lijkt.'

James twijfelde er niet aan dat er maar één ding het beste was, en dat ging hij ook doen. Hij had het meteen al moeten doen, want dan zat hij nu niet in deze ellende. Het was trouwens ook wat hij had moeten doen toen Katie en Stanley een jaar geleden bij hem in de praktijk kwamen.

'Goed,' zei hij. 'Ik zal de afspraken die ik nog heb staan afhandelen, en dan ga ik weg. Maak je geen zorgen, ik zal het niet nog lastiger voor je maken dan het al is.'

'Bedankt,' zei Harry, die zich weer op de papierwinkel op zijn bureau concentreerde om aan te geven dat hun gesprek wat hem betrof voorbij was.

James liep als verdoofd de gang op. Dit was het dus. Nu was hij werkloos. Van iemand met een eigen succesvolle praktijk en een prachtig huis en een schitterende vrouw (plus een maîtresse, maar daar wilde hij zelf liever niet meer aan denken) naar iemand zonder werk, die alleen en onbemind in een motel woonde. En dat alles binnen drie maanden. Hij had geen baan, geen huis, geen partner, geen geld en geen eigenwaarde meer over.

De volgende stap was dat hij zijn haar lang liet groeien en op straat ging leven, waar hij de hele dag in een kartonnen doos zou zitten, misschien wel met een schurftig hondje aan een stuk touw naast zich. Hij had wel eens gehoord dat zwervers die hondjes voor een paar uur per dag konden huren van een kerel die er een stuk of twintig had. Hoe magerder de hond, hoe beter. Mensen gaven kennelijk eerder geld aan een zwerver met een hond. Zo zit de wereld tegenwoordig in elkaar, dacht James hopeloos. Misschien raakte hij aan de drank, of aan de crack, hoewel hij geen idee had hoe hij dat zou moeten bekostigen. Jezus, hij was dus niet eens geschikt voor junk. Hoe zielig was dat? Hij zou zich op diefstal moeten storten om de drugs te kunnen bekostigen waar hij nog niets eens aan verslaafd was. Geen wonder dat Stephanie hem niet meer moest. Hij zat net te overwegen wat doeltreffender was, je verhangen of pillen slikken, toen zijn telefoon overging. Hij keek wie het was: Finn. Natuurlijk, Finn, dacht hij. Die hield tenminste nog van hem. Finn was de reden waarom hij überhaupt nog doorging.

'Dag vent,' zei hij en zijn ogen schoten vol tranen bij de gedachte aan zijn zoon.

'Waar ben jij?' Finn klonk kwaad. 'Je had beloofd dat je zou komen.'

James voelde paniek opkomen. Dat hij waar zou komen? Hoe kon dit nu weer? Shit dacht hij met een steek in zijn hart. Finns voetbalwedstrijd. Toen hij zich nog een redelijk normaal mens voelde had hij beloofd dat hij uiteraard naar de voetbalwedstrijd van zijn zoon zou komen kijken en dat hij met Harry zou regelen dat een van de andere dierenartsen zijn patiënten waarnam. De aftrap was om vier uur. Fuck.

'Ik werd opgehouden, maar ik ga hier nu weg. Het spijt me verschrikkelijk, Finn, jongen, ik had je moeten bellen.' Hij begon zijn sleutels en zijn portemonnee in zijn zak te stoppen zodat hij meteen weg kon.

'Je hebt het gewoon vergeten,' schreeuwde Finn. 'Je doet nooit wat met mij. Ik haat je!'

James hoorde dat Finn hem wegdrukte. Geweldig. Hij holde naar de receptie met zijn hoofd naar beneden. Hij zag Cheryl Marshall en haar beagle Rooney, zijn afspraak van vier uur, vol verwachting naar hem kijken. Hij was er zo op gebrand om Cheryls blik te mijden dat hij Harry bijna tegen het lijf liep, die van de andere kant kwam aanlopen met een klein hondje dat hij ging opereren. 'Ik heb een noodgeval in de familie,' stamelde hij zonder te blijven staan.

'En je patiënten?' protesteerde Harry.

'Ik werk niet meer voor jou Harry,' schreeuwde hij achterom. 'Je kan de pot op wat mij betreft,' voegde hij daar nog aan toe voor de goede orde, hoewel hij dat later zelf ook wel een tikje overdreven vond. In dit geval moest hij zijn baas de vinger geven omwille van zijn zoon. Mijn god, wat was het allemaal gecompliceerd. Het zou een vak moeten zijn op school: 'Normen en Waarden' of 'Eerlijkheid voor Beginners'.

Stephanie vond het verschrikkelijk om langs de lijn te staan met andere ouders. Niet dat ze het niet leuk vond om Finn te zien spelen, want ze barstte bijna van trots als hij aan de bal was, en soms schreeuwde ze net iets te enthousiast dingen als: 'Tackel die gast!' Nee, wat ze zo erg vond waren die geforceerde gesprekjes met de moeders van Finns teamgenootjes – het waren altijd moeders die kwamen kijken, op de vader van Shannon Carling na, want diens vrouw was vlak na de geboorte van Shannon overleden en hij had flexibele werktijden om voor zijn dochter te kunnen zorgen. Het irriteerde haar, de illusie dat ze iets gemeen hadden omdat ze toevallig kinderen van dezelfde leeftijd hadden. De meesten van hen waren best aardig, daar niet van, en sommigen rekende ze zelfs tot haar vriendinnen, maar die gemaakte gezelligheid en die eindeloze gemaakt leuke grappen tijdens de wedstrijden vond ze dodelijk vermoeiend. Daarbij was ze in een rothumeur omdat James niet was komen opdagen om naar Finn te komen kijken, zoals hij had beloofd. Niet dat het haar iets kon schelen of hij er was of niet, maar ze wist dat haar zoon diep teleurgesteld was. En het was eerlijk gezegd niks voor James, zoals hij tegenwoordig was, om hem zo te laten zitten. Hij deed er echt alles aan om te bewijzen dat hij een zorgzame vader was.

Ze keek nog een keer op haar horloge – kwart over vier. Finn rende zijn benen uit zijn lijf op het veld, met een ongelukkig gezicht. Ze keek om zich heen om te zien of James al ergens te bekennen was – hij had tegen Finn gezegd dat hij er aan kwam – en toen zag ze hem net de hoek om komen rennen, met een rood gezicht en badend in het zweet, alsof iemand hem op de hielen zat. Alle andere moeders keken ook om, en ze wist dat ze deels blij waren dat hun man zichzelf niet zo voor schut zette maar dat ze ook jaloers waren omdat Stephanie een man had – ook al was hij binnenkort haar ex-man – die tijd vrijmaakte om naar schoolvoetbal te komen kijken.

'Heb je de hele weg zo gerend?' vroeg Stephanie toen hij naast haar in het gras was geploft.

Hij knikte, want hij was nog zo buiten adem dat hij niet kon antwoorden.

'Nou ja, beter laat dan nooit,' zei ze, en ze haatte zichzelf dat ze met zo'n kattig cliché kwam.

James zei niets. In plaats daarvan stond hij op zodra hij weer een beetje normaal kon ademen, en begon aanmoedigingen te roepen naar Finn, die zich stralend omdraaide toen hij de stem van zijn vader hoorde. Hij was meteen zijn boosheid kwijt. Kinderen vergeven nu eenmaal gemakkelijk. Pas tegen het eind van de wedstrijd, toen Finn op hem af kwam stormen – door het dolle omdat ze met 5-4 hadden gewonnen – en zich tegen zijn vader aan wierp en vroeg of hij kwam eten, zeiden ze weer iets tegen elkaar.

Stephanie zag dat James een nerveuze blik op haar wierp. 'O, nee, ik denk niet dat...' begon hij. Stephanie onderbrak hem. Finn zou het leuk vinden, en zo kon hij die eerdere teleurstelling meteen een beetje goedmaken.

'Ik weet zeker dat papa dat heel gezellig vindt, als hij tenminste niks anders te doen heeft,' zei ze, en ze probeerde erbij te lachen.

James glimlachte dankbaar. 'Nee, dat heb ik niet. Ik heb helemaal niks te doen.'

Stephanie vond hem nogal stilletjes tijdens hun – erg vroege – avondmaaltijd. Ze hoopte dat ze tegen zes uur uitgegeten zouden zijn, en dan zou zij zich verschansen in de zitkamer, terwijl James en Finn een paar uur elkaar achterna zouden zitten in de tuin, voor James weer aftaaide naar het Travel Motel. Hij zat geintjes te maken met Finn, zoals altijd. Ze lagen dubbel om dezelfde oude grappen als altijd, dingen waar verder geen mens de lol van inzag, maar het leek net alsof hij er dit keer niet helemaal bij was. Finn merkte er natuurlijk niets van, want die was zo door het dolle dat zijn vader had gezien dat hij die cruciale pass had gemaakt die tot het derde doelpunt had geleid, maar Stephanie had het gevoel dat er iets mis was – iets wat nog erger was dan de zorgen die hij al had – en dat hij daar vast met haar over wilde praten. Ze wist niet of ze dat wel aankon, nog meer ellende van James; ze had zelf al genoeg op haar bordje. En ze moest nog een geschikt tijdstip zien te prikken om Michael het goede nieuws te vertellen. Dat had ze maar voor zich uit geschoven.

Tegen halfacht was Finn total loss en klaar om naar bed te gaan, en het was duidelijk dat James verder nergens naartoe hoefde. Met tegenzin trok ze een fles cabernet sauvignon open en bood hem een glas aan.

'Geef me meteen de hele fles maar. Ik hoef morgenochtend toch niet op te staan voor mijn werk,' zei hij met een grimmig lachje, en hij wachtte af tot ze hem zou vragen wat hij daarmee bedoelde, wat ze uiteraard deed.

Zodra James vertelde van de medewerker van Charles Sullivan, wist Stephanie al waar dit naartoe ging. 'Was het een vrouw?' vroeg ze.

'Was wie een vrouw?' vroeg James, die duidelijk van zijn à propos raakte van deze onderbreking.

'Die medewerker. Was het een vrouw die belde, weet jij dat?'

James trok zijn wenkbrauwen samen. 'Ik dacht het wel, ja. Maar wat maakt dat uit?'

Stephanie kon het hem niet vertellen. Als ze dat ooit zou doen, zou ze er eerst heel goed over na moeten denken hoe ze het zou brengen. 'Ik vroeg het me alleen af. Ga door.'

Toen hij op het punt kwam waarop Harry hem zijn ontslag gaf, zuchtte Stephanie heel diep. Oké, nu was ze toch echt te ver gegaan. Nog los van allerlei andere zaken, zou zowel zij als Finn zwaar te lijden krijgen onder het feit dat James geen werk had.

'Ik weet niet meer wat ik moet doen,' zei James bedroefd, en hij keek haar zo zielig aan dat ze alleen maar medelijden met hem kon hebben.

'Het ziet ernaar uit dat we dan toch dit huis moeten verkopen,' zei ze, en James stond op het punt om in tranen uit te barsten. 'Dan kunnen we twee kleinere huizen kopen.'

'Nee. Ik heb je al gezegd dat dat niet gaat gebeuren. Ik zorg dat het weer goed komt, dat beloof ik.'

Hij ging verder met zijn verhaal, en kwam bij het gedeelte waar hij Harry had uitgescholden terwijl hij naar buiten liep om naar Finns wedstrijd te kunnen. Stephanie schoot onwillekeurig in de lach toen hij Harry's verbijsterde gezichtsuitdrukking omschreef. 'Heb je echt gezegd dat hij de pot op kon?'

'Ja, echt.'

'Nou, dat werd dan hoog tijd, als het mij vraagt.'

'Hij zat te gebaren dat hij me wilde vermoorden, maar hij had iemands chihuahua in zijn handen, dus het zag er net iets minder macho uit dan hij hoopte,' zei James lachend.

'Je moet hiermee naar de politie. Wegens bedreiging met een hond. Dat is strafbaar, hoor.'

'Dat beest had een roze truitje aan,' gierde hij het nu uit. 'En nagellak. Ik zweer het je: ze hadden dat beest zijn nageltjes gelakt. Ook roze.'

Stephanie veegde haar ogen af. 'Hij was daar waarschijnlijk voor een neuscorrectie.'

'Nee, een borstvergroting,' zei James. 'Van alle acht de borstjes.'

'Nog een glaasje?' vroeg Stephanie. Hoe kwam ze daar nou zo ineens bij?

'Graag,' zei hij, en hij stak zijn glas uit om nog eens bijgevuld te worden.

Zodra James weg was – bijna tweeëneenhalf uur later, waarin ze hadden zitten kletsen en lachen, en hij opmerkelijk weinig zelfmedelijden bleek te hebben – probeerde Stephanie Katie te bellen. Wat ze nu had geflikt was echt niet te geloven. Oké, ze waren het erover eens dat ze het James betaald moesten zetten. Ze verschoot van kleur toen ze bedacht dat het allemaal door haar idee was gekomen. Enfin, het kwam oorspronkelijk van Natasha, eerlijk gezegd, en op dit moment wist ze niet precies wat ze eigenlijk vond van Natasha's adviezen. Ze dwong zichzelf om niet stil te staan bij wat ze tegen haar vriendin had gezegd. Als het zo doorging was er niets meer waar ze zomaar spontaan over na kon denken zonder dat ze zich ongemakkelijk voelde.

Katies mobiel bleef maar overgaan, en uiteindelijk sprong hij op de voicemail. Stephanie sprak een boodschap in en deed haar best vriendelijker te klinken dat ze eigenlijk wilde, omdat ze zeker wilde zijn dat Katie terug zou bellen. 'Hi, met Stephanie. Bel je me even? We moeten echt weer eens bijkletsen.' Toen belde ze Katies thuisnummer, en daar gebeurde hetzelfde. Een uur later probeerde ze het nog eens op allebei de nummers, maar weer kreeg ze twee keer Katies voicemail. Ze sprak nog een keer een boodschap in, dit keer om te zeggen dat Katie ook later die avond nog kon bellen – Stephanie wilde haar graag spreken. Ze legde haar mobieltje op het nachtkastje en kroop boos in bed.

Ze sliep slecht. Als ze dacht aan wat Katie allemaal nog meer zou uitvreten, raakte ze in paniek. Dat mens was duidelijk helemaal doorgedraaid, en ze leek absoluut niet van plan om te stoppen. James met gelijke munt terugbetalen was één ding, maar hem ruïneren was een heel ander verhaal. Stephanie vond altijd dat een straf moest passen bij de misdaad. Ze had James willen vernederen omdat hij haar had vernederd. Ze wilde hem pijn doen, en ze wilde dat hij zich zou schamen en dat hij spijt zou voelen. Maar het was nu eenmaal zo dat zowel zijzelf als Katie de draad weer op had kunnen pakken. Wat hij hun ook had aangedaan, ze hadden allebei hun werk en hun huis en hun vrienden nog. Ze hadden een basis om op terug te vallen. Het ging gewoon veel te ver om James van alles wat hij had te beroven, zodat hij helemaal niets meer overhad. Nog los van het feit dat op deze manier James zo veel te lijden kreeg dat ook Finn er onherroepelijk last van zou krijgen. Finn, die zijn vader al bijna kwijt was, en die nu ook zijn huis en de tuin waar hij zo van hield zou kwijtraken. Niet dat ze het niet zouden redden in een kleiner huis, want in feite was dit huis te groot voor hen tweeën, maar daar ging het niet om. Waar het om ging was dat Finn nu stabiliteit nodig had in zijn leven.

Om halfzeven stond ze op, zette een kopje thee en probeerde afleiding te zoeken om te voorkomen dat ze Katie te vroeg zou bellen. Ze maakte veel kabaal toen ze buiten Finns kamer met de stofzuiger in de weer was, zodat hij uit zijn bed zou komen en kwam kijken wat er aan de hand was. Tegen de tijd dat ze hem naar school had gebracht en weer thuiskwam, was het net iets na negenen. Een christelijk tijdstip om iemand te bellen.

Weer gingen allebei de telefoons van Katie over zonder dat er werd opgenomen. Stephanie had zichzelf er die nacht van overtuigd dat Katie haar expres uit de weg ging, en ze zag voor zich hoe ze daar stond, met haar mobieltje in de hand, en besloot om niet op te nemen toen ze zag wie haar belde. Ze liet twee gespannen maar beleefde berichtjes achter, die niet helemaal zo vrolijk klonken als haar berichtjes van gisteren. 'Katie, ik moet je echt even spreken. Bel je terug?' Dit was belachelijk. Katie kon de rest van haar leven weigeren om haar telefoontjes aan te nemen als ze dat zou willen. Ze zou het anders aan moeten pakken.

Tegen de tijd dat James naar huis was gegaan – nou ja, naar het Travel Motel, want een ander huis had hij niet – voelde hij zich een beetje gammel, na die vier bellen wijn die hij had gedronken, maar hij was verbazingwekkend vrolijk voor iemand die net zijn baan kwijt was. Stephanie had hem opgevrolijkt, en dat had hij bijna niet durven hopen. Een paar uurtjes lachen om het tragische van zijn situatie en hij voelde zich een ander mens.

48

U ITEINDELIJK WERD HET KATIE TE veel. Ze was uitgeput
omdat ze elke dag om halfzes opstond om zich op te maken
en haar haar te doen, alleen maar om door Owen min of meer
genegeerd te worden bij de bushalte. Het werd tijd dat er een einde aan
kwam. Stanley, die dacht dat dit nu de vaste routine was, zat geduldig bij
de deur te wachten tot tien over zes, met zijn lijn in zijn bek. Katie zorgde
ervoor dat ze contant geld bij zich had voor een retourtje. Ze nam aan dat
ze voor de hond niet hoefde te betalen. Op deze manier zou Owen niet
meer om haar heen kunnen: ze ging gewoon bij hem in de bus zitten.

Ze pakte haar mobieltje, dat ze gisteravond uit had gezet, en besloot
om hem nog niet aan te doen. Stephanie had boodschappen ingesproken, en daar werd ze nerveus van. Niet om wat ze had gezegd, maar om
hoe ze het zei. Katie hoorde de spanning in Stephanies stem, en de bijna
onmerkbare ondertoon van irritatie. Ze wist best waarom. Stephanie
was waarschijnlijk boos omdat ze haar niet eerst had gebeld voor ze
met de kliniek in Londen had gebeld. Ze was ook zo impulsief, altijd
al geweest ook. Ook had ze het idee dat Stephanie het niet zo'n goed
plan zou vinden. Stephanie was tegenwoordig toch al zo afkeurend.
Trouwens, Stephanie zou haar dat hele verhaal over die hond nooit
hebben verteld als ze niet ergens in haar onderbewuste had gewild dat
Katie iets met die informatie zou doen. Over een paar dagen zou ze
haar wel een keertje terugbellen, dan kon ze een beetje afkoelen.

Ze flapperde over de weg op haar teenslippers, en haar lange rok
sleepte een beetje door het zand. Owen had een keer tegen haar gezegd
dat hij de voorkeur gaf aan aardse vrouwen, heel anders dan zijn ex,
Miriam, met haar geföhnde hoofd en het geklik van haar pumps. Hij
hield van vrouwen die belangrijker dingen aan hun hoofd hadden dan
hun uiterlijk, en die zich in elk geval niet druk maakten om de prijs

en het merk van hun kleding. Echte vrouwen, had hij vertrouwelijk gezegd. Vrouwen zoals Katie, dat impliceerde hij tenminste: zorgzaam, moederlijk en zacht. Ze droeg haar lange haren los, in krullen om haar schouders. Ze droeg zilveren oorringen met jade, want daar had hij ooit iets aardigs over gezegd, en een haltertopje zonder beha. Dat was misschien een beetje te, op haar leeftijd, maar ze wist zeker dat ze zo zijn aandacht wel zou trekken. Het was fris, en dus trok ze haar roze capuchontrui over haar topje aan. Die zou ze uittrekken zodra ze de hoek omsloeg naar Owens bushalte.

Het bleek dat ze vroeg was; hij was er nog niet, dus moest ze nog een blokje om, want ze wilde nonchalant op hem af slenteren. Timing was heel belangrijk – als ze te vroeg was, moest ze nog een blokje om, en was ze ook maar een minuut te laat, dan zou hij al in de bus zitten. Toen ze voor de tweede keer aan kwam lopen zag ze zijn groene, gewatteerde jack, en haar hart maakte een sprongetje. Jezus, ze had het echt flink te pakken. Ze haalde een paar keer diep adem om rustig te blijven. Doe relaxed, sprak ze zichzelf toe.

Owen staarde de weg af in de richting van waar de bus zou komen. 'Hi,' zei ze om zijn aandacht te trekken, en hij draaide zich langzaam om. Hij keek niet echt verbaasd, maar ook niet echt blij om haar te zien, vond ze.

'Hi,' zei hij met vlakke stem, en draaide zich weer om, duidelijk in de verwachting dat zij door zou lopen.

Oké, dacht ze, dit wordt moeilijker dan ik hoopte. Ze ging naast hem zitten op het houten bankje. 'Hoe gaat het?' vroeg ze.

Owen keek haar met tegenzin aan. 'Best.'

'Ik mis onze sessies,' zei Katie. 'Ik vroeg me af of je erover gedacht hebt om de draad weer op te pakken.'

'Heb ik geen tijd voor.'

'Ik werk tegenwoordig ook 's avonds, hoor. En in het weekend. Ik open binnenkort een echte spa in de oude dierenkliniek.'

'Goed, zeg,' zei hij, en hij klonk oprecht. 'Dat wilde je toch altijd al.'

Ja, hij was aan het ontdooien, dacht Katie, ook al hapte hij niet meteen toe. De bus kwam de hoek om, en Owen stond op. Katie ging ook staan, met haar kleingeld in de aanslag.

'Nou, tot ziens dan maar weer, hè,' zei Owen terwijl hij instapte.

Katie liep achter hem aan. 'O, maar ik ga ook met de bus. Ik moet iets in de stad doen.' Ze wist best hoe suf dat klonk. Wat had ze in godsnaam in Lincoln te zoeken om halfzeven 's ochtends? 'Ik ga zwemmen,' zei ze snel. 'In het openbare zwembad. Die zijn tegenwoordig heel vroeg open zodat mensen kunnen zwemmen voor ze naar hun werk gaan.'

Owen keek haar sceptisch aan. 'Met Stanley?'

'Hij blijft buiten wachten. Ze hebben van die haken waar je de riem aan kunt vastbinden…' Ze maakte haar zin niet af. Het klonk belachelijk. Het was zo overduidelijk dat ze zat te liegen. Owen ging achter in de bus zitten, en zij nam naast hem plaats. Zo had ze hem achttien minuten klem. Ze besloot om maar meteen ter zake te komen.

'Owen, ik zat te denken, hè, ik zou graag ingaan op jouw uitnodiging voor dat etentje.'

'Welk etentje?'

Ze kon niet uitmaken of hij het echt niet meer wist, of dat hij expres zo traag van begrip deed. Hij was duidelijk nog steeds boos op haar. Misschien wilde hij haar wel een beetje pesten.

'Je zei toen toch dat je me een keer mee uit eten wilde nemen – weet je nog? Om me te bedanken dat ik zoveel geduld heb gehad met jouw terugbetalingen.' Owen had regelmatig een envelopje met geld bij haar onder de deur door geduwd – altijd als ze niet thuis was. Nog maar twintig pond en dan was zijn hele schuld afbetaald.

'Jou en James,' zei hij. 'Ik heb aangeboden om jou en James mee uit eten te nemen.'

Wat deed die man moeilijk. 'Ja, dat zit er nu natuurlijk niet meer in. Dus ik dacht, misschien wil je wel met mij alleen. Het was tenslotte ook omdat je mij iets verschuldigd was, niet hem,' zei ze, een beetje feller dan de bedoeling was. Waarom hapte hij nou niet gewoon?

'Sorry, Katie. Ik denk niet dat mijn vriendin dat leuk vindt.'

Katie had het gevoel alsof hij haar in de maag had gestompt. Ze probeerde – bijna met succes – de schok uit haar gezicht te houden. 'Je vriendin?'

Owen glimlachte zo zenuwachtig dat ze wist dat hij probeerde in te schatten in hoeverre dit haar zou kwetsen, en dat baarde haar zorgen. 'Danielle Robinson. Ze woont bij ons in het dorp. Ken je haar?'

Katie kende haar. Danielle Robinson was een doodgewoon, onopvallend meisje – enfin, een vrouw inmiddels, want ze was ergens in de dertig – die voor de huisarts in het dorp werkte. Maar als Owen mocht kiezen tussen en haar en Katie, dan was dat toch niet zo moeilijk?

'O, die begrijpt dat vast wel. Jullie zijn toch niet verloofd, of zo? Ik bedoel, hoelang hebben jullie nou helemaal verkering?'

'Een paar maanden,' zei Owen, en Katie viel bijna van haar stoel. Een paar maanden? Dus zij was al die tijd 's ochtends voor dag en dauw opgestaan om voor Owen langs te huppelen bij de bushalte, terwijl hij allang een ander had? 'En ik denk dat ze het inderdaad wel zou begrijpen, want het is een heel aardige, begripvolle meid, en ze is totaal niet bezitterig, maar ik zou me er toch niet goed bij voelen. Sorry.'

'Maar ze is zo… gewoontjes,' flapte Katie eruit. Dit sloeg toch nergens op. Owen was al eeuwen stapelverliefd op haar, dat wist ze gewoon zeker.

Hij keek haar vol medelijden aan. 'Jeetje, Katie, wat is er toch met je gebeurd? Ik dacht altijd dat jij zo'n lieve vrouw was. Het spijt me echt vreselijk wat je allemaal hebt doorgemaakt, echt waar, maar het is jammer dat je daardoor zo bent veranderd.'

Ze zaten een paar minuten zwijgend naast elkaar, en toen stond Katie op en drukte de stopknop in.

'Maar je moest toch naar het zwembad?' riep Owen haar nog na terwijl ze door het gangpad liep.

'Ik ben van gedachten veranderd,' riep ze terug terwijl ze hard aan Stanleys riem trok om te zorgen dat hij doorliep.

Zodra ze uit was gestapt stak ze de weg over en ging op zoek naar de bushalte voor de bus terug. Hoe durfde hij haar zo de les te lezen? Wat wist Owen nou van goede mensen? Dit was de man die de vaas van zijn vrouw door haar serreraam had gegooid en die iets smerigs had gedaan met een stuk varkensvlees. Dit was de man die haar in vertrouwen zijn uitvoerige fantasieën had verteld over hoe hij wraak wilde nemen op zijn vrouw en haar minnaar. Haar verliefdheid op hem was in een oogwenk verdampt, en ze werd er misselijk van als ze eraan dacht dat ze hem zo overduidelijk had zitten versieren.

Ze greep in haar zak en trok haar mobieltje eruit. Zodra ze dat aanzette, begon het te piepen. Alweer een sms'je van Stephanie. 'Bel me.' Dat was vast binnengekomen toen ze gisteravond haar telefoon uit had gezet. Toen volgde er een belletje van haar voicemail. Ze luisterde lang genoeg om te horen dat het Stephanie was. Toen zette ze haar telefoon weer uit. Hier had ze nu geen trek in.

49

T ELKENS ALS ZE HAAR GLAS champagne leeg had, werd het
weer bijgevuld door een langslopende ober, net zolang totdat
Stephanie absoluut geen idee meer had hoeveel ze al ophad
maar ze wel zeker wist dat de ruimte om haar heen tolde en dat ze nu
toch echt een slok water nodig had voordat ze knock-out zou gaan of
iets gênants zou doen, of allebei. Meredith had haar overvallen met de
vraag of ze met haar mee wilde naar de soap awards als haar introducé.
Natasha zou helemaal losgaan met grappen over dat iedereen zou
denken dat Stephanie Merediths nieuwe vlam was, en wat ze zouden
dragen op hun bruiloft. Maar Stephanie had het haar uiteraard niet
verteld, omdat ze haar uit de weg ging, wat niet meeviel aangezien ze
de hele dag bij elkaar op kantoor zaten. Stephanie probeerde de week
voor de uitreiking zo veel mogelijk thuis te werken en op bezoek te
gaan bij klanten thuis. Ze liet af en toe een kort bericht achter voor
Natasha, met het verzoek of zij dit of dat wilde regelen.

Toen Meredith belde, dacht ze: wat krijgen we nou? Maar haar
agenda puilde niet bepaald uit van de afspraken en misschien kon
ze wel nieuwe klanten werven (hoe, dat wist ze niet, want je stapt
natuurlijk niet zomaar op iemand af met de mededeling: 'Jij ziet er
niet uit, heb je wel eens overwogen om een stylist in te huren?'). Michael zou er zijn als een van de officiële fotografen die de gelukkige
winnaars met hun trofee op de kiek zouden zetten, dus ze kon altijd
backstage bij hem gaan zitten en doen alsof ze zijn assistente was, als
ze daar zin in had.

Gisteravond had ze hem eindelijk verteld dat ze het met hem eens
was – het was tijd om samen te gaan wonen.

'Echt?' had Michael gevraagd, met een glimlach van oor tot oor.
'Echt waar? Weet je het zeker?'

'Ik moet het alleen nog wel met Finn bespreken,' zei Stephanie toen, en ze moest lachen om zijn reactie.

'Ja, tuurlijk. En als hij het te vroeg vindt, dan wachten we natuurlijk. Wat hij wil.'

Hij wilde dat alles helemaal keurig verliep, en dat iedereen blij en gelukkig was. Hij was extatisch, bestelde een fles champagne en kneep in haar hand. Het voelde goed om degene te zijn die hem zo gelukkig maakte.

Ze wist dat ze het James vroeg of laat moest vertellen. Ze vermoedde dat hij het niet zo leuk zou vinden – hij koesterde duidelijk nog steeds hoop dat het op een dag weer goed zou komen, wat ze ook had gedaan om hem aan zijn verstand te brengen dat dat nooit meer zou gebeuren. Ze moest gewoon het juiste moment kiezen. O, wat was het toch allemaal complex.

Vandaag was James de hele dag bij Finn, terwijl zij toezicht hield op Merediths haar en make-up. Meteen toen ze hem vertelde over Merediths uitnodiging had hij gezegd dat hij het hartstikke leuk zou vinden als Finn bij hem kwam logeren in zijn piepkleine nieuwe studio aan Finchley Road. Hij had uiteindelijk besloten om toch maar te gaan huren totdat hij een koophuis had gevonden dat hij kon betalen. Hij had de studio gevonden via het plaatselijke krantje en hij was er een week geleden ingetrokken, nadat hij met de huisbaas was overeengekomen dat hij de eerste maand huur mocht houden als hij het huis van onder tot boven zou schilderen, en wat kleine reparaties zou doen. Dat was niet bepaald veel werk, want het was echt maar een kleine ruimte.

Hij had een slaapbank die hij overdag inklapte, vertelde hij haar en Finn. Er was een tweepits gasstel, een ijskast en een magnetron in de ene hoek, en een piepkleine douche met een toilet in de andere. Het mocht dan maar klein zijn, nu hij het een lik verf had gegeven was het wel schoon en van hem, en dus een hele verbetering vergeleken met het Travel Motel.

James had tegen Finn gezegd dat hij altijd mocht komen logeren als hij daar zin in had. Dan sliep hijzelf wel op een luchtbed op de grond, want dat had hij speciaal daarvoor aangeschaft. Sindsdien zeurde Finn voortdurend bij Stephanie wanneer hij nou eens mocht komen. Ze wist niet of het wel zo'n goed idee was, maar toen ze James vertelde over haar plannen voor de avond en hij zijn aanbod had herhaald, vond ze dat toch de beste oplossing. Finn was bijna flauwgevallen van opwinding.

Ze nam een grote slok water, en meteen was ze een stuk helderder in haar hoofd. Ze keek om zich heen, op zoek naar Meredith, die nog meer had gedronken dan zij, omdat ze geheel tegen de verwachtingen in had gewonnen. Ze had een hoffelijke speech gehouden, waarbij ze zo ongeveer iedereen bedankte die ze ooit in haar leven had ontmoet, onder wie Stephanie, hoewel ze goddank niet zover ging dat ze ook Onze-Lieve-Heer bedankte. Nu genoot ze van de onoprechte complimenten van producenten en regisseurs die haar gisteren nog niet eens voor een auditie zouden willen uitnodigen, laat staan dat ze echt met haar hadden willen werken. Zelfs Stephanie begreep dat wat ze haar allemaal beloofden aan nieuwe rollen hooguit een paar weken standhield, totdat een van de andere soapsterren haar titel van Snoepje van de Maand overnam. Maar ze was blij dat Meredith nu zo aan het genieten was van haar moment in de spotlights.

Stephanie keek op haar horloge. Het was bijna middernacht. De uitreiking had eindeloos geduurd, en was pas klaar om tien voor tien. Daarna was er een diner, met copieuze hoeveelheden wijn. Stephanie zat tussen een van de regisseurs van de soap en de vrouw van een acteur die ook voor het een of ander in de prijzen zou vallen. Beiden hadden gezegd dat ze wel in haar diensten geïnteresseerd waren, en hadden haar telefoonnummer gevraagd, dus echt een verloren avond was het nou ook weer niet. Michael had een uur geleden al afscheid genomen – hij moest zijn foto's uitzoeken, zodat de beste beschikbaar waren voor de kranten van morgenochtend. Hij had gevraagd of ze met hem meewilde, en ze had eigenlijk ja moeten zeggen, maar ze vond het zo onbeleefd om midden in haar lamsrack op te staan en weg te lopen. Ze beloofde dat ze hem zou bellen zodra ze veilig en wel onderweg naar huis was.

Maar nu de mensen werden aangespoord om naar de andere zaal te gaan om te dansen, en ongetwijfeld om nog meer te drinken, vond ze het welletjes. Het viel niet mee om te praten met mensen die je helemaal niet kende en die er geen enkel belang bij hadden om met jou te praten. Het was leuk geweest, een ervaring – en leerzaam, omdat ze in elk geval met eigen ogen had gezien dat dit soort evenementen van buiten bezien spatten van de glamour, maar dat ze eigenlijk stomvervelend waren als je er bij was – maar nu wilde ze naar bed.

Ze dronk nog een glas water en liep naar de plek waar Meredith audiëntie hield, om haar gedag te zeggen. Zoals Stephanie wel had gedacht, drukte Meredith haar tegen haar gulle boezem en bedankte haar nog maar eens voor alles, alsof ze haar prijs aan Stephanies smaak in kleding te danken had.

'Het is een aardige vent,' zei Meredith. Michael had een foto gemaakt van Meredith en haar trofee, en hij had haar dit keer duidelijk meer weten te charmeren dan bij hun vorige ontmoeting.

'Dat is hij, ja,' zei Stephanie, en ze gaf haar nog een knuffel. 'Ik heb besloten dat hij bij me in mag trekken.'

Meredith glimlachte. 'Mooi zo. Als jij dat het beste vindt, dan is dat zo. Ik ben blij voor jullie. Wat zegt je man ervan?'

Stephanies gezicht betrok. 'Die heb ik het nog niet verteld,' zei ze. 'Hij heeft het toch al zo moeilijk momenteel. Sterker nog, o, god, ik weet niet hoe ik dit nou moet zeggen…'

Meredith trok Stephanie in een stoel en duwde haar nog maar een glas champagne in de hand. 'Wat is er?' vroeg ze.

En Stephanie vertelde het hele verhaal: van het plan om James terug te pakken, en hoe dat uit de hand was gelopen, en hoe ze het nu helemaal niet meer onder controle had. 'Het punt is,' hoorde ze zichzelf zeggen, 'ik voel me schuldig. Het was nooit mijn bedoeling dat het zo ver zou gaan.'

'Wraak doet rare dingen met een mens,' zei Meredith als een wijze oude tante met een slok op. 'Of je vindt het geweldig, of je voelt je net zo slecht als degene op wie je wraak wilt nemen. Die Katie hoort duidelijk tot de eerste categorie.'

'En ik bij de tweede, geloof ik. Ik dacht dat ik me er sterker door zou voelen. En dat was ook wel even zo, hoor.'

'Maar nu vind je jezelf een trut.'

'Precies. Praat jij soms uit ervaring?'

Meredith lachte. 'Degene met wie ik heb samengewoond, weet je nog? Dat ging niet uit omdat ik toch liever niet wilde. Dat ging uit omdat ik op een dag thuiskwam en haar in bed vond met een van onze kennissen.'

Stephanie zweeg even, en haar wijnglas bleef in de lucht hangen.

Zei Meredith nou net 'haar'? Ze had haar armen wel om haar heen willen slaan om te zeggen: 'Wat fijn dat je me in vertrouwen neemt'. En dan zou ze willen zeggen dat ze niet met zo'n leugen moest leven en dat de wereld tegenwoordig echt anders was, maar ze was bang dat ze Meredith misschien toch verkeerd had verstaan, of dat die zich zou generen als ze er de aandacht nog een keer op vestigde. Dus hield ze haar mond en wachtte af wat Meredith nog meer te zeggen had.

'Maar goed, toen dacht ik dus: ik krijg je wel. Zij was ook actrice, en ik hoorde dat ze eindelijk kon doorbreken met een vaste rol in een langlopende serie. Toen heb ik de producent gebeld, en ik deed alsof ik haar agent was. Ik zei dat ze de rol niet wilde. En daarna heb ik haar agent gebeld en deed ik net alsof ik van het productiebedrijf was. Hem maakte ik wijs dat de producenten toch voor iemand anders hadden gekozen. Ik ben altijd al goed geweest in stemmetjes.'

Stephanie lachte. 'Dat was wel erg ingenieus, moet ik zeggen.'

'Dat wel, ja. En ik voelde me er een paar maanden geweldig onder. Ik zou bijna zeggen: sterk. Maar ongeveer een jaar later hoorde ik dat ze nog steeds nergens werk kon krijgen, en toen voelde ik me slecht. Echt slecht. Ik had haar hele leven verziekt, haar hele carrière. Oké, zij had nooit mogen doen wat ze had gedaan, maar mijn actie veranderde daar niets aan. Het vlakte haar daden niet uit, bedoel ik. Uiteindelijk hebben we ons dus allebei misdragen, daar komt het op neer.'

Stephanie zuchtte. 'Ik weet niet wat ik nu moet doen.'

'Nou, volgens mij kun je twee dingen doen. Of je weet Katie ervan te overtuigen dat ze hiermee moet stoppen, of je vertelt James het hele verhaal, zodat hij zich tegen haar kan wapenen.'

'O, god.'

'Maar eerst moest jij maar eens naar huis en naar bed. Schiet op, ik help je wel om je jas te zoeken.'

Toen Stephanies taxi bij haar huis stilhield, zag ze dat het hele huis donker was, en ze vervloekte James in stilte omdat hij geen lichtje voor haar had aangelaten. Hij wist toch dat ze laat thuis zou zijn? Toen ze wegging waren Finn en hij aan het voetballen in de tuin. Finns tas was gepakt voor het logeerpartijtje. James zou hem de volgende ochtend terugbrengen – niet te vroeg, hadden ze afgesproken, voor het geval Stephanie met een kater zat en wilde uitslapen. Ze deed de deur open en struikelde bijna over Finns rugzak die op de grond lag. Boven op de rugzak lag een briefje: 'Stephanie,' stond er, 'Finn kon niet wennen in mijn huis. Hij zei dat hij bang was en dat hij naar huis wilde, dus heb ik hem weer hier gebracht. Ik lig zelf op de bank. Sorry. Ben morgenvroeg meteen weer weg. Hoop dat je een leuke avond hebt gehad. James.'

In de keuken trof ze de restanten van hun avondeten aan – pasta met tomatensaus, een van Finns lievelingsmaaltjes – in een tupperwaredoosje. De borden en pannen waren keurig in de afwasmachine gezet. Stephanie sloop op haar tenen naar de zitkamer en deed de deur voorzichtig open. Ze zag een hoop dekens met daaronder iets wat James moest zijn.

Zonder te weten waarom, deed ze haar schoenen uit en liep ze de kamer in. Ze werd overmand door de behoefte om naar hem te kijken terwijl hij daar lag te slapen, zich totaal niet bewust van haar aanwezigheid. Ze kende hem niet terug, dacht ze. Hij leek helemaal niet meer op de man met wie ze al die jaren getrouwd was geweest – maar ja, kennelijk kende ze de man met wie ze al die jaren getrouwd was geweest ook niet zo goed. De man met wie ze ooit trouwde was succesvol, vol zelfvertrouwen en knap om te zien. Die man zou nooit een baard hebben laten staan en hij zou ook nooit twee dagen achter elkaar dezelfde kleren hebben gedragen. Die man zou ook zeker nooit pasta met tomatensaus voor zijn zoon hebben gekookt. Deze uitvoering vond ze veel leuker, deze vreemde man die nu op haar bank lag te slapen. Deze man nam zijn verantwoordelijkheden serieus, en ze kon zich niet voorstellen dat hij er ooit twee vrouwen op na zou houden, zozeer ging hij gebukt onder het schuldgevoel over wat hij in het verleden had uitgevreten. Maar ja, waarschuwde ze zichzelf – van de oude James had ze ook nooit gedacht dat hij er twee vrouwen op na zou houden. Dat was juist het punt. Hij had haar bedrogen. Ze moest scherp voor ogen houden dat deze man in staat was om haar ongehoord te belazeren. Hem pijn doen had haar geen goedgedaan, zoals ze had gedacht. Meredith had gelijk – nu waren er twee mensen die zich allebei even vreselijk gedroegen. Wat had dat voor zin?

Hij zag er zo ontzettend vredig uit, zoals hij daar nu lag, en Stephanie wilde hem zo graag even over zijn voorhoofd strelen, zoals ze ook altijd bij Finn deed, als die ziek was. James bewoog even, en dat geluid schudde Stephanie wakker uit haar overpeinzing. Waar ben ik nou mee bezig? dacht ze, en ze draaide zich snel om, waarbij ze bijna een fotolijstje omstootte. Ik heb echt veel te veel gedronken. Ik moet naar mijn bed.

James bewoog nog een keer. 'Hallo,' zei hij slaperig.

'Ik ben dronken,' zei Stephanie, alsof dat moest verklaren waarom ze net over hem heen gebogen stond. 'Ik, eh… ik zocht iets.'

James kwam half overeind, en ze merkte dat ze verlegen werd bij de aanblik van zijn blote bast. 'Mooi zo. Was het leuk?'

'Ja, hartstikke leuk. Maar nu moet ik naar bed, hoor.'

'Heb je zin in thee?' vroeg hij, en ze probeerde zich te bedenken wanneer hij voor het laatst had aangeboden om midden in de nacht een kop thee voor haar te zetten. Nee, ze kon hem echt niet vertellen dat zij verantwoordelijk was voor al de dingen die hem de laatste tijd waren overkomen.

'Nee, dank je. Ik moet echt mijn bed in.'

'Nou, slaap lekker,' zei hij, en hij trok de dekens weer over zich heen.

'Slaap lekker.'

50

STEPHANIE KON WEL EEN PAAR dingen verzinnen die ze liever zou doen dan ruim twee uur in de trein zitten op weg naar Lincoln om Katie tot de orde te roepen. Zo zou ze bijvoorbeeld liever haar eigen arm er afscheuren, of zonder een druppel drank op naar een concert van Westlife gaan. Maar ze had geen keus, vond ze. Ze moest ervoor zorgen dat Katie ophield met waar ze mee bezig was – ze had alleen geen idee wat ze zou gaan zeggen. Om weer naar Lower Shippingham terug te gaan was op zich al erg genoeg, omdat ze de kans liep dat ze mensen tegen zou komen die ze half en half kende, en dat die haar dan zouden condoleren met haar op de klippen gelopen huwelijk. Grappig dat het haar nog maar een paar maanden geleden zo'n goed idee had geleken – lollig zelfs – om onaangekondigd op James' verjaardagsfeestje te verschijnen. Dit keer was het plan om zo snel mogelijk weer te vertrekken. Wist ze nou maar hoe ze het aan zou pakken.

Terwijl ze op King's Cross naar het perron liep ging haar mobiel over. Het was Pauline, haar schoonmoeder. Stephanie en James hadden geen van beiden de moed kunnen vatten om haar en John te vertellen dat ze gingen scheiden. Het zou hun hart breken. Stephanie had Finn al twee keer de mond kunnen snoeren toen Finn iets zei over dat papa op bezoek kwam, of over zijn kamer in het Travel Motel. Uiteindelijk had ze tegen Pauline gezegd dat die haar maar het best op haar mobiel kon bellen, tegenwoordig, omdat ze zo vaak onderweg was. Ze wilde niet aan Finn vragen om te liegen.

Ze overwoog om niet op te nemen – ze was niet in de stemming voor een gezellig kletspraatje over hoe gelukkig ze toch met z'n allen waren en ze was bovendien altijd bang dat Pauline zou merken dat ze loog. Maar ze vond het wel rot. Ze wist dat Pauline zich zorgen maakte over wat het kostte om naar een mobieltje te bellen, want ze dacht dat een gesprek van vijf minuten even duur was als urenlang bellen met iemand in Amerika. En als hij dan op voicemail sprong, raakte ze in paniek omdat ze niet wist of ze een bericht moest inspreken of niet, en hoe duur dat wel was.

Met tegenzin nam Stephanie dus maar op. 'Hallo, Pauline. Ik bel je meteen terug,' want dat deed ze altijd,

'Goed, kind,' zei Pauline, en Stephanie vond dat ze een beetje bibberig klonk. Ze hield zich in en vroeg niet of alles wel in orde was – dat deed ze dadelijk wel voor haar eigen rekening – en hing op zonder te groeten. Meteen belde ze terug.

'Is er iets mis?' vroeg ze toen Pauline opnam.

'Nee. Nou ja, zolang het maar goed gaat met jou en James, dan is er niks mis.'

Stephanie kreeg het ineens op haar heupen. 'Waarom zou het niet goed gaan met ons?' Jezus, ze moest het toch echt een keer aan haar vertellen. Dit sloeg nergens op. Ze had een flauw vermoeden dat James haar had gevraagd om nog niets aan zijn ouders te vertellen, omdat hij hoopte dat ze uiteindelijk toch bij elkaar bleven, en dan was het onnodig. Het gaf haar een ongemakkelijk gevoel.

'Het is alleen… Ik heb zo'n raar telefoontje gehad. Ik moest vanochtend naar de kapper, en…' Pauline was niet in staat om een verhaal in een keer te vertellen: ze moest ook altijd alle dingen die eraan voorafgingen kwijt, en wat ze aanhad, en hoe ze zich voelde. Stephanie moest zich inhouden om niet te gaan gillen: 'Zeg nou, wat is gebeurd!'

'…want ik ga altijd naar de kapper op donderdag, dat weet je. Dan rekenen ze half geld als je voor tienen komt, en ze zijn al vanaf acht uur open, en dat vind ik fijn, want ik ben toch altijd vroeg op. Nou, vandaag was ik toevallig aan de late kant, want onderweg kwam ik Mary Arthur tegen. Ken je die nog? Mary? Ze kwam een keer langs toen jij hier was met James. Een keer met kerst. Klein vrouwtje. En nogal rond.'

Stephanie rolde met haar ogen. Ze keek naar de grote klok in de stationshal. Ze had nog tien minuten voor haar trein naar Lincoln zou vertrekken. 'Ja, die kan ik me nog wel herinneren,' zei ze snel, in de hoop dat Pauline uit haar toon kon opmaken dat ze niet zat te wachten op een uitweiding over Mary's vele voortreffelijke kwaliteiten.

'Ze was aan het wandelen met de hond. Lief beest. Harig. Ik weet niet wat voor ras. Nou goed…'

Stephanie trok het niet meer. 'En toen? Toen je terugkwam van de kapper?'

'Nou, het punt is juist dat ik pas na halftien thuiskwam. Tegen de tijd dat ik bij Morrisons ben geweest, nou ja, je weet wel – daar is het 's ochtends soms zo druk, met al die mensen die op weg zijn naar hun werk.' Ze wachtte tot Stephanie iets instemmends zei. Dat deed ze niet. Ze zweeg in de hoop dat Pauline de hint zou vatten.

'En toen ik thuiskwam stond er een boodschap op het antwoordapparaat. Had ik al gezegd dat John naar het postkantoor was?'

'Van wie?' vroeg Stephanie, en ze voelde zich heel misselijk worden. 'Van wie was die boodschap?'

'Nou, daar bel ik dus over. Het was van iemand die zei dat ze een vriendin was van jou en James. Ze zei dat ze ons moest spreken. En toen dacht ik dat jullie misschien een ongeluk hadden gehad. Dat er iets ergs was. Jeetje, ik kan echt wel een borreltje gebruiken.'

'Zei ze haar naam?' vroeg Stephanie, die al wist wat het antwoord was.

'Ik geloof dat ze Katie zei. Maar er is dus niks aan de hand, toch? Met James ook niet?'

'Nee, met ons gaat alles prima,' zei Stephanie. Ze moest als de donder ophangen en meteen Katie te pakken zien te krijgen.

'Dan vraag ik me toch af waarom ze ons nou belde. Heb jij enig idee?'

'Nee, geen idee. Luister, Pauline, je moet haar maar niet terugbellen. Het is helemaal geen vriendin van ons. Ze is… nou ja, we kennen haar wel, maar ze is gewoon een beetje typisch, dat mens. Niet gevaarlijk, maar wel een beetje gek,' zei ze, en omdat ze bang was dat Pauline nu visioenen zou krijgen van een gevaarlijke bijlmoordenares voegde ze er vlug aan toe: 'Ze is gewoon een beetje raar. Niet goed bij haar hoofd.' En toen ze dat zei, bedacht ze ineens dat het nog waar was ook. Katie was waarschijnlijk echt niet helemaal goed bij haar hoofd.

'Dus als ze nog een keer belt, moet je maar niet opnemen.' Ze vroeg zich af of ze Pauline niet beter ter plekke het hele verhaal kon vertellen, en moest zeggen: 'Het zit zo: James en ik zijn uit elkaar, en die Katie was de Andere Vrouw, maar ik wilde jullie niet ongerust maken,

296

want verder is er niets aan de hand.' Maar dat was niet aan haar. James moest het zijn moeder vertellen. Bovendien zou ze het niet trekken, het verdriet en de teleurstelling in de stem van haar schoonmoeder.

'Hoe weet ik dan dat zij het is?' vroeg Pauline zenuwachtig.

'Nou, als je haar toch aan de lijn krijgt, moet je maar niet met haar praten. Zeg maar gewoon dat je het druk hebt, en dat je haar later terugbelt. Ik probeer haar intussen wel te bellen, dan zal ik eens vragen wat ze wil. Waarschijnlijk is ze ons telefoonnummer kwijt, zoiets, en wil ze dat aan jou vragen,' zei ze, plotseling geïnspireerd.

'Ik kan haar jouw nummer toch gewoon geven? Of dat van James, is dat soms beter?'

'Als je maar geen gesprek met haar begint, Pauline. Ze heeft een heel eigenaardig gevoel voor humor – en ik weet zeker dat ze iets gaat zeggen waar jij van schrikt, want zo is ze. Een beetje getikt.'

Pauline voelde natuurlijk aan haar water dat er iets niet klopte. Haar act van lief oud dametje was leuk en aardig, maar ze was niet op haar achterhoofd gevallen. Als Stephanie er nou maar voor kon zorgen dat ze een gesprek tussen haar en Katie uit kon stellen, dan kon ze tenminste tegen James zeggen dat die naar zijn ouders moest om hen van de scheiding te vertellen.

'Oké, als jij dat liever hebt,' zei Pauline voorzichtig.

Stephanie holde naar de trein. Ze wist nu al helemaal niet meer of het wel zo'n goed idee was om naar Lincoln te gaan, maar als Katie haar telefoon niet opnam en nooit terugbelde, had ze verder geen keus. Ze had niet echt de hoop dat ze ervoor kon zorgen dat Katie ophield met haar rare plannen, maar ze had het gevoel dat ze iets moest doen. Ze kon er niet meer omheen: ze had de hulp van James nodig. En vragen om zijn hulp hield in dat ze hem de hele waarheid moest vertellen.

'Raad eens,' zei hij vrolijk toen hij zijn telefoon opnam. 'Ik heb een baan!' Hij zweeg triomfantelijk en wachtte haar reactie af, maar Stephanie kon zich nu niet laten afleiden. Bovendien drong het nauwelijks tot haar door wat hij zei.

'James, ik moet je iets vertellen, maar het hele verhaal moet wachten tot later. Je moet nu je ouders bellen, en ze zo lang mogelijk aan de praat houden. Het liefst zo'n tweeëneenhalf uur,' zei ze, en ze moest er bijna om lachen, zo idioot was dit. 'Je moeder vertelde me net dat ene Katie geprobeerd had om haar te bellen. Ik denk dat ze haar alles gaat vertellen.'

'Jezus! Maar hoe komt ze nou… ik bedoel…'

'Ik vertel je later wel hoe het precies zit. Maar ik ga nu proberen om Katie zelf te bellen, om haar op andere gedachten te brengen.'

'Heb je haar nummer nodig?'

'Nee, dat heb ik al. O, en ik ben nu op weg naar Lower Shippingham, om met haar te praten.'

Stephanie hoorde James komisch sputteren, tenminste, onder andere omstandigheden was het komisch geweest. Het was duidelijk te veel voor hem om meteen te kunnen bevatten. 'Ik leg het je later allemaal uit, dat beloof ik. Het belangrijkste is dat we er nu voor zorgen dat Pauline en John niet ook betrokken raken bij deze puinhoop, oké? Hou haar maar gewoon zo lang mogelijk aan de praat, en hopelijk krijgt Katie dan genoeg van het proberen. Meer kunnen we nu niet doen.'

'Ik kom daar ook naartoe,' zei James, en Stephanie merkte dat dat haar lucht gaf. Eerlijk gezegd wilde ze dit niet alleen opknappen. 'Ik bel je straks,' zei hij, en hij hing op.

Stephanie zat in de treincoupé en begon met het eindeloos bellen van Katies nummer, steeds maar weer. Ze sprak het ene na het andere bericht in, en vroeg haar om zich niet te verlagen door John en Pauline te bellen. Ze had al weken geleden tegen James gezegd dat ze het prima vond om Katies bestaan voor altijd voor zijn ouders geheim te houden, als hij dat beter vond. Ze konden hun best vertellen dat ze uit elkaar waren gegroeid, en dat ze als vrienden uit elkaar waren gegaan, om het heilige imago van hun zoon in stand te houden. Ze wilde dat doen waar John en Pauline het minst onder zouden lijden. Waarom had ze het toen niet meteen verteld? Dan waren ze nu in elk geval gewend aan het idee van hun scheiding. Dan hadden ze zich verzoend met het idee van hun zoon met andere vrouwen. Dan was deze hele geschiedenis niet zo hartverscheurend.

51

NA ONGEVEER EEN HALFUUR NAM Stephanie even pauze, zodat haar kloppende duim wat rust kon nemen. Bijna onmiddellijk ging haar telefoon over, en een stem meldde dat ze een nieuw bericht had.

'We zijn wel een tijdje safe,' hoorde ze de stem van James zeggen. 'Ik heb ze overgehaald om een paar uurtjes bij vrienden te gaan zitten. Bel me terug.'

Stephanie zuchtte diep. Nu het risico dat Katie Pauline en John te pakken zou krijgen even wat kleiner was, moest ze onder ogen zien dat ze James de waarheid zou moeten vertellen. Niet dat ze bang was dat hij kwaad op haar zou worden – hij had tenslotte geen enkel recht van spreken – maar ze vond het gewoon helemaal niet leuk om het te moeten vertellen. Met tegenzin koos ze zijn nummer.

'Ik zit nu op de A1,' schreeuwde hij toen hij opnam. 'Jij hoeft hier helemaal niet verder bij betrokken te raken, Steph. Dit is mijn rotzooi. Ik regel het wel.'

Stephanie deed haar ogen dicht. 'Maar het is voor een deel ook mijn rotzooi. Ik zal je straks wel uitleggen waarom.'

Ze negeerde zijn smeekbede om nu al te zeggen wat ze daar toch mee bedoelde. Het zou moeilijk genoeg zijn zonder om de zoveel minuten onderbroken te worden door de trein die een tunnel in reed of de man met de versnaperingen die wilde weten of je een gratis zakje pinda's bij je koffie bliefde.

Ze spraken af dat ze elkaar zouden zien op het station van Lincoln, en dat ze dan samen naar Lower Shippingham zouden rijden. Dat was niet echt een gedetailleerd plan, maar meer konden ze zo snel niet verzinnen.

Katie was het zat om steeds maar weer het nummer van Pauline en John in te toetsen. Die mensen leken wel volcontinu in gesprek. Het was trouwens toch zomaar een ideetje. Ze wilde James' ouders niet kwetsen – dat was in elk geval niet het primaire doel, en ze wilde er ook niet te lang bij stilstaan of dat misschien een van de gevolgen zou kunnen zijn. Wat ze wilde was James straffen voor de manier waarop hij haar had vernederd met Owen. Ze twijfelde er niet aan dat als James niet zou hebben gedaan wat hij had gedaan, zij zich niet met- een aan de eerste de beste – en kennelijk ook weer bezette – man zou hebben aangeboden, om vervolgens het lid op de neus te krijgen. In een bus. Om halfzeven 's ochtends. Terwijl ze net deed alsof ze wilde gaan zwemmen.

Ze nam aan dat James zijn ouders nu wel zo ongeveer zou hebben verteld dat zijn huwelijk voorbij was. Maar wat ze absoluut zeker wist, was dat hij nooit eerlijk zou opbiechten wat de reden daarvan was. Zo moedig was hij nou ook weer niet. Het enige wat zij wilde doen, was aan zijn moeder vertellen dat zij een vriendin was van haar zoon, en dat ze probeerde om hem te vinden, en daar zou ze het bij laten. Ze wilde dan zo snel mogelijk weer ophangen, zodat die nog niet ontplofte bom nog even door kon tikken, daar bij hen. Ze belde nog maar een keertje. Deze keer ging de telefoon eindeloos over, en toen kreeg ze het antwoordapparaat. Ze sprak dit keer maar geen boodschap in. Het had geen zin. Ze zou het later nog wel eens proberen. En zelfs als het me niet lukt om die mensen ooit te pakken te krijgen, dacht ze met een glimlach, dan nog zouden zijn ouders op een gegeven ogenblik laten vallen dat ze door ene Katie waren gebeld. En dat die Katie beweerde dat ze een vriendin van hem was, en dat ze een boodschap had ingesproken. Daar zou hij zich mooi een rolberoerte van schrik- ken. Ze vroeg zich af of Pauline en John dat allemaal bij elkaar op zouden tellen, en of ze zich de naam nog zouden herinneren van de vrouw die James weken geleden aan hen had voorgesteld in Lincoln. Dan hadden ze mooi iets om over na te denken.

Ze concentreerde zich weer op haar businessplan. De bank wilde haar een bepaald bedrag lenen voor de opstartkosten, onder de voor- waarde dat ze heel precies kon aantonen hoe ze dat geld zou gebruiken en wanneer ze het terug zou betalen. Maar ze had totaal geen inspiratie. Ze vond het niet zo opwindend om zich allerlei schulden op de hals te halen, en om alleen nog maar te moeten werken om het hoofd boven water te houden. Zoals ze vroeger werkte paste veel beter bij haar: eerst leven, dan werken. Als ze eens een keer geen zin had om te werken, nam ze gewoon een dagje vrij. Maar nu had ze plotseling allemaal verplichtingen en quota en budgetten, en ze wist niet of ze dat wel zo leuk vond.

Het ging om het spelletje, realiseerde ze zich nu. Het ging erom dat ze James dwong om haar het pand voor een fractie van de reële waarde te verkopen. Daar lag de overwinning in. Ze wilde eigenlijk helemaal geen zakenvrouw worden. Maar ja, de contracten waren al getekend. Ze kon zich nu niet meer terugtrekken zonder haar aanbetaling te verliezen, en dat kon ze zich absoluut niet veroorloven. Nu was ze kwaad op James omdat hij haar in een positie had gebracht waarin ze haar hele leven in dienst zou moeten stellen van werken.

Dus pakte ze de telefoon maar weer eens en belde naar Pauline en John. Antwoordapparaat.

Tegen de tijd dat James in de stationsrestauratie in Lincoln aankwam om Stephanie daar op te pikken, zat zij net aan haar derde kopje koffie en was ze serieus aan het overwegen om terug te gaan naar Londen. Dit was krankzinnig. Wat waren ze nou eigenlijk van plan? Katie aan een stoel vastbinden zodat ze eindelijk zou ophouden? Nou, dat was niet eens zo'n gek idee. Ze wist niet of het wel zo'n goed idee was om samen met James bij haar aan te komen. En toch had het ook wel iets bemoedigends, het idee dat straks alles uitgesproken zou zijn. Ze had die katholieken met hun liefde voor de biecht vroeger nooit zo begrepen – misschien ook omdat ze nooit iets ergs op haar geweten had dat ze graag op had willen biechten – maar nu begreep ze dat het iets louterends had om het er uit te gooien.

Ze had het gevoel of ze een overdosis cafeïne binnen had en ze probeerde de ongeduldige blikken van andere klanten, die ook aan een tafeltje wilden zitten, te negeren, toen James binnen kwam lopen en in het stoeltje tegenover haar neerzeeg. 'Ben je hier al lang?' vroeg hij, alsof ze hier waren voor een gezellig kopje thee en een kletspraatje.

'Maakt niet uit,' zei Stephanie. 'We moeten iets verzinnen.'

Ze besloten om naar Lower Shippingham te rijden en in de auto verder te praten. Zodra ze onderweg waren, zuchtte Stephanie diep en begon bij het begin: dat ze dat sms'je had gezien, en dat ze contact had opgenomen met Katie en dat ze hadden afgesproken, en hoe ze plannen hadden gesmeed om James' leven op zijn kop te zetten. James hoorde haar zwijgend aan. Toen ze vertelde dat Katie verantwoordelijk was voor de problemen met de belastingdienst en de mensen van Bouw- en Woningtoezicht, dwong ze zichzelf om hem aan te kijken om te zien hoe hij dit opvatte. Zijn gezicht was rood aangelopen en ze wist dat hij of boos was, of dat hij zich geneerde voor de manier waarop hij Sally had behandeld. Maar dat zou hij natuurlijk nooit toegeven.

'Het spijt me,' zei ze uiteindelijk, toen ze alles had verteld.

'Dat hoeft niet,' antwoordde hij. 'Ik verdien niet beter.'

'Nou, ik vind eigenlijk dat je wel iets beters verdient. Hoewel het voor een groot deel natuurlijk terecht was.' Ze dacht dat ze een voorzichtig glimlachje om zijn mondhoeken zag komen. Ze besloot om te kijken hoever ze kon gaan. 'Speciaal dat dinertje. Dat was echt steengoed.'

Hij schoot nog in de lach ook. 'Was dat jouw idee?'

'Nou, vereende krachten. Ik voelde me er wel beter door, James. Het spijt me dat ik het moet zeggen.'

'Ongelofelijk dat ik indruk wilde maken op die lui.'

'Er zijn zoveel dingen die ik niet kan geloven, wat jou betreft,' zei ze, en ze wilde meteen haar tong afbijten. Het was niet nodig om ouwe koeien uit de sloot te halen. Hij had duidelijk een scherp beeld van wat hij had misdaan. Dus probeerde ze de stemming weer wat lucht in te blazen: 'Zoals dat je die lui bouillabaisse hebt voorgezet. Jij walgt van bouillabaisse.'

'Het was het enige wat ik kon krijgen. Ze moeten echt iets doen aan hun aanbod bij die Joli Poulet.'

Stephanie glimlachte. 'Dus wat gaan we straks doen?'

'Met de Joli Poulet, bedoel je?'

'Ha, ha, erg geestig.'

James haalde zijn hand van het stuur en veegde zijn voorhoofd af. 'Ik hoopte eerlijk gezegd dat jij een plan had verzonnen. Het enige wat ik graag wil is dat pa en ma hier niet bij betrokken raken, verder maakt het me niet uit.'

'Mij ook niet,' zei Stephanie.

'Ik kan niet geloven dat ze die mensen willens en wetens pijn doet. Dat is echt niks voor Katie. Nou ja, dat weet jij inmiddels zelf ook.'

'Ik denk dat ze er een flinke tik van heeft gekregen... van wat jij hebt gedaan... En ik denk dat ze zich beter voelt door wraak op je te nemen. Maar ze is wel echt veranderd, dat klopt, ja.'

'O, god,' zei James. 'Wat moeten we in vredesnaam doen?'

Hij kende de weg op zijn duimpje. Alle splitsingen, alle mogelijke knooppunten en alle handige sluiproutes stonden in zijn hersenen gebeiteld, en dat was maar goed ook, want hij kon zich totaal niet concentreren op de weg. Hij had er geen seconde over nagedacht toen hij Stephanie aanbood om naar Lincoln te komen, maar zodra hij onderweg was kreeg hij spijt van dat besluit. Hij had geen idee wat er nu echt aan de hand was tussen Stephanie en Katie, hoewel hij al wel had bedacht dat ze contact hadden gehad. Waarschijnlijk had Stephanie Katies telefoonnummer gevonden in zijn mobieltje, en had ze haar toen opgebeld, of misschien was het wel Katie die het eerste contact had gelegd en had gebeld om te zeggen: 'Ik woon samen met jouw man.' Te oordelen naar hoe ze zich momenteel gedroeg, was dat nog het meest waarschijnlijk. Misschien was Katie helemaal niet zo'n lieve, naïeve vrouw als ze altijd had geleken. Het idee dat dat wel eens zo zou kunnen zijn gaf hem gek genoeg een iets beter gevoel.

Stephanie zag er bleek en gespannen uit toen hij haar daar aan het tafeltje in de restauratie zag zitten, en zijn hart sloeg een paar keer over alsof het hem eraan wilde herinneren dat hij echt veel voor haar voelde. Ze glimlachte flauwtjes toen ze elkaar aankeken, maar ze keek toen snel weer weg, alsof ze niet precies wist wat ze tegen hem moest zeggen. Hij ging zitten.

Het viel niet mee wat Stephanie hem allemaal te vertellen had, vooral niet omdat hij zijn aandacht ook nog bij de weg moest houden. Hij voelde zich dom, kwaad en vernederd, alsof hij het doelwit was van een extreem gecompliceerde grap waar iedereen van af wist, behalve hij. Toen ze vertelde over de belastingdienst had hij bijna gezegd: 'Maar...', maar hij kon zich inhouden. Stephanies punt was kennelijk dat Katie veel te ver was gegaan, en dat ze in haar eentje had geopereerd. Wat voor recht had hij trouwens om te klagen over hoe slecht ze hem behandeld hadden? Maar waar hij zich echt vreselijk over voelde was Sally. Hij voelde dat hij rood aanliep bij de gedachte aan wat hij allemaal tegen haar had gezegd, en hoe hij dat had aangepakt.

'Ik vind het zo vreselijk voor Sally,' zei Stephanie, alsof ze zijn gedachten kon lezen. 'Zij had hier nooit het slachtoffer van mogen worden.'

'Ik ga bij haar langs, en dan leg ik het allemaal uit. En ik bied haar mijn excuses aan,' zei hij. Stephanie bood aan om met hem mee te gaan, wat hem wel een iets beter gevoel gaf.

'Dan zeg je gewoon dat ze het allemaal maar gedroomd heeft, zoals in *Dallas*,' zei ze en hij moest lachen. Stephanie verstond de kunst om hem te laten lachen, zelfs al voelde hij zich nog zo beroerd.

Toen ze de deur opendeed en haar ex-vriendje met zijn bijna-ex-vrouw samen op de stoep zag staan, was Katie alweer helemaal vergeten dat ze zijn ouders had willen bellen. Het idee verveelde haar snel toen ze doorkreeg dat er toch niemand opnam. En toen voelde ze zich eigenlijk ook al meteen rot vanwege het feit dat ze een boodschap had ingesproken. James terugpakken was één ding, maar zijn liefhebbende ouders de schrik van hun leven bezorgen, dat ging waarschijnlijk iets te ver. Het leken haar per slot van rekening heel lieve mensjes, toen ze hen tegenkwam, en heel kwetsbaar. Sinds wanneer was zij eigenlijk iemand die twee mensen van vijfenzeventig kwaad wilde doen? Dat had hij haar aangedaan. Hij had haar zo gemaakt. Ze probeerde zich te herinneren wat ze ook weer precies voor boodschap had ingesproken: alleen maar dat ze een vriendin was van hem en Stephanie, en dat ze graag contact wilde. Genoeg om hem een hartverzakking te bezorgen als ze het tegen hem zouden zeggen, maar ook weer niet zo erg dat zij meteen wisten dat er stront aan de knikker was. Ze hoefde dus verder niets meer te doen. Als ze nog een stap verderging, zou de te rechtvaardigen wraak omslaan in iets veel duisterders, en ze wilde toch nog altijd graag geloven dat ze diep vanbinnen een aardig mens was dat graag weer naar boven wilde komen zodra ze James uit haar systeem had.

'Stephanie, hallo,' zei ze verbaasd, nadat ze had opengedaan. Toen zag ze daar nog iemand anders staan, een klein stukje van Stephanie af, alsof hij bang was voor de ontvangst die hem ten deel zou vallen, en ze vroeg: 'Wat moet hij hier?'

52

KATIE HAD ER WEL EENS beter uitgezien, dacht Stephanie toen de deur openging. Ze leek veel ouder, veel afgetobder, veel minder een figuur uit een tekenfilm. Ze schrok absoluut toen ze James zag staan, maar dat kon je haar niet kwalijk nemen. Zelfs Stephanie begreep niet helemaal wat ze hier samen deden.

'Katie, we zijn hier om je te vragen ermee op te houden. Ik weet dat het een beetje raar is, maar het is nu genoeg geweest. Je gaat echt veel te ver door ook nog eens de ouders van James hierbij te betrekken.'

Katie keek zenuwachtig in de richting van James. 'Waar heb je het over,' probeerde ze weinig overtuigend.

'Ik heb hem alles verteld. En ik probeer jou al de hele dag te bereiken, als je gewoon had opgenomen, dan had ik het kunnen uitleggen – tenminste, als jij had beloofd dat je John en Pauline met rust zou laten.'

'Kom maar binnen,' zei Katie, en ze liep achterwaarts haar voorkamer in, terwijl Stanley, die doorhad wie daar voor de deur stond, naar buiten kwam stuiven en zich boven op James stortte.

'Aha,' hoorde Stephanie zichzelf zeggen. 'Natuurlijk, de hond.'

Ze kon zich nauwelijks voorstellen dat James in dit piepkleine, vrouwelijke huisje had gewoond. Het was wel gezellig, daar niet van, een beetje schilderachtig zelfs, maar James hield altijd meer van alles in één kleur, en strakke, mannelijke lijnen. Alles moest eruitzien alsof het zo uit een tijdschrift kwam, wat niet meeviel om in stand te houden toen ze Finn eenmaal hadden.

'O, je hebt de muren geverfd,' zei James toen ze binnen stonden. Het was het eerste wat hij zei sinds ze hier waren.

Katie zei niets. Stephanie zag dat ze helemaal niet naar James keek. Ze hadden natuurlijk ook geen contact meer gehad sinds het allemaal zo uit de hand was gelopen. Terwijl Stephanie er inmiddels aan was gewend dat ze hem dagelijks sprak.

Katie rommelde wat in de keuken, waar ze koffie zette, ook al had ze helemaal niet gevraagd of ze daar wel zin in hadden. James ging zitten, met gebogen hoofd, en zat duidelijk te wensen dat hij hier nu niet hoefde te zijn.

Stephanie besloot om zelf de touwtjes maar in handen te nemen, ze liep achter Katie aan naar haar piepkleine achterkamer, waar ze de deur dichttrok zodat het leek alsof ze wat privacy hadden, ook al kon James hen woordelijk verstaan. Jammer dan, dacht ze. Ik ben niet dat hele eind hiernaartoe gekomen om me zorgen te maken over of hij misschien gekwetst raakt.

'Het spijt me dat we je zo overvallen, Katie,' zei ze. 'Maar dit is allemaal verschrikkelijk uit de hand gelopen. Oké, we wilden hem een lesje leren…'

'Jij wilde hem een lesje leren,' zei Katie, en Stephanie was zich pijnlijk bewust van James die een en al oor was aan de andere kant van de deur.

'Ja, ik wilde hem een lesje leren. Ik weet dat het mijn idee was, en dat jij er zelf nooit op was gekomen om wraak te nemen, dat zag ik toen heus wel. Maar ik ben er nu klaar mee, en dat zou jij ook moeten zijn, denk ik. James moet ook verder, al is het alleen maar voor Finn. Het is niet goed voor een klein jongetje om te zien dat zijn vader steeds verder aan lager wal raakt.'

Katie zette de beker neer die ze in haar handen had. 'Maar jij had gelijk. Jij zei dat ik me er beter door zou voelen, en dat was ook zo. Dus dat is toch mooi?'

'Dat was toen prima, ja. Maar je wilt me toch niet serieus vertellen dat je je nu nog *steeds* zo goed voelt? Is het niet veel gezonder om dingen los te laten?' voegde ze eraan toe, op zoek naar een manier om contact te maken met Katies new-agegevoelens. 'Je moet… je moet je ziel schoonmaken. Je hebt je nieuwe bedrijf om je op te concentreren. Dat is toch iets goeds, dat uit deze ellende is voortgekomen, of niet?'

'Dat bedrijf interesseert me geen moer,' zei Katie opstandig. 'Ik vond het prima zoals het was. Alleen ik en mijn klanten, en geen zorgen over personeel en pensioenen en wie de receptie moet draaien. Het enige wat ik wilde was hem een poot uitdraaien. Ik wilde dat hij er op de een of andere manier voor zou bloeden.'

'Nou, knap het zaakje op en verkoop het voor een goede prijs. Dan ben je een aromatherapeut met vastgoedaspiraties.'

Katie haalde haar schouders op.

'Het is hoe dan ook over, Katie. James weet alles. In godsnaam, doe zijn ouders geen pijn. Daar ben je toch eigenlijk veel te aardig voor. Dat was een van de eerste dingen die me opviel, hoe aardig jij was. Daarom geloofde ik je ook meteen toen je zei dat jij hier nooit van af had geweten. Daarom mocht ik je, en dat was toch eigenlijk heel raar, gezien de omstandigheden.'

'Ik was helemaal niet van plan om hun echt iets te vertellen. Zo erg ben ik nou ook weer niet veranderd.'

'Maar waarom heb je ze dan gebeld?'

'Om hem de stuipen op het lijf te jagen, denk ik.'

'Nou, dat is je dan gelukt. En nu?'

'Hoe bedoel je?' vroeg Katie defensief.

'Was dit het wel zo'n beetje, of ben je nog meer van plan?'

Katie keek haar aan met een uitgestreken gezicht. 'Ik ben hier niet mee begonnen, hoor, Stephanie.'

'Dat weet ik,' zei Stephanie. 'Ik weet dat het allemaal mijn schuld was. Maar ik vraag je nu om ermee te stoppen. In godsnaam, Katie, hier ben jij toch veel te goed voor?'

'Met goed zijn ben ik anders nooit veel opgeschoten, of wel soms?'

'Met goed zijn kreeg je anders wel voor elkaar dat ik jou mocht, ondanks wat er was gebeurd,' zei Stephanie. 'Met goed zijn kreeg je voor elkaar dat ik jou geloofde toen je zei dat jij evenveel pijn had als ik. Zo was jij gewoon, een goed mens.'

Katie zuchtte. 'Goed dan, ik hou er wel mee op. Maar alleen voor jou, niet voor James. Voor jou en Finn.'

Stephanie had het gevoel alsof er een enorme last van haar schouders viel. Ze sloeg haar armen om Katie heen en drukte haar tegen zich aan. 'Dus dit was het? Kunnen we nu allemaal verder met ons leven?'

'Ja, dat zal dan wel,' zei Katie, en ze knuffelde Stephanie terug, wat Stephanie opvatte als teken dat het waar was wat ze zei.

'Dan gaan we nu maar weg,' zei ze, en ze liep terug naar de zitkamer. Hoe sneller ze hier weg waren, des te eerder kon ze weer naar huis om dit hele hoofdstuk te vergeten.

Maar James leek andere plannen te hebben. Hij stond vlak achter de deur en keek veelbetekenend zodra ze weer terugkwam met Katie achter zich aan. 'Ik wil graag iets zeggen,' zei hij.

O, god, dacht Stephanie. 'Het is al goed, James,' zei ze. 'Laten we nou maar gewoon weggaan.'

'Nee,' antwoordde hij. 'Pas als ik heb gezegd wat ik te zeggen heb.'

Hij was niet van plan geweest om een toespraak te houden. Hij was eigenlijk van plan geweest om helemaal niets te zeggen als het niet echt nodig was, omdat hij wist dat Katie eerder naar Stephanie zou luisteren dan naar hem. Hij was alleen gekomen voor de morele ondersteuning, voor het geval Steph die nodig had. Het was hem de afgelopen maanden gelukt om Katie totaal uit zijn hoofd te zetten. Alsof ze niet meer bestond. Hij had haar willen vergeten, vanwege Stephanie. Maar nu ze weer in levenden lijve voor hem stond, wist hij dat hij haar een uitleg was verschuldigd. Hij was gevallen voor haar naïeve houding, en voor hoe lief ze was, en zo vol van vertrouwen. En dat waren nu precies de dingen die hij kapot had gemaakt. Wat hij had gedaan was vreselijk voor Stephanie, maar voor Katie was het even erg, en als hij wilde proberen echt een beter mens te worden, dan moest hij dat onder ogen zien en dan moest hij de volledige verantwoordelijkheid nemen voor wat hij de beide vrouwen had aangedaan.

'Katie,' begon hij, 'ik wil mijn verontschuldigingen aanbieden voor wat ik jou heb aangedaan, want dat spijt me echt zo verschrikkelijk. Ik was zwak en dom en oneerlijk en ik heb me idioot gedragen. Een klootzak was ik. En wat je verder nog kunt verzinnen...'

Katie keek hem uitdrukkingsloos aan, alsof ze wilde zeggen: 'Dat wist ik allemaal wel.'

Stephanie keek vooral alsof ze hier zo snel mogelijk weg wilde.

'Het is zo,' ging hij verder, vastbesloten om zijn zegje te doen, 'ik heb een vreselijke fout gemaakt. Want het punt is, dat ik altijd van Stephanie ben blijven houden. Ik zag dat zelf alleen niet.' Hij keek naar haar om te zien of ze reageerde op deze liefdesverklaring, maar Stephanie stond de vloer te bestuderen.

'Het zal wel een midlifecrisis zijn geweest, weet ik veel. Jij kunt mijn gedrag waarschijnlijk veel beter analyseren dan ikzelf – daar ben je nou eenmaal goed in,' zei hij, en hij keek naar Katie, die hem recht in de ogen keek alsof ze hem wilde uitdagen om niet nog een keer tegen haar te liegen. 'En ik heb jou gebruikt zodat ik me weer jong en aantrekkelijk voelde, of wat ook. Ik weet wel dat dat niet echt een goede reden is. Maar voor ik wist wat er gebeurde, ging ik echt om jou geven. Van je houden, zelfs. Dat geloofde ik tenminste echt – sorry, Steph…' Nu keek hij weer naar Stephanie, maar die was nog steeds de vloerbedekking aan het bewonderen.

'Nou ja, dat wilde ik je graag zeggen. Ik wilde jullie nooit pijn doen, allebei niet. Ik was niet goed snik, want ik dacht dat ik van twee walletjes kon eten. Toen zag ik in dat ik eigenlijk alleen maar mijn huwelijk wilde, en mijn vrouw en mijn zoon. Maar het was al te laat toen ik dat inzag. Dus, ik wil dat jullie allebei weten dat het me spijt en dat ik nooit van plan was om een spelletje met je te spelen, Katie, maar dat ik uiteindelijk toch heb ingezien dat ik alleen maar echt van Stephanie hield. Nog steeds. Ik zou er alles voor overhebben als ze mij weer terug wilde.'

Niemand zei iets en de verklaring die James net had afgelegd bleef even in de lucht hangen. Toen draaide Katie zich om naar Stephanie, en vroeg: 'Je neemt hem toch niet echt terug, hè?'

Toen James klaar was met zijn toespraak, merkte Katie dat ze helemaal niets meer voor hem voelde. Geen aantrekking, geen woede, geen rancune. Het was allemaal weg, en nu zat ze met een groot, leeg gevoel. Als ze eerlijk was, moest ze toegeven dat dat best prettig was.

'Je neemt hem toch niet echt terug, hè?'

'Nee, man!' zei Stephanie verontwaardigd, en ze keek voor het eerst weer op. 'Ben jij gek?' Ze wierp een zijdelingse blik op James en zei: 'Ik ga samenwonen met iemand anders. Dat wil zeggen, hij trekt bij mij in. Sorry,' zei ze tegen James. 'Ik had het je nog willen vertellen.'

James zag eruit alsof iemand met een enorme vrachtwagen over hem heen gereden was. 'Michael?' vroeg hij. Stephanie knikte.

'Sorry,' zei Stephanie nog een keer, en Katie begon zich af te vragen of ze het nu allemaal goed begreep

'Jij hoeft helemaal geen sorry tegen hem te zeggen. En wie is Michael?' Ze was kwaad op Stephanie. Niet alleen vanwege de U-bocht die ze had genomen in haar houding tegenover James, en omdat ze hun plan zomaar aan hem had verteld zonder eerst aan haar te vragen of ze dat wel goedvond, maar vooral, besefte ze nu, omdat het Stephanie kennelijk wel was gelukt om de draad weer op te pakken. Zozeer zelfs, dat ze een andere man had aangetrokken die haar zo leuk vond dat hij met haar wilde samenwonen. Ze was gewoon jaloers, klaar. Stephanies leven stond weer helemaal op de rit, terwijl Katie zichzelf alleen maar had verlaagd door achter iemand aan te zitten die helemaal niet in haar geïnteresseerd was. De oude Katie – de echte Katie – zou alleen maar blij zijn geweest voor Stephanie. Die zou dankbaar zijn dat er inderdaad nog zoiets bestond als een happy end, voor wie dan ook. Ze moest echt die oude Katie weer de kans geven. Want de oude Katie was gelukkig geweest.

'Wow,' dwong ze zichzelf te zeggen toen Stephanie vertelde hoe het zat, en het klonk zelfs alsof ze het meende. 'Ik ben blij voor je. Geweldig.'

James maakte een soort geluid als van een dier dat pijn heeft, en Katie zag dat hij helemaal kapot was van dit nieuws. Had hij dan echt gedacht dat hij kans maakte om Stephanie weer voor zich te winnen? Na alles wat er was gebeurd? Ze merkte dat ze nog medelijden met hem had ook. Nu ze al die negatieve gevoelens had losgelaten kwam haar oude ik weer een stukje om de hoek kijken en was ze in staat om medelijden met hem te voelen. Dat zoiets kon, dat had ze nooit gedacht. Ze glimlachte half om te laten zien dat ze met hem meevoelde en hij beantwoordde die blik met een uitdrukking die niet zozeer opluchting liet zien als wel dankbaarheid. En meteen voelde ze zich een stuk beter over zichzelf.

Stephanie liep al voorzichtig richting deur. 'Ik moet echt gaan,' zei ze. 'Ik moet zorgen dat ik thuis ben voordat Finn er is.'

'Kom anders met mij mee in de auto,' zei James. 'Of ik zet je af bij het station, als je dat liever hebt,' voegde hij er nerveus aan toe.

Zodra Stephanie het met hem eens was dat het onzin was om met de trein te gaan als hij toch terugreed naar Londen, ging hij naar de wc, zodat zij alleen achterbleef met Katie.

'Wat een puinhoop, hè?'

Katie, opgeveerd door het gevoel dat ze echt wel een goed mens was, glimlachte. 'Hij is echt veranderd, geloof ik. Het lijkt erop dat hij zijn lesje wel heeft geleerd.'

'Hé,' zei Stephanie met warme stem, 'daar heb je de echte Katie weer.'

53

O P DE TERUGWEG ZEIDEN JAMES en Stephanie geen van beiden iets over zijn toespraak van net. Stephanie had bedacht dat ze de terugreis alleen zou overleven als ze de radio aanzette en deed alsof ze sliep. Ze hoefde niet letterlijk uit te spreken dat hij geen schijn van kans meer had.

Ze waren nog gestopt bij het huis van Sally O'Connell, waar James flink en oprecht door het stof was gegaan. Sally had zijn excuses waardig geaccepteerd.

'Ik had je kunnen aanklagen voor onterecht ontslag, zeiden ze,' vertelde Sally. 'Maar zoiets zou ik nooit doen.'

'Dat is omdat jij een heel stuk aardiger bent dan ik,' antwoordde James. 'Dan ik was, in elk geval. Ik doe mijn best tegenwoordig.'

Tegen drie uur was het duidelijk dat ze niet thuis zouden zijn voordat Cassie met Finn uit school kwam, en dus belde Stephanie haar op om te vragen of ze bleef tot zij er waren. Gelukkig wilde ze dat wel, want anders had Stephanie niet geweten wat ze moest doen. Toen ze vanochtend in de trein sprong had ze hier totaal niet over nagedacht.

Eenmaal thuis was ze uitgeput, maar James wilde even mee naar binnen om dag te zeggen tegen Finn en ze wist dat ze het recht niet had om hem dat te weigeren. Zodra Finns eten klaar was, vond ze het lomp om James niet ook iets te eten aan te bieden, en pas toen ze met zijn drieën aan tafel zaten, herinnerde ze zich weer wat hij haar die ochtend had verteld. 'Zei je nou dat je een nieuwe baan had?' Die ochtend leek een eeuwigheid geleden.

'Ja, klopt!' Hij keek heel blij, en zijn hele gezicht begon te stralen van een enthousiasme dat ze al in geen maanden, of zelfs jaren, bij hem had gezien. 'Het is maar voor drie dagen in de week, en ik verdien er niet bepaald een topsalaris mee, maar het is in Kilburn, bij het Cardew Rescue Centre. Dat is een liefdadigheidsinstelling waar ze mensen uit de buurt helpen die anders geen dierenarts kunnen betalen. En ze nemen ook zwerfdieren op. Dus geen hondjes in handtassen meer, of katten zonder nagels zodat ze de zijden kussens niet kunnen mollen. Het echte werk.'

'Wat gaaf,' zei ze. 'Ik ben echt heel blij voor je.'

'Mag ik ook een hond?' vroeg Finn met grote ogen. 'Eentje die verder niemand wil? Zo'n ouwe, met maar drie poten?'

James schoot in de lach. 'Misschien. Dat moet je maar met je moeder overleggen.'

'Mam…'

'Nee,' zei Stephanie meteen. 'Tenminste, voorlopig niet.'

'Weet je wat,' zei James, 'als ik er eentje binnenkrijg met twee poten, dan beloof ik dat je die mag hebben.'

'Een poot,' zei Stephanie. 'En maar één oog. Dan hebben we een deal.'

Stephanie moest dingen regelen. Michael zou volgende week bij haar intrekken, en ze had het er nog steeds niet met Finn over gehad, laat staan dat ze al kastruimte voor hem had vrijgemaakt of gênante dingen had weggegooid waar Michael over zou kunnen vallen, zoals aambeiencrème, en steunkousen. Ze had hem al een paar dagen niet gezien, want hij was weg om een of ander bandje te fotograferen voor een tijdschrift. Ze had hem niet verteld van haar uitstapje naar Lincoln met James, en hun ontmoeting met Katie. Ze had zo het vermoeden dat hij dat toch niet zou begrijpen. Natasha daarentegen zou het prima begrijpen, maar helaas praatten ze nooit meer echt met elkaar. Stephanie was haar vriendin de laatste tijd zorgvuldig uit de weg gegaan en Natasha had de hint begrepen en belde nooit meer. Ze communiceerden per sms en lieten briefjes voor elkaar achter op kantoor. Stephanie wist wel dat zij degene was die deze situatie had veroorzaakt, en dat zij dus ook de eerste stap moest zetten.

'Sorry, sorry, sorry, sorry,' zei ze zodra Natasha opnam.

'Hoor ik het nou goed, zei je sorry?' vroeg Natasha, en Stephanie hoorde dat ze moest lachen.

'Ik had het nooit mogen afreageren op jou. Ik heb jou om advies gevraagd, maar omdat ik het toevallig niet leuk vond wat jij zei schoot ik helemaal in de verdediging. Dat was ontzettend dom van me. En ook niet echt loyaal…'

'En ook behoorlijk kinderachtig.'

'Dat ook, ja, bedankt.'

'En ondankbaar.'

'Ja, ja, hou maar op. Ik probeer eerlijk tegen je te zijn. Het punt is: ik zat fout, en het spijt me en ik wil weer graag vriendinnen zijn.'

'Tuurlijk. Hoe is het met Michael?'

'Prima. Die trekt volgende week bij me in.'

'Wat leuk,' zei Natasha in een poging oprecht te klinken.

'O ja, vind je dat leuk?' vroeg Stephanie. 'Ik weet het namelijk nog niet zo net.'

'Als je maar niet denkt dat ik jou ooit nog een keer advies geef. Je zoekt het maar mooi zelf uit.'

Achteraf bezien, dacht Stephanie, was het beter geweest als ze tot na het eten had gewacht om het Michael te vertellen. Dan hadden ze nu niet twintig minuten zitten kauwen op hun pasta zonder te weten wat ze tegen elkaar moesten zeggen.

Michael had heel kalm en redelijk gereageerd, zoals ze wel gedacht had: hij was niet zo theatraal. Maar hij was wel degelijk geschokt, dat zeker. Hij zat te vertellen over een boek dat hij aan het lezen was, over Afghanistan of Azerbeidzjan, dat wist ze niet meer precies omdat ze niet had opgelet. Ze was veel te druk bezig met verzinnen hoe ze het gesprek op hun relatie kon brengen. Uiteindelijk hield ze het niet meer, en zodra hij even zweeg om adem te halen, hoorde ze zichzelf zeggen: 'Ik moet iets met je bespreken.'

Hij wist uiteraard meteen dat er iets mis was. Iedereen wist dat zo'n zin zelden een inleiding was tot goed nieuws. Hij had zijn vork neergelegd en veegde zijn mond af, wachtend tot de bijl zou vallen.

Stephanie had enorm zitten malen over wat ze nu precies moest zeggen. Ze had het zelfs nog hardop geoefend met Natasha, maar Natasha weigerde om haar serieus te nemen, en in haar rol als Michael barstte ze steeds uit in hysterisch gegil, greep naar haar borst en riep: 'Waarom toch? Waarom toch?' Dus toen had Stephanie het maar opgegeven.

'Als het straks allemaal misgaat, dan is dat jouw schuld. Dat je het maar weet,' zei ze lachend.

Nu was ze al die zorgvuldig ingestudeerde woorden helemaal kwijt, en het enige wat haar nog te binnen wilde schieten waren platitudes als 'Het ligt niet aan jou, het ligt aan mij', en 'We kunnen toch vrienden blijven', maar gelukkig was ze zo verstandig om dat allebei niet te zeggen. En dus kwam het recht voor zijn raap neer op: 'Ik denk dat wij elkaar maar niet meer moeten zien', waarna ze achteroverleunde en wachtte op zijn reactie.

'Oké,' zei hij zachtjes. 'Is daar ook een reden voor?'

'Nou,' antwoordde ze, 'ik denk dat het allemaal te snel is gegaan voor mij.' Dit was de aanpak waartoe ze had besloten: om hem deels de waarheid te vertellen, maar ook om het een en ander weg te laten. Dat ze niet zeker wist of hij wel gevoel voor humor had, om maar eens wat te noemen. 'Ik had eigenlijk eerst alles wat er met James is gebeurd moeten verwerken voor ik een nieuwe relatie aanging. Maar toen ik jou leerde kennen vond ik je zo leuk, en ik was ook echt enorm gevleid, en voor ik er erg in had waren we al heel serieus bezig en ik, nou ja… Het spijt me.'

Ze wachtte tot hij haar zou beschuldigen dat ze een spelletje met hem had gespeeld, en dat ze hem had gebruikt, maar aangezien hij Michael was, zat hij alleen maar droevig te knikken en zei: 'Als dat jouw beslissing is, dan heb ik me daar bij neer te leggen. Maar ik zou graag willen dat ik je nog op andere gedachten kon brengen.'

'Als ik je nou een paar maanden later was tegengekomen…' zei ze, want het lukte haar niet om dat cliché binnen te houden, '…dan was het misschien allemaal anders geweest. Maar ik denk dat ik nu eerst een poosje op mezelf moet zijn. Ik moet eerst maar eens bedenken wat ik nu echt wil.'

'Je gaat toch niet weer terug naar James, hè?'

'Nee! Waarom vraagt iedereen dat toch steeds?'

Michael prikte wat eten aan zijn vork en overwoog wat hij nu zou zeggen. Ook al deed hij zo om het haar gemakkelijk te maken, ze wilde dat hij voor deze ene keer kwaad zou worden, of desnoods ging huilen. Hij had totaal geen passie, dacht ze nu. Hij is één brok beleefdheid. Daar zou je toch helemaal knettergek van worden na een paar jaar. Ze hoopte maar dat ze dat goed zag.

'Nou, ik ben daar natuurlijk wel verdrietig om,' zei hij. Maar het waren slechts woorden, want er viel verder niets aan hem te zien. 'Ik dacht... Enfin, ik dacht dat wij iets bijzonders hadden. Maar ik respecteer je eerlijkheid. Misschien dat we het over een paar maanden nog eens kunnen proberen, als jij dat wilt. Ik zou in elk geval zeker vrienden willen blijven.'

Stephanie dacht aan al die jazzavondjes en vernissages en arthouse-films en dwong zichzelf om te zeggen: 'Ja, dat hoop ik ook.'

Toen ze hun pasta en hun salade op hadden en nog steeds houterig maar beleefd zaten te converseren, geeuwde Stephanie een keer en zei dat ze het toetje maar oversloeg deze keer, omdat ze doodmoe was en morgenochtend vroeg moest opstaan. Buiten hadden ze elkaar omhelsd en een kus op de wang gegeven, en Michael zei: 'Beslis jij maar of je mij nog een keer belt. Ik wil je niet pushen.'

'Oké. Heel fijn,' zei ze, en ze wist dat ze hem waarschijnlijk nooit meer zou spreken. Het was haar nog nooit gelukt om bevriend te blijven met een ex.

Thuis zat James televisie te kijken in de zitkamer. Toen hij haar binnen hoorde komen stond hij meteen op.

'Ik heb de taxi weggestuurd,' zei ze. 'Ik dacht, misschien heb je nog wel zin in een borrel.'

James ging weer zitten. 'Oké.' Stephanie zag eruit alsof ze op het punt stond te gaan huilen.

'Gaat het wel?' informeerde hij voorzichtig.

Ze ging op de bank zitten. 'Ik heb het uitgemaakt met Michael,' zei ze.

James' hart sloeg een keer over, maar hij probeerde niet te laten merken hoe blij hij was met dit nieuws. 'Wat erg voor je. Hij leek me een aardige vent.' Ja, ja, het was een eitje om edelmoedig te zijn nu Michael het veld had moeten ruimen.

'Het is niet erg. Ik wilde het zo.'

Hop, weer dat vreugdesprongetje van zijn hart. Nog even en het sprong zo uit zijn borstkas. Rustig blijven, nu. 'Aha.'

Stephanie keek hem aan terwijl hij haar een glas wijn aanreikte. 'Jij hoeft je echt niks in je hoofd te halen, hoor. Het wil helemaal niet zeggen dat... nou ja, je weet wel. Ik wil gewoon een poosje alleen zijn.'

James' hart kwam piepend tot stilstand. Oké, dus dit was niet het romantische happy end waar hij van had gedroomd. 'Ja, tuurlijk,' zei hij, en hij klonk rustig en volwassen. 'Hé, maar vertel eens,' vroeg hij, 'moest hij huilen?'

Stephanie glimlachte, zoals hij al had gehoopt. 'Nee!'

'Heeft hij dan soms gedreigd dat hij van een hoge flat zou springen als je er niet op terugkwam?'

Ze lachte hardop. 'Nee, ook niet!'

'Dan lijkt het me niet dat hij er erg mee zit. Ik denk dat hij jou toch ook al meer dan zat was, eerlijk gezegd.' Goed, dat laatste was wel een beetje riskant. Of ze zou beledigd zijn, of ze vond het een goeie bak.

Ze gooide lachend een kussen naar zijn hoofd. 'Hij dacht dat ik weer terug wilde naar jou. Dus het is wel duidelijk dat er een draadje loszit aan die man.'

James lachte met haar mee. Dit was wat hij zo graag wilde, deze vertrouwdheid met Stephanie, en de kans om haar te bewijzen dat hij een waardige echtgenoot kon zijn. En, wie weet, ooit op een dag, haar misschien terug te winnen. Voorlopig moest hij het ermee doen dat hij haar aan het lachen had gekregen.

Stephanie zwaaide James na terwijl de taxi wegreed. Ze trok de deur achter zich dicht. Voor het eerst in tien jaar was ze nu echt helemaal alleen. Tenminste, alleen met Finn. En dat vond ze helemaal prima. Geen man, geen Michael. Het voelde goed. Ze had geen haast om weer in een relatie verzeild te raken. Ze zou eerst zelf alles op een rijtje zetten en bepalen wat ze nou echt wilde. Er was nog maar één horde die ze met James moest nemen: aan Pauline en John vertellen dat hun huwelijk voorbij was. Maar daar was geen haast bij. Ze zou wel zien hoe het liep.

Dankwoord

Ik bedank Louise Moore, Clare Pollock, Kate Cotton, Kate Burke en iedereen bij Penguin, Jonny Geller, Betsy Robbins, Alice Lutyens, Doug Kean en iedereen die ik ben vergeten bij Curtis Brown, Charlotte Willow Edwards voor haar onmisbare research en alle mensen die haar vragen hebben beantwoord, onder wie Louise Riches, de dierenartsexpert, Jess Wilson van Jess Wilson Stylists (www.threeshadesred.com/jesswilson), Jessica Kelly, Jeffery M. James en Steve Pamphilon.

Lees ook van Jane Fallon:

Helen is flink in de dertig en heeft al lang – véél te lang – een affaire met Matthew. Hij is het prototype machtige zakenman en sexy huisvader, en was (uiteraard) ooit haar baas. Maar dan besluit Helen dat het genoeg is geweest, ze moet ook verder met haar leven: de tijd is nu écht aangebroken om Matthew te dumpen. Tijd voor actie! Op dat moment verschijnt hij aan haar deur. 'Ik heb het verteld!' juicht hij. 'Ik ben bij haar weg! Ik ben nu helemaal van jou!' en hij trekt meteen bij haar in.

Wat te doen? Helen kan hem er nu niet zomaar uitgooien, ze heeft Matthew immers jaren gesmeekt om alles op te geven voor haar.

Er rest haar maar één ding: Matthew en zijn vrouw Sophie weer bij elkaar krijgen…

'Herkenbaar, af en toe schaamteloos en vaak dus erg lollig.'
— *Flair*

'Heel onderhoudend en vlot geschreven. Een aangename verrassing!'
— chicklit.nl

'Spetterend en onvoorspelbaar.'
— *Elle*

Paperback, 360 blz.,
ISBN 978 90 325 1156 2